Station van Venetië

Venetië & de lagune

NAAR ISTANBUL
EN HET OOSTEN

ADRIATISCHE ZEE

DE ALPEN

ITALIË

MIDDELLANDSE
ZEE

SICILIË

Pantelleria

Zuid-Europa
& Marokko

SCALE = from here to here = A LONG WAY

LEEUWENJONGEN

DE JACHT

Vertaald door Annelies Jorna

Zizou Corder

LEEUWENJONGEN
DE JACHT

Van Goor

Lees ook het eerste boek over Charlie en de Leeuwen,
Leeuwenjongen

STICHTING NEDERLANDSE
KINDERJURY
2005

ISBN 90 00 03600 3

Oorspronkelijke titel *Lionboy. The Chase*

© 2004 voor de tekst Zizou Corder

© 2004 voor de illustraties Fred van Deelen

© 2004 muziek Robert Lockhart

© 2004 Nederlandse vertaling Van Goor en Annelies Jorna

© 2004 voor deze uitgave Van Goor, Amsterdam

omslagillustratie Helen van Vliet

omslagontwerp Novak grafisch ontwerp

foto auteurs Richard H. Smith

www.van-goor.nl

Van Goor is onderdeel van Uitgeverij Prometheus

LEEUWENJONGEN. DE JACHT is opgedragen aan Julius en Grace Flusfeder, omdat we van ze houden.

EEN

Het is een bijzondere belevenis voor een jongen om ingesneeuwd te raken in een trein in de Alpen, in een badkamertje met zes leeuwen die heimwee hebben en een reus van een beest met sabeltanden. Het wordt nog mooier als in een vertrek naast je een vriendelijke Bulgaarse koning, genaamd Boris, in een paarse ochtendjas rondscharrelt, met het hoofd van zijn veiligheidsdienst, Edward, die ervoor zorgt dat hij alles te weten komt wat er te weten valt – en liefst nog een beetje meer.

Als jij in de schoenen van die jongen stond, zou je ook dolblij zijn geweest dat die leeuwen en die koning partij voor jou hadden gekozen. Je ouders zijn ontvoerd door een jonge schurk die ooit je buurjongen was, in opdracht van mensen die je niet kent – maar je weet wel zeker dat het is omdat je ouders, die superslimme geleerden zijn, een afdoend geneesmiddel voor astma hebben uitgevonden.

Als jij en de leeuwen waren ontsnapt aan de geheimzinnige, gemene leeuwentrainer van een drijvend circus, nam je natuurlijk ook de tijd om op adem te komen, want die trainer en de jonge schurk – die trouwens flink toegetakeld is door een van de leeuwen – kunnen door al die sneeuw toch nooit bij je komen.

En stel dat de oudste leeuw tegen je zei: 'We zitten warm en droog, we hebben eten en we zijn bij elkaar. Als de trein weer gemaakt is, rijden we door dit geheimzinnige noodweer naar de plaats waar je ouders zijn… en wij zijn dan dichter bij huis. Ondertussen… ondertussen zijn we veilig.' Reken maar dat je je bij die woorden opgevrolijkt, warm en gelukkig zou voelen.

Zo verging het Charlie Ashanti ook. Charlie voelde zich veiliger dan hij zich in weken had gevoeld. De prachtige leeuwen lagen in een kluitje om hem heen: de drie leeuwinnen uitgeput van hun jacht, de oudste leeuw op een bedaarde manier trots op hun ontsnapping, de jonge leeuwin Elsina nog verzwakt door de avonturen op het treindak maar toch uitgelaten omdat ze weer vrij waren. De jonge leeuw, Charlies vriend, sliep als een blok met zijn kop in Charlies schoot. In het koninklijke rijtuig naast hen zat koning Boris, die had beloofd ze te helpen als ze in Venetië aankwamen. Rafi Sadler en Maccomo de leeuwentrainer waren op veilige afstand in Parijs, en de sneeuw lag als een enorm knus dekbed over de trein.

'Jottem,' zei Charlie bij zichzelf. 'Dan kunnen we nu slapen, eten en uitrusten, zodat we weer fit zijn voor de moeilijkheden die ons te wachten staan.' Want hij wist wel zeker dat er nog problemen genoeg zouden komen.

Charlies ouders, dr. Aneba Ashanti en professor Magdalena Start, zaten inmiddels al dik in de problemen. Dat zou je niet zeggen als je ze tegenover elkaar in de recreatiezaal van de Corporatieve besloten dorpsgemeenschap zag zitten. De zaal was lang, laag en aangenaam, met een glazen wand die uitzicht bood op een prachtige subtropische tuin, vol palmbomen en grote ronde rotsen waar een beekje overheen kabbelde. Op het eerste gezicht had Magdalena het allemaal heel mooi gevonden, totdat het haar opviel dat alle rotsen precies dezelfde vorm hadden en van een soort kunststof waren gemaakt. Ze tuurde aandachtig naar de bomen. Waren die ook nep?

Ze zat bij een groepje vrouwen, die stuk voor stuk klaagden dat ze te dik waren. Er stonden bakjes chips en glazen wijn voor hen op tafel. 'Dan maar een keertje zondigen!' riepen ze aanstellerig terwijl ze zich volpropten met allerlei lekkers dat slecht voor hen was. Veel vrouwen zaten te roken.

'Van roken krijg je rimpels,' zei iemand.

'Clare heeft een prachtige huid,' zei een ander. 'Ik kan haar wel schieten!'

Magdalena vroeg zich af waarom je zou willen schieten op iemand die nu eenmaal een mooie huid had. Het verbaasde haar dat die vrouwen zich wel druk maakten om de rimpels die je van roken kon krijgen, maar niet om kanker. En waarom hadden ze het alleen maar over hun lijn, terwijl ze eigenlijk niet eens zo dik waren? En als ze dik worden echt zo erg vonden, waarom vraten ze dan bakken vol chips en sloegen ze al die wijn achterover? En als ze nou zin hadden in die chips en wijn, waarom riepen ze dan steeds dat het een zonde was? Waarom genoten die vrouwen er niet gewoon van?

Magdalena was doodmoe. Eerlijk gezegd wist ze niet meer zo goed hoe ze hier terecht waren gekomen; de list waarmee Rafi Sadler haar en Aneba had weggelokt, was op de een of andere manier uit haar geheugen weggevaagd, net als de lange reis die ze per onderzeeër, schip en vrachtbusje naar dit oord hadden gemaakt. Ze dacht niet dat ze hier al erg lang waren.

Ze wist wel zeker dat ze het hier niet leuk vond. Ze wilde rust aan haar kop in plaats van dat gezanik aan te moeten horen. Ze wilde bij haar zoon en haar man zijn en weer aan het werk gaan. Hier veranderden haar hersens in pap en stopverf. Ze wist dat ze heel ergens anders hoorde te zijn, waar ze een heel ander leven leidde. Ze was doodmoe. Dat dacht ik net ook al, besefte ze. Wat mankeert me toch?

Toen ze opkeek, zag ze aan de overkant van de zaal Aneba zitten. Hij zag er slecht uit. Zijn vel, dat gewoonlijk glanzend zwart was, had een asgrauwe tint. Het wit van zijn ogen was een beetje gelig. Zijn enorme gespierde schouders, anders altijd zo breed en recht, leken een beetje gebogen.

'Jij bent ook wat dikker geworden, hè?' zei een vrouw tegen Magdalena.

Aan de andere kant van de zaal keek Aneba met een groepje mannen naar een voetbalwedstrijd op de tv. Aneba hield van voetbal, maar dit was al de vierde achtereenvolgende wedstrijd. De mannen zaten te mopperen dat de spelers klunzen waren, dat de trainers en de scheids niet deugden en dat de grensrechters een ramp waren. Ze dronken bier, aten pinda's en zeiden dat zijzelf stukken beter zouden spelen. In de rookwalm zweemde nog een ander luchtje. Aneba dacht dat hij die geur herkende, en het stond hem niet aan.

Tussen de wedstrijden door werd het nieuws uitgezonden. De soldaten van het Imperium hadden een stad in de Arme Wereld aan puin geschoten, waarbij veel burgers gewond waren geraakt. Er waren geen medicijnen beschikbaar. Ze zagen beelden van kinderen met smoezelig verband, die er doodsbang en uitgehongerd uitzagen. De mannen keken er vluchtig naar, zeiden: 'Wat erg', en gingen toen weer door met mopperen.

'Kon je er maar iets aan doen, hè?' zei een van de mannen. Aneba merkte dat de man het zich echt aantrok, en daardoor vond hij hem aardig.

'Niet op letten, joh,' zei een ander. 'Neem nog een biertje.' Aneba wist dat hij eigenlijk met iets anders bezig moest zijn, maar hij kon zich niet herinneren wat het was.

Toen hij opkeek, zag hij Magdalena aan de andere kant van de zaal. Ze zag er slecht uit. Haar rode haar was geen vrolijk krullende warboel meer. Het was dof en hing slap.

Straks werden ze op de gezondheidsafdeling verwacht voor hun cursus motivatiemanagement.

'Kikker eens op, kerel,' zei een man tegen Aneba. 'Neem nog een borrel.'

Aneba probeerde zich te herinneren hoe hij zich anders altijd voelde.

Als Charlie op dat moment zijn energieke, slimme ouders had kunnen zien, zou hij niet langer het idee hebben gehad dat ze niet in direct gevaar verkeerden. Hij zou zich rot geschrokken zijn.

Bij Thibaudets Koninklijke Drijvende Circus en Filharmonische Ruiteracademie – ook bekend als Tib z'n akkefietje of Tibs Circus – waren de problemen al in volle gang. Majoor Maurice Thibaudet, uitgesproken als 'Tib Oo Dee', was de baas, spreekstalmeester en maestro van het circus. Hij rommelde rond in zijn hut aan boord van het reusachtige circusschip de Circe, gekleed in een bleekgroene kamerjas die dezelfde kleur had als het houtsnijwerk van de wanden, en hij dronk een glas cognac met spuitwater. De première in Parijs was een fantastisch succes geweest; daar was iedereen het over eens. Naderhand waren majoor Tib en de meeste artiesten laat opgebleven om feestelijk te drinken en zichzelf te feliciteren. De rest lag nu allemaal nog met hoofdpijn in bed – behalve Pirouette, die aan de vliegende trapeze werkte, en de acrobatenfamilie Lucidi, die altijd vroeg ging trainen, wat er ook gebeurde.

Majoor Tib zelf was te taai om een kater te hebben, maar zin in bezoek had hij vandaag toch ook niet. Zijn gast, een heerschap van de Franse Spoorwegen, voelde zich een beetje opgelaten.

Majoor Tib glimlachte bleek en elegant en nam een slok cognac. 'De leeuwen!' herhaalde hij met het lome, slepende accent van het zuidelijk Imperium. 'Wat zegt u nu toch allemaal? Er zijn helemaal geen problemen met onze leeuwen. Het is wel erg vroeg in de ochtend om problemen te maken over iets wat geen probleem is, vindt u ook niet?'

'Monsieur,' zei de bezoeker beleefd. 'Gisteravond heb ik iets erg vreemds gehoord. Een Engelse jongen heeft geprobeerd het vertrek van de Oriënt-Expres tegen te houden. Hij was drijfnat, gedroeg zich erg vreemd en schreeuwde dat er leeuwen in de trein waren, ontsnapte leeuwen en een jonge dief die ze gestolen zou hebben. Hij zei dat het leeuwen uit uw circus zijn en dat hij door een van hen is aangevallen. Hij beweerde ook dat iemand hem in het kanaal Sint-Martin bij de Bastille heeft geduwd. Het is natuurlijk klinkklare kletskoek en hijzelf is ook een malloot, die we naar het ziekenhuis van de gevangenis hebben gebracht. Maar vanochtend in alle vroegte belde het ziekenhuis met de mededeling dat die jongen ernstig gewond is aan zijn arm. De wonden doen denken aan de beet van iets groots. Een groot dier. Geen insectenbeet, bedoel ik. De jongen zit onder het bloed, is door het dolle heen, doorweekt en niet bij zijn verstand. Maar ja, hij heeft wél die grote beet in zijn lijf, en volgens het ziekenhuis kan het best een leeuwenbeet zijn. Zelf denk ik eerder aan een dolle hond, of zo. Misschien doet die jongen wel zo raar omdat hij hondsdol is geworden, maar weet u... de jongen houdt vol dat de leeuwen hiervandaan komen. Ze zouden van uw beroemde trainer, monsieur Maccomo, zijn. Ik moet het dus wel controleren. Het spijt me erg, dat begrijpt u wel.'

'Wilt u zeggen dat ik hondsdolle leeuwen uit mijn circus laat ontsnappen, leeuwen die mensen bijten?' zei majoor Tib. 'Bedoelt u dat? Daar moet u dan wel heel zeker van zijn, monsieur, want dat is een serieuze zaak.'

'Ik bedoel dat het me verstandig lijkt om naar de leeuwen te gaan kijken.'

'Natuurlijk,' zei majoor Tib. Hij sprong overeind en de flappen van zijn kamerjas wapperden achter hem aan. Hij was een lange, dunne man, die met één sprong bij de deur stond en hem opengooide. 'Komt u maar mee!' zei hij met een grijns.

Majoor Tib banjerde over het dek en de heer van de spoorwegen kon hem amper bijhouden.

'Morgen, Sigi!' riep hij, naar de vader van de Lucidi's, die ondersteboven in de touwen tussen de grote tent en de schoorstenen hing. 'Heb je Maccomo vanochtend al gezien?'

'Nee, majoor Tib,' riep Sigi terug. 'En gisteravond ook niet.'

De leeuwenhut was op hetzelfde dek als de hut van majoor Tib, aan de andere kant van de grote tent op het hoofddek van de Circe. Ze waren er binnen de kortste keren. In nog minder tijd was de deur open en zagen ze in één oogopslag dat alle leeuwenkooien leeg waren. Op de plek waar zes leeuwen hoorden te liggen slapen of een beetje voor zich uit staren, was niets dan leegte. Het prachtige kleed waarin Maccomo altijd sliep, lag ook leeg op de grond.

Majoor Tib beet even op zijn lip en trok zijn wenkbrauwen op.

Toen zei hij: 'Ze zijn natuurlijk in de piste aan het trainen.' Hij glimlachte er stralend en geruststellend bij. Hij wist dat het onzin was. De leeuwen trainden pas halverwege de ochtend, als ze eenmaal een beetje op gang waren gekomen. Om deze tijd was alleen Pirouette in de piste aan het werk, terwijl de knechten de rommel van de vorige avond opruimden. 'Wilt u niet in mijn hut wachten terwijl ik monsieur Maccomo ga zoeken?' stelde hij voor. 'Ik laat u koffie brengen.' Hij glimlachte nog steeds.

'Dank u, maar ik ga liever met u mee,' zei de heer van de spoorwegen.

De glimlach van majoor Tib werd krampachtig.

'Zoals u wilt,' zei hij en hij spurtte van de leeuwenhut naar het kabelgat ernaast, waar de jongens sliepen.

'Charlie!' brulde hij toen hij de deur opensmeet.

Julius, de zoon van de clown, en Hans, die het Geleerde Varken trainde, schrokken zich een ongeluk en vlogen zo snel overeind dat ze allebei met hun hoofd tegen de plank boven zich knalden. Allebei gaven ze een schreeuw.

Charlie was er natuurlijk niet.

'Waar is hij?' tierde majoor Tib. 'Waar is Maccomo? Waar zijn mijn leeuwen?'

Julius en Hans staarden hem met grote ogen aan.

'Niet gezien,' bibberde Hans.

'Julius?' zei majoor Tib.

'Maccomo was gisteravond uit,' zei Julius. 'Hij ging uit eten met Mabel Stark, de tijgertrainster.'

Majoor Tib rukte zijn telefoontje uit de zak van zijn kamerjas en drukte een nummer in. Even later begon hij te praten.

'Dag, lieve Mabel,' zei hij beminnelijk. 'Neem me vooral niet kwalijk dat ik je zo vroeg bel op deze prachtige ochtend, en ik hoop uit de grond van mijn hart dat je mijn vraag niet onbeschoft vindt, maar heb jij hoogst toevallig ook maar enig idee waar Maccomo zou kunnen zijn?'

Aan de andere kant klonk gemompel.

'Nee, natuurlijk niet, lief mens... het spijt me dat ik je... Mabel, kind, hij is hier niet, en zijn hulpje is er ook niet, en nu ben ik een piepklein beetje ongerust...'

De stem aan de andere kant klonk opgewekter.

'Goed, liefje,' zei hij. 'Bel me als je iets hoort. Ja?' Hij drukte de telefoon uit en keek naar de heer van de spoorwegen.

'Ze zegt dat ze hem niet meer gezien heeft nadat ze gisteravond samen gedineerd hebben...' Toen vroeg hij opeens: 'Hebt u nog meer meldingen gekregen dat er leeuwen zijn gezien?'

'Nee,' zei de heer van de spoorwegen. 'Daar heb ik de politie natuurlijk naar gevraagd.'

'Jongens, sta op en zoek het hele schip af!' riep majoor Tib. 'Zoek Charlie. Zoek Maccomo. Zoek de leeuwen. Kijk in alle hoeken en gaten of je het geringste spoor van ze vindt. Zeg tegen de pisteknechten dat ze jullie helpen. Kijk goed uit je doppen!'

Dit alles gebeurde terwijl Charlie voor het eerst koning Boris ontmoette en vriendjes met hem werd, op het moment dat het was gaan sneeuwen en de arme leeuwen, die op het dak van de trein waren verstopt omdat niemand ze mocht zien, overvallen werden door de sneeuwstorm. Ze waren halfdood gevroren toen Charlie eindelijk in dat noodweer het treindak op ging om ze naar beneden te halen. Zo rond de middag – toen Charlie het luik dichtsloeg, de woedende, striemende, ijskoude sneeuwstorm buitensloot en met warm water en het allesbetermakende drankje van zijn moeder in de weer ging om de leeuwen te ontdooien – kwam Maccomo de loopplank van de Circe op.

Hij leek in niets op de beheerste, raadselachtige man die Charlie een paar weken geleden had leren kennen, de man die zo'n kalmte uitstraalde dat het leek alsof hij over iedereen in zijn buurt een deken van verdoving legde. Nu was zijn witte Afrikaanse tuniek groezelig en gekreukeld van een avond stappen, zijn handen trilden, hij had zich niet geschoren en op zijn kin schemerden witte stoppels tegen een droge, grauwe, donkere huid. Toch zag je zo dat die man een persoonlijkheid was, met zijn borstkas als een biervat en die merkwaardige, diepe gloed in zijn ogen.

Hij liep regelrecht naar de hut van majoor Tib.

'Majoor Tib,' zei hij.

Een spreekstalmeester kan natuurlijk schreeuwen als de beste. Majoor Tib schreeuwde dan ook de longen uit zijn lijf, wel tien minuten aan één stuk door.

Toen hij uitgeschreeuwd was, zei Maccomo eenvoudig: 'Ik neem ontslag.'

'Je bént al ontslagen, Maccomo – je bént verdorie al ontslagen! En denk maar niet dat je ooit nog in een circus aan de slag komt. En reken ook niet op je salaris – je hebt een fortuin voor me verspeeld…'

'De leeuwen zijn van mij, meneer,' zei Maccomo, met in zijn ogen de onheilspellende gloed waardoor hij weer de oude leek.

Majoor Tib lachte. 'Laat je je dan ook door de politie beschuldigen van het feit dat je ze hebt laten ontsnappen? Draai je dan ook voor de boete op? En hoe ga je mijn reputatie redden, Maccomo? Hoe maak je goed dat je mijn circus zo'n slechte naam hebt bezorgd? Ga je overal opbiechten dat het jouw schuld was? Zeg je dat ook tegen de politie?'

De heer van de spoorwegen hoorde het rustig aan. 'De politie is al onderweg,' zei hij minzaam.

'Neem jij de verantwoordelijkheid voor Charlie op je? Die is ook verdwenen. En hoe zit het met die Engelse jongen die door de leeuwen is aangevallen?'

Maccomo richtte zich op. 'Welke Engelse jongen?' vroeg hij.

'Rafi Sadler,' zei de heer van de spoorwegen.

Maccomo knipperde met zijn ogen.

'Ik moet eerst de hut bekijken,' zei hij. 'Ik wil weten hoe ze zijn ontsnapt.'

De heer van de spoorwegen ging met Maccomo naar de leeuwenhut. Maccomo keek bedaard om zich heen. Hij stopte een paar spullen in een tas. 'De politie zal me wel meenemen, denk ik,' zei hij. De heer van de spoorwegen wist niet goed wat hij daarop moest antwoorden.

'Neem me niet kwalijk,' zei Maccomo, die naar een kleine deur achter in de hut gebaarde. 'Ik wil even kijken...' En hij trok aan een hendel, waardoor het deurtje openging, en tuurde naar binnen. De heer van de spoorwegen glimlachte beleefd.

Maccomo was al ver de speciale leeuwentunnel naar de piste in toen de heer van de spoorwegen doorkreeg dat een deur ook een uitgang is. Maccomo was al hoog en breed de Circe af en op weg naar het station toen de heer van de spoorwegen in de hut van majoor Tib terugkwam, waar hij de politie en majoor Tib vertelde wat er was gebeurd. Tegen de tijd dat er een arrestatiebevel tegen hem werd uitgevaardigd, had Maccomo zich al verstopt in de wc van een trein, zoals Charlie vóór hem. Maccomo schoor zich, trok een pak aan en zette een deftige hoed en een bril op. Hij was onherkenbaar.

'Charlie Ashanti,' mompelde hij. 'Rafi Sadler.' Hij wist niet wie van die twee Engelse jongens zijn leeuwen had gestolen. Hij had op het punt gestaan Charlie aan Rafi te verkopen! Had Rafi zowel de jongen als de leeuwen ontvoerd? Maar Rafi was aangevallen, en de leeuwen waren nu beslist niet bij hem... Maccomo wenste vurig dat hij meer tijd had om uit te zoeken wat er gebeurd was.

Hij kon begrijpen dat Rafi de jongen en de leeuwen zou willen stelen. Dat was Rafi's werk – mensen ontvoeren en ze verkopen. Maar stel dat Charlie ze ontvoerd had? Die sentimentele Charlie wilde de leeuwen natuurlijk helpen. Charlie, de jongen die Kats sprak. Maccomo's mond stond strak.

Hij propte zijn vuile tuniek in de tas. Zijn hand raakte de grote fles leeuwenmedicijn die hij bij zijn vertrek had meegegrist. Hij had het middel lang gebruikt om de leeuwen tijdens de voorstelling tam te houden. Hij had het medicijn bij zijn vlucht meegenomen omdat het een verboden middel was, waarvan hij niet wilde dat de politie het zou vinden.

Maar hij wist niet dat Charlie het middel wekenlang aan hém had toegediend, in plaats van aan de leeuwen. Terwijl de leeuwen op krachten kwamen en hun hersens bij de voorbereiding op hun ontsnapping steeds helderder gingen werken, verzwakte Maccomo en zijn gedachten werden vager en verwarder.

Hij maakte de fles open en snoof de geur op. Zijn lichaam was aan het medicijn gewend geraakt en hij vond het lekker ruiken. Trillend vulde hij bij het fonteintje een glas met water en liet er een paar druppels medicijn in vallen.

Hij wist eigenlijk heel goed dat hij het niet moest nemen, omdat het hem op den duur kwaad zou doen. Maar zijn lijf vroeg erom, en zijn geest was al te verzwakt om zich te verzetten.

'Het zijn maar een paar druppels,' hield hij zichzelf voor.

Hij dronk.

Het leek alsof hij zich op slag beter voelde.

Hij ging op de wc zitten en deed zijn ogen dicht, terwijl de trein hem ratelend naar het zuiden bracht, in de richting van Spanje.

Waar zouden ze nu zijn, vroeg hij zich af, al die dwaze wezens die dachten dat ze Maccomo te slim af konden zijn?

Rafi Sadler lag op een smal hard bed in een kamer met kille tegels in het ziekenhuis van de gevangenis. Het plafond was te hoog en de wanden waren bleekgroen. Een strenge verpleegster had hem gewassen en ze had zijn kleren meegenomen, ook zijn leren jas, die dan vochtig en vuil mocht zijn van de groene drek in het kanaal, maar toch mooi zíjn leren jas was, en hij mocht goddorie hopen dat hij hem terugkreeg. Een onverschillige dokter had rubber handschoenen aangetrokken voordat ze hem onderzocht. In een oogopslag zag ze de kring van diepe sneden om zijn schouder, rood tegen de gele en grijze kneuzingen op zijn vel. Ze deed een stap achteruit.

'*Qu'est-ce que c'est...!*' zei ze.

'Hij zegt dat hij bij station Austerlitz door een leeuw is gebeten,' zei de verpleegster, die niets liever wilde dan haar dienst afronden en naar huis gaan om te slapen.

'Jasses,' zei de dokter en ze goot nog meer ontsmettingsmiddel over de wonden. Ze tilde voorzichtig Rafi's armen op. Rafi gilde het uit.

'*L'epaule s'est cassé,*' zei ze. 'De schouder is gebroken. U kunt hem zetten, zuster, de wond schoonmaken en hem een stel injecties geven, tegen hondsdolheid, HIV, pokken, kattenziekte, met arnica en antibiotica...'

'Spreken jullie geen Engels?' zei Rafi. 'Ik wil iemand die Engels praat.' Zijn gezicht was asgrauw en hij had het nog steeds koud, al beweerden ze bij hoog en bij laag dat hij koorts had. Hij zweette als een rund. Hij zag er geen haar beter uit dan toen hij door het treinraampje naar Charlie had geschreeuwd op het moment dat de trein vertrok.

De dokter staarde hem aan. Die Engelsen namen ook nooit eens de moeite om een andere taal te spreken. Zielig gewoon.

'En pijnstillers,' zei hij. 'Ik verga van de pijn. HET DOET PIJN, snap je? Pijn. Pijnstillers. *Quelque chose pour le pain.*' Hij trok een pijnlijke grimas en probeerde een Frans accent na te doen.

Jammer genoeg wist Rafi niet dat het Engelse 'pain' op z'n Frans uitgesproken 'brood' betekent. De verpleegster, die evenals de dokter prima Engels sprak, sloeg haar ogen ten hemel.

'En geef hem ook mandrax,' zei de dokter.

'Zijn de leeuwen al gevonden? Hebben ze de trein tegengehouden?' vroeg hij.

De zuster was de medicijnen aan het klaarmaken.

De dokter neuriede een liedje.

'Dat kleine verrotte onderkruipsel!' tierde Rafi. 'Die...'

'Stil,' zei de dokter. '*Tais-toi.* Maak niet zo'n herrie.' Zij had ook een lange, drukke avond achter de rug.

Rafi ging weer liggen. Zijn hoofd tolde en zijn hele lijf deed pijn. De verpleegster sjorde hem weer overeind en begon hem pillen te voeren. Toen rolde ze hem om en gaf hem de injecties. Met zijn hoofd in het dunne kussen lag Rafi de vreselijkste vloeken voor Charlie te mompelen. Na een tijdje viel hij in slaap, een woelende, onrustige, zweterige slaap waarin hij droomde dat hij heel klein was en door iedereen werd uitgelachen.

Buiten het ziekenhuis lag Rafi's magere hond Troy zich ellendig te voelen onder een struik in het gemeenteplantsoen. Rafi was een rotbaas, maar Troy was een trouwe viervoeter, en het kwam niet in hem op iets anders te doen dan op zijn baas te wachten.

Niet ver van het ziekenhuis waar Rafi lag, vocht een schurftige zwart-witte kat met een kale kont op leven en dood met grotere katten die hem uitgescholden hadden. Hij was in zijn nieuwe schuilplaats in de vuilnisbakken achter een restaurant rustig met de lekkere resten van een weggegooide kreeft bezig toen ze hem van achteren beslopen en omcirkelden. Hij kreeg een scheldkanonnade over zich heen betreffende minkukels van katten met kale konten die wel uit vuilnisvaten móesten vreten, omdat geen fatsoenlijk mens zo'n mormel in huis wilde hebben...

De schurftige kat keek nog even peinzend naar de verrukkelijke kreeft. Gewoonlijk was hij een vredelievend dier – die wel bekendstond om zijn grote bek en zijn neiging anderen te beledigen, maar die het liefst zijn klauwen thuishield. Hij had de pest aan geweld.

Dus draaide hij zich om en gaf de katten hun vet. Ik kan maar beter niet herhalen wat hij zei, want het was een lawine van vloeken, maar het kwam neer op hun kattigheid, hun lieftalligheid – of gebrek daaraan, hun stompzinnigheid; dat ze een zootje etterbakken waren, verwaande stukken ongeluk die, als het aan hun moeders lag, nog eerder vandaag dan morgen een draai om hun snorharen verdienden. En hij had nog veel meer te melden. Gelukkig verstonden de Parijse katten niet alles wat hij zei, want hij was een kat uit Noord-Engeland met een zwaar noordelijk accent. Maar ze begrepen de boodschap wel en stortten zich boven op hem.

De kat – die Sergei heette – mocht dan een hekel aan geweld hebben, hij was er best goed in. Hij kon eerlijk gezegd vechten als de beste, als het moest. Hij vocht zich de katten van het lijf met de vuilste methoden – hij beet, krabde, sprong, dook weg en weer te voorschijn met ontblote tanden. Bij dit alles maakte hij een gruwelijk geluid – een soort krols gejank, gegil en gekrijs als een levend oordeel. De Parijse katten waren met z'n vieren en stuk voor stuk groter dan hij, maar ze waren niet gediend van de manier waarop hij terugvocht, vooral toen de chef-kok, Anatole, zijn hoofd uit het keukenraam stak en een steentje bijdroeg aan het geschreeuw. De Parijse katten maakten dat ze wegkwamen.

Terwijl ze wegrenden, draaide een van hen zich nog om en schreeuwde iets wat niet zomaar een belediging was. Hij gilde: 'Jij mag dan denken dat je slim bent, hè, maar wij weten waar die fijne wetenschappers van jou echt zitten en jij lekker niet. Net goed!'

Daar keek Sergei van op. Wat bedoelde dat beest? De wetenschappers zaten ergens in Venetië. Dat was hem verteld. Toegegeven, hij had die informatie van een kat die eigenlijk helemaal niet met hem had willen praten (verwaande krengen waren het, die Parijse katten). Die opmerking over 'waar ze echt zitten' zat hem helemaal niet lekker.

Sergei zuchtte.

Hij had niet veel tijd nodig om de katten in te halen. In een zijstraat waren ze bij een nieuwe buit blijven hangen. Sergei wachtte af; na een poosje gingen de volgevreten katten uit elkaar, en de kat die tegen hem geschreeuwd had slenterde weg.

Sergei nam een sprong, landde op zijn rug en drukte hem zonder pardon plat tegen de grond. Hij siste in zijn oor: 'Vertel op, waar zijn ze dan?'

De kat die geschreeuwd had, schreeuwde het opnieuw uit. Sergei liet zijn klauwen zien en beschreef wat hij daarmee ging doen als de kat het waagde nog een kik te geven. De kat hield zijn mond.

'Vertel op,' zei Sergei weer. 'Als ze niet in Venetië zijn, waar zijn ze dan wel?'

De kat hikte. 'Vence,' piepte hij.

'Vence?' Vence! Had hij het verkeerd verstaan toen hij dacht dat ze Venetië zeiden? 'Waar mag Vence wel niet liggen?'

'In Zuid-Frankrijk,' hikte de kat. 'Helemaal in het zuiden.'

Sergei wist eigenlijk wel zeker dat hij het niet verkeerd verstaan had.

'Waarom zeiden ze dan Venetië tegen me?'

De kat was zo bang dat hij het antwoord eruit gooide: 'Echte katten houden niet van allergenen,' zei hij.

'Echte katten,' zei Sergei dreigend, 'zijn geen bekrompen fanaten met vooroordelen. Je liegt toch niet, hè?' En hij draaide het oor van de bange kat om.

'Nee!' piepte de kat.

'Want als je wel liegt,' zei Sergei, 'haal ik een bende allergenen die je eens even zullen laten voelen hoe echt ze zijn! Als echte kat vind je het toch geen punt om met vier tegen één te vechten? Nee, dat heb ik gemerkt. Dan vind je het ook niet erg als zij het met z'n vieren tegen jou in je eentje opnemen, toch? Of is dat wat anders?'

De kat vond dat dat iets heel anders was, maar Sergei kreeg er schoon genoeg van en liet het misbaksel gaan. De kat ging ervandoor met de staart tussen de benen en keek af en toe om, bang dat Sergei achter hem aan kwam.

Sergei piekerde er niet over. Hij ging terug naar zijn schuilplaats bij Anatoles restaurant en zat daar voor zich uit te staren, nog rillend van de inspanning, half misselijk en kwaad op zichzelf omdat hij in een knokpartij betrokken was geraakt, kwaad op de kat die zo stom en bekrompen was, en vooral van streek omdat hij Charlie waarschijnlijk naar de verkeerde plaats had gestuurd.

Zijn stuk kreeft lag nog sappig en roze in de goot. Hij rook eraan en nam een hap, maar hij genoot er niet erg van.

Vanaf het moment dat de jongen die Kats sprak dat briefje tussen zijn halsriempje had geschoven, was hij een ander dier geworden. Het had even geduurd voor hij erachter kwam waar de menselijken heen waren gebracht, maar hij had ze gevonden en het briefje keurig afgeleverd. Dat gaf hem een goed gevoel. Als die stomme schurken er niet waren geweest en de menselijken niet hadden afgevoerd, had hij in de buurt kunnen blijven om Charlie hun antwoord te brengen.

Als dat was gelukt, zou hij zich nu niet zo ellendig en half misselijk hebben gevoeld.

Door de openstaande keukendeur, waar verrukkelijke geuren van vis op de houtgril uit dreven, zag hij Anatole hard aan het werk in zijn witte schort en geruite broek.

Sergei herinnerde zich hoe zorgvuldig Charlie zijn briefje had geschreven, bijna in geheimtaal, zodat alleen zijn ouders het konden begrijpen. Hij vond Charlie ontzettend dapper en taai. Hij vond Charlies ouders superslim. Hun kuur voor astma zou alle katten helpen, en vooral de allergenen. En nu had hij, Sergei, de hele boel in het honderd geschopt.

Op dat moment schreeuwde Anatole iets tegen iemand binnen en meteen daarna werd door de keukendeur een emmer water de straat op gesmeten, water dat boven op Sergei terechtkwam, samen met een stortvloed aan Franse beledigingen in de geest van 'maak dat je wegkomt, ellendig scharminkel van een kat', maar dan een tikje erger.

Sergei schudde zich, met trillende snorharen. Hij had er meer dan genoeg van om een schurftige zwerfkat te zijn. In de korte tijd waarin hij drijfnat was geraakt, had hij een besluit genomen. Van nu af aan was hij niet meer het soort kat waar mensen een emmer water overheen gooiden.

'Akkoord,' zei hij. 'Ik heb het begrepen.'

Hij kon niet zomaar naar Venetië gaan en Charlie zeggen wat hij nu wist – dan stuurde hij hem misschien weer op een dwaalspoor. Hij zou naar Vence gaan en zelf uitzoeken hoe het zat.

Ver weg in de bergen, in de bevroren trein, die nog altijd muurvast zat onder een huizenhoge laag sneeuw, waren Charlie en de leeuwen op weg naar het privé-rijtuig van koning Boris. Voordat Charlie op de glanzend gewreven houten deur kon kloppen, moest hij eerst zenuwachtig en onschuldig tegen een van de gigantische lijfwachten van koning Boris glimlachen, want de koning had die klerenkasten in dienst omdat hij in voortdurende angst voor huurmoordenaars leefde. De leeuwen waren helemaal niet zenuwachtig. Zij wisten niet wat angst was.

Als de lijfwacht al verbaasd was dat hij zes leeuwen zag aankomen die op bezoek wilden bij zijn baas, was hij veel te goed getraind om dat te laten merken.

'Kom binnen, kom binnen!' riep een opgetogen stem. De koning verheugde zich enorm op zijn ontmoeting met de leeuwen en hij wachtte niet eens tot Edward ging opendoen; hij vloog overeind en rukte zelf de deur open. En toen vloog hij van schrik even hard achteruit en viel in zijn stoel terug.

'Goeie genade,' zei hij.

De leeuwen golfden zijn deftige salonrijtuig in, met hun edele hoofden geheven, met hun sterke gevoelige poten over zijn mooie Perzische tapijt. Door het bevroren raam kwam een zwak, groenig lichtschijnsel. Het effect was heel bijzonder.

'Hemeltjelief,' zei de koning. Zijn ogen vielen bijna uit zijn hoofd. 'O, lieve deugd. Geweldig. Zo stil. Buitengewoon. Buitengewoon.'

De leeuwinnen gingen op de grond liggen en drapeerden zich om Charlies voeten als de sleep van een koninginnejurk. De jonge leeuw en Elsina zaten fier rechtop, ieder aan een kant naast hem. De oudste leeuw bleef staan, trots en roerloos als een oude keizer. De leeuwen staarden naar de koning en Edward. Toen legden de leeuwinnen hun hoofd op hun enorme poten en deden alsof ze in slaap vielen. Charlie merkte dat hij de jonge leeuw achter zijn oor aan het kriebelen was. Edward stond er met uitpuilende ogen naar te kijken. Charlie haalde snel zijn hand weg.

Koning Boris schudde zijn hoofd. 'Geweldig,' zei hij nogmaals. En toen zei hij iets in het Bulgaars. Hij had wel even nodig om zijn zelfbeheersing terug te vinden. Intussen sloeg Edward vanuit de hoek van het rijtuig het tafereel gade, miste geen enkel detail en keek met gespannen interesse van de leeuwen naar Charlie. Het kostte hem moeite om onbewogen te kijken en net als anders te doen alsof het hem allemaal niet zo boeide. Het was hem nog nooit zo slecht afgegaan, al had hij er jarenlange ervaring in.

'Waarom vallen ze niet...' begon de koning, die naar woorden zocht en niets wist te zeggen dat niet veel te eng zou klinken.

'Ze zijn afgericht,' zei Charlie. Hij had koning Boris bijna helemaal in vertrouwen genomen, en de koning wist dan ook alles van de ontsnapping uit het circus en de ontvoering van zijn ouders, maar Charlie had één ding verzwegen. Hij had niet verteld dat hij vloeiend Kats sprak. Dit feit hield hij zijn hele leven al instinctief voor zich. Hij voelde aan dat mensen het ongelooflijk zouden vinden. Misschien zou hij het zelf ook niet geloofd hebben als iemand hem vertelde dat hij als baby door een gewond luipaardwelpje was gekrabd; door het contact met elkaars bloed hadden ze op de een of andere manier ook elkaars taal uitgewisseld.

Omdat koning Boris niet wist dat Charlie en de leeuwen met elkaar konden praten, kon hij ook niet weten dat ze gezworen kameraden waren geworden, die samen veel hadden meegemaakt en nu als broers en bondgenoten op reis waren, elkaar steunend en trouw door dik en dun.

'Dan zijn ze wel érg goed afgericht,' zei koning Boris zwakjes. 'Weet je zeker dat het goed gaat?'

'Ja hoor,' zei Charlie. 'Echt waar. Het zijn verstandige dieren. Ze eten hun vrienden niet op. En ze hebben vanavond trouwens al gegeten.'

Koning Boris keek naar hun gladde, harde vel, hun lange staarten, hun kalme ogen. Hij keek naar de rafelige, wilde manen van de oude leeuw en naar de lange sterke lijven van de leeuwinnen. De leeuwinnen waren verschillend van kleur, zag hij; de een zilverig, de ander meer bronskleurig en de derde had een echt gele glans over haar vacht. Hij merkte op hoe vastberaden de jonge leeuw met zijn oren wiebelde en hij zag dat Elsina grote flappoten had. Hij wist dat er in die poten messcherpe klauwen schuilgingen, zo groot als de vinger van een volwassen man.

Wat een prachtdieren! En Charlie kon zeggen wat hij wilde, maar het bleven wilde dieren. Koning Boris was niet op zijn achterhoofd gevallen. Hij zag zo wel dat ze wild waren. Hij slaakte een diepe, gelukzalige zucht.

'Het zou me een eer en genoegen zijn,' zei de koning, 'als jullie mijn aanbod willen aannemen om in mijn woninkje aan het Canal Grande te logeren, waar je gebruik kunt maken van de diensten van Edward en het huispersoneel, zo lang je wilt. Ik vind dit fantastisch. Moet je ze zien. Mag ik een foto nemen?'

Edward werd eropuit gestuurd om de camera van zijne majesteit te halen en een paar kiekjes te schieten van de koning die, na veel vijven en zessen en nerveuze vragen als: 'Mag dat echt?' en 'Vindt-ie dat goed?' zijn arm om de nek van de jonge leeuw had gelegd.

De koning bloosde van de pret. Charlie zag wel dat de leeuwen het maar een dom gedoe vonden – in ieder geval de oudste leeuw en de leeuwinnen, maar de jonge leeuw en Elsina hadden er lol in en kregen de slappe lach. Charlie zag ook dat de twee jonge leeuwen zin hadden een beetje te dollen, want ze hadden tenslotte al zo lang in de trein vastgezeten; ze wilden de koning dolgraag een beetje kietelen en plagen. Charlie keek de jonge leeuw waarschuwend aan en de jonge leeuw keek uitdagend terug. Toen mompelde de jonge leeuw: 'Als ik nu eens… als ik de kont van de koning nu eens een tikje met mijn staart gaf… gewoon een klein tikje…'

Charlie snoof afkeurend, maar hij kon geen antwoord geven.

'Toe dan, Charlie,' zei de jonge leeuw – en in de oren van de andere menselijken klonk dat als niet meer dan een brommend geluidje. 'Toe dan, verbied het me dan… haha, dat kun je lekker niet! Want dan zouden zij je horen!'

Elsina rolde om van het lachen en propte haar poten in haar bek.

'Ik zal ze nu maar terugbrengen, majesteit,' zei Charlie. 'Ze zijn nog doodmoe van al die tijd op het dak in de sneeuwstorm.' Dat mocht hij willen! Ze waren juist helemaal opgekikkerd van al dat eten, het lange slapen en de druppels van Magdalena's allesbetermakende drankje. Achter de rug van de koning wierp Charlie de jonge leeuw een ijzige blik toe en leidde de leeuwen snel terug naar de badkamer.

TWEE

isschien is het je opgevallen dat alleen de zes leeuwen op bezoek bij de koning gingen. Het reusachtige beest met de sabeltanden, die tijdens hun ontsnapping uit Parijs halsover-kop bij het gezelschap was gekomen, was er niet bij. Zonder het hardop te zeggen, wisten ze allemaal dat dit bakbeest te sterk en vreemd was om zich zomaar aan mensen te kunnen vertonen. Bovendien was hij uitgeput en moest hij slapen.

Toen Charlie en de leeuwen in de badkamer terugkwamen, bekeek Charlie hem nog eens goed. Hij is echt te gek om waar te zijn, dacht Charlie.

Om te beginnen was er zijn omvang: de helft groter dan de oudste leeuw. Dan waren er de afgeplatte kop, de massieve schouders en de lange platte nek. Dan de sterke, korte ach-terpoten, met voeten die klein en stram waren in vergelijking met die van de leeuwen, die lange soepele enkels hadden en brede poten. Zijn stompe staart. En dan die tanden! De tan-den van de leeuwen waren al groot genoeg, maar die van het vreemde bakbeest waren doodgriezelig: enorme, glanzende, gebogen sabeltanden.

Toch was hij duidelijk een leeuw. Charlie merkte dat hij het beest hoofdschuddend bekeek: hij had nog nooit van zijn leven zoiets vreemds gezien. Wat was hij voor een dier? Charlie was niet de enige die zich dat afvroeg. De jonge leeuw en Elsina, die veel meer tijd met hem hadden doorgebracht, bleven zich al net zo hard verbazen.

Toen hij Charlies ogen op zich gericht voelde, keek het bakbeest op. In zijn ogen, die nog steeds treurig stonden, lag een zweem medelijden.

'Vraag het maar, jongen,' zei hij met zijn rauwe, diepe stem die aan oud leer en as deed denken. 'Dan vertel ik je wat je weten wilt.'

Charlie brandde van nieuwsgierigheid, maar zelfs met toestemming van het bakbeest durfde hij het niet goed te vragen. Hij voelde dat er een heel verhaal achter zat – over de redenen waarom het beest was zoals hij was. Charlie besefte dat hij nog steeds bang voor hem was.

Wat geeft de doorslag, dacht hij, mijn nieuwsgierigheid of mijn angst? 'Wat ben jij voor iets?' vroeg Charlie.

En het was alsof de tijd even stil bleef staan toen het wezen begon te praten. In de dampende, mistige, sierlijke badkamer met de roze tierlantijnen en beeldjes van herderinnetjes, en buiten de sneeuw, deed het vreemde dier zijn verhaal.

'De naam is Smilodon Fatalis,' zei het dier met zijn rokerige stem van oud leer. 'Ik hoor hier niet te zijn. Tot ik mijn familie ontmoette' – hij gebaarde naar de leeuwen – 'wist ik niet eens dat ik zo heette. Ik weet ook niet waarom ik hier ben, of wat mijn aard is. Ik kende mijn familie en mezelf niet. Ik hoor eigenlijk dood te zijn. Ik was ook dood. Ik ben altijd dood geweest. Ikzelf dan, hè. Ik besta namelijk niet. God heeft me niet gemaakt. De natuur heeft me niet gemaakt. Ik heb geen moeder – ik ben niet uit een moeder geboren. Ik heb geen vader. Ik ben dood. En als lid van mijn familie ben ik… ben ik uitgestorven.'

Hij zweeg even. Charlie verwachtte dat het dier zou zuchten, maar er kwam geen zucht. Het beest zweeg alsof hij nadacht over de vreemde betekenis van wat hij net gezegd had. De jonge leeuw en Charlie keken elkaar even aan.

'Daar ben ik de afgelopen uren achter gekomen, toen ik op het dak zat met jouw vrienden, die wel en niet op mij lijken. Je vriend' – en nu keek hij even naar de oudste leeuw, die een diep bezorgde uitdrukking op zijn grijzige kop had – 'heeft het me uitgelegd. Ik ben blij dat ik de naam van mijn familie ken. Ik ben een smilodon fatalis, zoals jij een mens bent. Maar ik had geen moeder die mij een eigen naam gaf. En jij ziet me hier voor je. Ik besta, ik haal adem, ik kan praten. Je vraagt je af: hoe kan hij dan dood zijn? Ik vraag me ook iets af: hoe kan ik bestaan? En ik geef mezelf antwoord: dat weet ik niet.'

Weer zweeg hij een poosje.

'Ik deed voor het eerst mijn ogen open in een felle, harde kamer,' vervolgde hij toen. 'Ik leefde achter een harde, onzichtbare muur. Ik kreeg eten van handen die op afstand bleven. Niemand sprak tegen me. Niemand raakte me aan. Het was een kleine ruimte. Het was er warm en ik kreeg genoeg te eten. Ik groeide. Ik had een… vaag beeld van iets anders. Van een ruimere, open plek. Ik had het idee dat er iets anders kon bestaan dan dat kille hok. Er overkwam me van alles: er kwamen steeds menselijken kijken, niet veel, maar wel vaak, en ze deden dingen in me en haalden dingen uit me. Ze prikten me met naalden en schreven alles op wat ik deed. Ze zeiden geen woord tegen me. Er was niemand anders die er zo uitzag als ik. Ik weet niet hoe het komt dat ik kan praten. Nu vind ik het

fijn dat ik kan praten, net zoals je het fijn vindt als je kunt drinken wanneer je uitgedroogd bent.'

Hij keek hen aan. 'Alles daar was verkeerd. Ikzelf was ook
verkeerd. Ik had het gevoel dat ik wel goed zou zijn als ik ergens anders kon zijn. Toen ben ik weggegaan: ik vloog door de
onzichtbare muur, die niet bestand was tegen mijn harde kop;
het deed pijn, maar ik deed die wand meer schade. Ik rende
dwars door de ruimte waar de menselijken kwamen en gingen
en weer brak ik door een wand, maar toen voelde ik geen pijn.
Ik ging tegen trappen op en ik kwam in een zaal vol botten,
heel veel botten, allemaal schoon en netjes opgesteld, in de
vorm van dieren, alsof ze leefden, maar allemaal in doodstille
rijen. Niets anders dan botten. Er waren ook leeuwenbotten.
Er waren onzichtbare wanden met dode wezens erachter:
sommige leken net levend, andere zaten in vloeistof, waren
uit elkaar gepeuterd, waren nog maar half dier, een dier dat
opengemaakt was, grauw, drijvend... Het was er afschuwe-
lijk. Ik rende erdoorheen. Ik verstopte me. Weer brak ik door
onzichtbare wanden heen. Ik kreeg pijn aan mijn harde kop en
kon niet meer denken. Toen ben ik onder een boom onder de
blote hemel gaan liggen. Ik had nog wel pijn, maar ik voelde
me toch wat beter. De wijde hemel en de boom deden me
goed.'

Charlie wist waar dat was. Het moest bij het natuurhistorisch museum zijn, dicht bij de plek waar ze het beest voor het
eerst hadden gezien.

De zilverkleurige leeuwin was vlak bij hem gaan liggen.
Haar ogen waren spleetjes. Haar aanwezigheid leek hem te
verwarmen.

'Ik verstopte me, want ik wist niet wat ik moest doen, of
waar ik heen kon. Achter de bomen raasden lichten door het

donker en ik hoorde een verschrikkelijk geluid, dat aan kwam stormen en weer verdween, alsof er grote monsters voorbij denderden. Ik lag onder de boom. Ik kon wel huilen...'

Maar leeuwen huilen niet.

'En toen ik daar zo lag, rook ik iets... tussen de mineralen en het vuil en de geur van kleine dieren door... Ik rook iets, een geur als die van mezelf. Zij waren het – mijn...' en weer aarzelde hij even, 'mijn familieleden. Ik brulde en jankte. Ik wist niet wat ik anders moest. Ik was nooit eerder een geur tegengekomen die iets bekends had. Toen ze kwamen, vochten ze tegen me en zetten daarna de achtervolging in – maar dat heb je zelf gezien. Ik zag jou ook. Je vond het goed dat ik bij jullie kwam.'

Hij liet zijn enorme hoofd hangen.

'Daar ben ik dankbaar voor,' zei hij. 'Je vriend kent de geschiedenis van de leeuwen, van de tijden waarin de leeuwen overal op de planeet leefden. Er waren zo veel verschillende leeuwen, op verschillende plekken, verschillend van grootte en kleuren en tanden. Hij herkent me, en hij zegt dat mijn volk al heel, heel lang uitgestorven is. Hier in Europa leefden vroeger wilde leeuwen – maar die zijn allang weg. En ik? Ik ben Amerikaans – er bestaan geen leeuwen meer waar wij leefden.'

In de dampende hut bleef het even stil.

'Ik ben uitgestorven,' zei de smilodon en zijn gebogen tanden glommen. 'Ik ben uitgestorven aan de andere kant van de wereld, toen de mens nog maar net op aarde kwam, wat het einde van mijn soort inhield. Waarom ben ik hier? Ik ben uitgestorven.'

Charlie kon geen woord uitbrengen. Hij was diep geschokt. De leeuwinnen wendden hun ogen af en keken naar de grond;

ze konden het verdriet van de smilodon niet aanzien. Alleen de jonge Elsina keek naar hem en haar grote ogen leken nog groter. De jonge leeuw zat zenuwachtig wiebelend achter Charlie. De oudste leeuw leek golven van trots en warmte naar de smilodon uit te zenden.

De smilodon was hun voorvader. Hij was een eeuwenoud, uitgestorven, voorhistorisch dier. Charlie herinnerde zich tijgers met sabeltanden uit zijn lessen. En nu stond er een eeuwenoud soort leeuw met sabeltanden voor hem. Een tragische figuur. In Charlies hart welde enorme tederheid op voor dit angstaanjagende, doodsbange beest dat zo moedig was geweest en zo aardig toen ze in de sneeuwstorm samen de half bevroren, zieke leeuwen van het treindak hadden geholpen. Charlie wilde hem troosten. Hij wilde hem helpen.

'Het is een eigenaardig verschijnsel,' zei de oudste leeuw. 'De smilodons kwamen vele duizenden jaren geleden voor. Mijn grootvader in Afrika vertelde verhalen uit de overleveringen die hij zelf heel, heel lang geleden had gehoord, over de oude leeuwen, de leeuwen van Alaska en China, van Italië en Spanje, de Britse leeuwen en de Arabische leeuwen, de leeuwen van Noord- en Zuid-Amerika. Veel soorten zijn er nog, maar er zijn er nog veel meer uitgestorven: de smilodon populator van Argentinië was de grootste, twee keer zo groot als ik en ijzersterk, reuzen waren het, en de beste hardlopers... De Tasmaanse tijger is nog maar een paar honderd jaar niet meer onder ons, een grappig klein dier, ook een van onze soortgenoten. De sneeuwluipaarden uit de Himalaya hadden niet alleen prachtige dikke vachten, maar ook vacht tussen hun voetzolen om ze tegen de kou te beschermen en ze ervoor te behoeden door de sneeuw te zakken, en ze brulden nooit... Ver terug in de tijd, alleen nog bekend uit oude overleveringen, bestonden de homotherium, barbourofelis en thylacosmilus. Er zijn nog maar weinig soorten over. We zijn allemaal katachtigen, van de familie Felidae. Dat zijn we al zesendertig miljoen jaar. De smilodon is vanuit het verleden onze broeder. Hij is onze voorvader. We kunnen niet verklaren waarom hij hier is, maar het is een grote eer voor ons.'

Charlie kon zien dat de oudste leeuw zich echt vereerd voelde, maar hijzelf voelde alleen het verdriet dat het voorhistorische dier uitstraalde. Al zag hij er nog zo sterk uit, er was een diepe kwetsbaarheid in hem. Zelfs zijn tanden, die zo enorm waren dat hij zijn lippen niet op elkaar kon doen, leken een symbool van zijn misplaatstheid.

Charlie besloot dat hij hem ging helpen. Hoe de smilodon ook was ontstaan, Charlie ging ervoor zorgen dat alles in orde kwam.

Hij dacht er niet bij na hoe je iets in orde kon maken waarvan het bestaan niet klopte. Als hij er wel over nagedacht had, zou hij misschien niet zo vastbesloten zijn geweest. Maar hij dacht aan iets anders. Bij broeder Jerome was een tijdje een weesjongen op les geweest. Hij was bij een station opgedoken als vluchteling of wees, of misschien was hij wel allebei. De jongen was bang, sprak bijna geen Engels en wist niet waar hij vandaan kwam en wat er met hem was gebeurd. De monniken hadden hem opgenomen, voor hem gezorgd en hem een naam gegeven: Ralf. Maar de jongen weigerde naar die naam te luisteren en werd kwaad als hij zo werd aangesproken. Ten slotte speelde broeder Jerome, die heel veel talen sprak, het klaar om uit te vissen dat zijn echte naam Justice was. De jongen reageerde als hij Justice werd genoemd.

Charlie herinnerde zich dat het voor die jongen een groot verschil had gemaakt dat hij bij zijn eigen naam werd genoemd. Hij herinnerde zich ook de opmerking van broeder Jerome dat de jongen goede ouders moest hebben gehad, als ze hem Justice hadden genoemd, want dat betekende 'gerechtigheid'. Broeder Jerome had een beetje treurig gelachen om het idee dat zowel de gerechtigheid als de jongen verloren en verdwaald was, geen stem meer had en helemaal alleen stond op de wereld.

'Wat voor namen hadden smilodons van zichzelf?' vroeg Charlie, niet alleen aan de smilodon maar ook aan de oudste leeuw.

De smilodon wist het niet. De oudste leeuw zei: 'Dat stukje kennis is niet blijven bestaan. Weet jij hoe de vroegste mensen, de Neanderthalers, elkaar noemden?'

Stig, dacht Charlie, die een fantastisch boek had gelezen over een grotbewoner die in barre omstandigheden leefde en bevriend raakte met een jongen die Barney heette.

'Nee, dat weet ik niet,' gaf hij toe. 'Maar ik dacht zo...' Nu keek hij naar de smilodon: 'Ik dacht zo dat je je misschien beter zou voelen als je een eigen naam had.' Het liefst zou Charlie hem 'meneer' noemen, om zijn respect uit te drukken.

De smilodon kneep zijn ogen samen en knipperde langzaam. 'Dat is aardig van je, leeuwenjongen,' zei hij. 'Een naam zou me... goed doen. Mijn familielid zal een naam voor me bedenken.' En hij keek naar de oudste leeuw.

De oudste leeuw keek terug met zijn grote, glimmende ogen.

'Met genoegen,' zei hij. 'Ik noem je Primo. Het betekent de eerste.'

'Ik was niet de eerste,' zei de smilodon met zijn diepe, rauwe stem. 'Maar nu ik hier ben, kan ik wel voor de eerste doorgaan. Dankjewel. Nu moest ik maar eens gaan slapen.' Hij draaide zich om in de kleine, bomvolle badkamer en zelfs zijn machtige schouders maakten een vermoeide indruk.

Aan dek van de kleine veerboot van Spanje naar Marokko stond Maccomo, op en top een fatsoenlijke heer, al was zijn pak gekreukeld van de treinreis. Het water in de Straat van Gibraltar was niet breed, maar er was een wonderlijk stelsel van bouwkundig vernuft verrezen dat zijn weerga niet kende.

De zee was hier geen open water, maar verdeeld in kanalen, als de rijstroken op een autoweg.

Sommige vaargeulen waren op het niveau van de zeespiegel, maar andere lagen veel hoger, als viaducten op hoge poten, waardoor ze een enorm, onmogelijk uitziend knooppunt van aquaducten en hoge kanalen vormden. Door deze kanalen voeren schepen in allerlei richtingen door het smalle water tussen Europa en Afrika, de Atlantische oceaan en de Middellandse Zee. Schepen op weg naar Portugal zeilden over een brug hoog boven andere schepen die naar de noordkust van Marokko koersten; weer andere doorkruisten hen op weg naar de Balearen. Je moest de juiste vaargeul kiezen, anders kwam je helemaal verkeerd uit, en op dit ingewikkelde knooppunt was er geen omkeren aan. Er heerste een strakke orde in de ogenschijnlijke chaos en het was er altijd razend druk, omdat het stelsel tegelijkertijd een veiligheidsgrens vormde, met Europa aan de ene kant en de Arme Wereld aan de andere. Vluchtelingen en andere mensen uit de Arme Wereld probeerden vaak gebruik te maken van de drukte en verwarring op het water om Europa binnen te dringen – naar de Rijke Wereld, waar ze een beter leven hoopten te vinden. Maccomo was van oorsprong Afrikaan, maar hij had Europese papieren en hij hoefde zich niet druk te maken om de immigratiepolitie. Hij kon gaan en staan waar hij wilde.

Hoog en heet stond de zon aan de hemel en de geur van Afrika vlaagde hem tegemoet in een mengelmoes van rokend hout, stof en kruiden die zich weer mengde met het zout en de koele geuren van de zee. Afrika. Maccomo glimlachte.

Maccomo was geen jonge man meer. Hij had geleerd geduldig te zijn. Het was onmogelijk dat Rafi de leeuwen had, zodat ze dus óf vrij waren – en het was onwaarschijnlijk dat ze dat zo lang konden volhouden, in hun eentje – óf bij Charlie, wat meer voor de hand lag. En Maccomo wist waar de leeuwen heen wilden. Leeuwen wilden vrij zijn, op hun eigen geboortegrond. De dieren zouden op weg gaan naar Marokko, naar de doornige arganiabossen van Essaouira, waar ze vandaan kwamen. Die teerhartige, Katssprekende Charlie ging ze helpen er te komen en Rafi zat natuurlijk achter Charlie aan. Rafi moest Charlie afleveren bij de lui die hem hadden ingehuurd om de ouders van de jongen te ontvoeren. Bovendien had Charlie Rafi voor gek gezet, omdat hij had weten te ontkomen, en hem in Parijs ook weer was ontsnapt.

Maccomo maakte zich geen zorgen. Hij zou naar Essaouira gaan en daar wachten.

Hij haalde de medicijnfles te voorschijn. Een paar druppels maar...

Maccomo had inmiddels beseft dat Charlie hem regelmatig het verdovend middel had gegeven. Waarom zou zijn lichaam anders naar zo'n slokje hunkeren?

O, die Charlie... Die Charlie dacht hem, Maccomo, in de maling te kunnen nemen. Die dacht hem te kunnen beroven van zijn leeuwen en van de prijs die Rafi wilde betalen... O, die Charlie!

Over een dag of wat ging hij met het middel stoppen. Vandaag nam hij het nog, maar binnenkort moest het afgelopen zijn.

Maccomo was van plan een paar dagen in Casablanca te blijven en van daaruit naar Essaouira te gaan, naar dat mooie stadje – zo mooi dat de naam in het Arabisch 'plaatje' betekende – en die prachtige bossen, waar de geiten tussen de lage bomen staan om scheuten te eten, en waar de witte kamelen uit Mali je heen en weer droegen, en waar de slimme leeuwen in de schaduw lagen, in het lange gouden gras... Maccomo wist precies waar de leeuwen heen wilden, want hij had ze gekocht van een leeuwenjager vlak bij de plek waar ze gevangen waren genomen, nog geen vijfentwintig kilometer van Essaouira.

Daar zouden ze elkaar allemaal weer treffen. Maccomo zou rustig op hun komst wachten...

'Mabel? Met Maurice Thibaudet.'

'Dag, Maurice.'

'Ik vroeg me af of je al een idee hebt van waar Maccomo uithangt.'

'Nee, was het maar waar.' Ze klonk koeltjes, alsof Maccomo haar had beledigd door ergens te zijn waar zij geen idee van had.

'Hij is hier om een uur of één terug geweest, maar nu is hij op de vlucht,' zei majoor Tib. Hij zweeg even. 'Net als zijn leeuwen gisteravond.'

'Wat?' Mabel klonk oprecht verbouwereerd.

'Zijn leeuwen waren vanochtend weg, Mabel, en toen ik de situatie aan Maccomo uitlegde, besloot hij kennelijk om ook maar te verdwijnen.'

'Zeg Maurice, ik weet hier allemaal niets van,' zei ze snel.

'Gisteravond heb ik hem voor het eerst na een jaar teruggezien en hij was heel ontspannen en opgewekt. Het was leuk om hem weer te zien. Ik had geen flauw idee... ik weet bijna zeker dat hij ook geen flauw idee had...'

'Zijn leeuwenjongen is er ook vandoor.'

'Ja... dat heb je al gezegd. Kan die soms... maar ik zou niet weten hoe...'

'En die jonge kerel met wie Maccomo gisteravond heeft gepraat – waar jij bij was, trouwens. Rafi Sadler. Een knappe jonge kerel met een leren jas. Die na de pauze bij jullie zat? Die loopt te roepen dat hij door een van de leeuwen is aangevallen toen ze de benen namen.'

'Wat! Maar hoe kunnen ze buiten zijn gekomen? En waar zijn ze nu? Zes leeuwen kunnen toch niet zomaar ontsnappen...'

'Sadler beweert dat ze in de trein naar Istanbul zaten. Het idee alleen al. En die trein is uitgekamd en er is geen spoor van de leeuwen te vinden. Men denkt dat ze hondsdolheid hebben. Wie is die Sadler, Mabel?'

'Weet ik het. Een of andere kennis van Maccomo. Hij en Maccomo... ja, ik weet het verder ook niet.'

Majoor Tib dacht dat ze het misschien wél wist. Hij bleef een tijdje stil. Toen veranderde hij van tactiek.

'Nu zit ik dus met een groot gat in mijn voorstelling, Mabel,' zei hij. 'Een groot, akelig gat waarmee je ex-vriendje me heeft opgezadeld. Ik heb rondgebazuind dat de mensen de beste roofdierenshow ter wereld bij mij kunnen zien. En nu zit ik met lege handen.'

Mabel lachte. 'Je had Maccomo's act ook niet de beste roofdierenshow van de wereld moeten noemen, Maurice. Dat is nu eenmaal mijn eigen show.'

Maurice glimlachte ook, toen hij aan Mabel in haar strakke, witleren pakje dacht die met haar tijgers speelde. 'Daar heb je helemaal gelijk in,' vleide hij. 'En wat dacht je ervan? Ik weet dat je op het moment vrij bent. Drie weken, in ieder geval het contract in Parijs, en langer als je wilt.'

'Betaal me twee keer zoveel als je hem betaalde,' zei ze.

Toe maar, dacht majoor Tib. Dat mens durft!

'Graag, liefje,' zei hij. 'Honderd dirham per avond.'

'Dat is de helft van wat je hem betaalde,' zei ze. 'Doe niet zo stom.'

'Driehonderd dan,' zei hij.

'Vierhonderd, en meteen ja zeggen, anders maak ik er vijfhonderd van.'

Majoor Tib had geen keus. Hij had die avond een act met wilde dieren nodig en Mabel was zijn enige kans. Normaal gesproken zou hij een vrouw als zij niet in zijn voorstelling willen – te mooi, te bazig – maar nu moest hij wel instemmen.

Mabel legde haar telefoon neer, ging op haar pluchen bank liggen en dacht diep na.

Waarom had Maccomo haar na een heel jaar stilte opeens gebeld en was toen weer verdwenen? Ze kon nauwelijks geloven dat hij echt zijn leeuwen kwijt was. Mabel hield van niets ter wereld zoveel als van haar tijgers. Ze was op haar vijftiende van huis weggelopen om bij het circus te gaan, vooral om bij tijgers te kunnen zijn (al was er nog een andere reden geweest, eentje waar ze nooit iets over wilde zeggen). Ze had haar sporen verdiend, ze had littekens van de keren waarop ze de stemming van een tijger verkeerd had ingeschat en aangevallen was. Ze had voor haar tijgers geleden en was daardoor nog meer van ze gaan houden. Ze werkte al zeven jaar met deze tijgers en ze aanbad hen. Ze had alles voor hen over. Ze was blij geweest dat ze Maccomo terugzag; dat zou ze echt niet ontkennen. Ze – tja, ze had nu eenmaal respect voor hem, hield ze zichzelf voor, ze respecteerde hem omdat hij een grootse leeuwentrainer was. Daarom was ze oprecht verbaasd en ook teleurgesteld dat hij zo slordig met zijn katten leek om te springen. Daar leek helemaal niets van te kloppen.

DRIE

Het was avond toen de sneeuwschuivers de Oriënt-Express bereikten, al te laat en te koud om nog iets te kunnen beginnen in die dichtgevroren wereld. Achter de dikke ijslaag op de treinramen gloeide een merkwaardig, warm-oranje licht, dat misplaatst leek in de groenige sneeuw. Er werden vuurpotten langs de rails gezet om de wissels tegen de ergste bevriezing te behoeden. Binnen in de trein werd het steeds kouder.

Overdag had Charlie triktrak gespeeld met de koning, terwijl Edward erbij stond en een beetje hooghartig langs zijn lange rechte neus op hen neerkeek. 's Nachts hadden Charlie en de leeuwen op een kluitje liggen slapen, als jonge poesjes in een mand, warm en knus.

Op de derde ochtend piepte de zon door gaten in de grijze lucht en ontdooide de groene laag op de treinramen. De wereld werd weer zichtbaar; het landschap doemde achter de druppels en straaltjes dooiwater op als eilandjes uit zee. Van buiten klonk geratel, gebonk en gesis ten teken dat er hard gewerkt werd. De zonnepanelen waren de locomotief aan het opladen en een bevoorradingswagon bracht extra stroom. De verwarming kwam weer op gang: het ontbijt kon worden geserveerd, aan de late kant, maar wel warm, met eieren en koffie. De enorme zucht van opluchting die de passagiers slaakten hielp nog eens mee vaart te zetten achter de ontdooiing.

Vroeg in de middag was de lijn weer schoon. Niet veel later kwam de opgewarmde trein in beweging en zette zijn reis voort, eerst nog zachtjes tuffend en toen sneller en steeds krachtiger door de hoge bergen, die zich nu in hun volledige besneeuwde glorie lieten zien. Ze tjoekten door de Alpen, door de Simplontunnel en aan de andere kant langs de brede bergwanden omlaag, naar Italië en Venetië.

Charlie vroeg Edward om verband: 'Er is een leeuw aan zijn kaak gewond en die is misschien wel gebroken,' zei hij zonder blikken of blozen. Even was Charlie bang dat Edward zou antwoorden dat er een dokter of dierenarts naar moest kijken, maar Edward zei niets. Dat was het grote voordeel van leeuwenjongen zijn – niemand anders had verstand van wat je met leeuwen moest doen en hoe je ze moest behandelen. Alleen voor Charlie wilden ze zich gedragen – en misschien niet eens altijd voor hem. In ieder geval had niemand zin om de proef op de som te nemen.

Charlie ging met het verband naar de badkamer terug en pakte Primo's hoofd en kaken zorgvuldig in. Hij bond de uiteinden vast. Het resultaat leek een kruising tussen verband en een tulband. Dat deed Charlie denken aan plaatjes van het oude Egypte, aan goden met dierenhoofden en mummies. Dit was een dier met een mummiehoofd. Maar Primo's magnifieke, enge tanden zaten nu tenminste goed verborgen. Het zou een heel gedoe worden om het verband los te wikkelen als hij moest eten, maar daar was niets aan te doen.

'De mensen mogen geen hartaanval krijgen als ze je zien,' legde Charlie uit. 'Of over hun toeren raken en rare plannen bedenken...'

Hij wilde niet over die plannen uitweiden. Primo was al treurig genoeg zonder hem erop te wijzen hoe interessant hij was voor bepaalde mensen, die weinig goeds met hem voor hadden. Primo vond het gelukkig niet erg dat hij vermomd werd. Hij hield zijn hoofd stil terwijl Charlie wikkelde, plooide en vastspelde.

Aan de Italiaanse kant van de Alpen was het bijna niet meer te geloven dat ze in zulk noodweer in een sneeuwstorm hadden gezeten. Hier scheen de zon als een felgouden bal, tegen een strakblauwe hemel die helder en heet was; de vogels zongen en de olijfbomen lieten hun zilverkleurige blaadjes ruisen op een zachte bries. De trein reed door de uitgestrekte vlaktes in het noorden, die breed en vruchtbaar waren, waar brede rivieren stroomden, door velden vol maïs, tomaten en wijnranken die uitliepen in de zon. Koning Boris zette de raampjes open en een geur van warm stof en koel water stroomde naar binnen. Hij trok zijn colbertje uit en zei: 'Doe mij maar een campari-soda, Edward! En een glas granita voor de leeuwenjongen, alsjeblieft.'

Edward bracht een hoog glas met een roze drank voor de koning en een bolletje aardbeienijs in een glas voor Charlie. Toen ging hij achter Charlies stoel staan en keek de koning met opgetrokken wenkbrauwen aan. De koning legde zijn voeten op een krukje voor hem, leunde achterover en zei: 'Tja, Charlie. Jammer genoeg moet ik voor belangrijke zaken door naar Sofia en kan niet met jullie uitstappen in Venetië. Maar je wordt door een boot afgehaald en naar mijn stulpje gebracht. Edward zal je helpen. Goed?'

Goed? Hoe kon Charlie nu zeggen of dat goed was? Hij wist alleen heel goed dat het niet uitmaakte of hij het wel of niet goed vond – het zou toch zo gebeuren.

Rafi had het idee dat het een beetje beter met hem ging. Zijn schouder deed nog erge pijn, maar als hij zijn ogen opendeed kon hij beter zien. Zijn hoofd leek ook helderder. Hij lag nog in dezelfde kamer.

'Zuster!' riep hij. Hij dacht dat hij schreeuwde, maar het woord kwam er zacht en schor uit. 'Zuster!' Hij had honger en dorst.

'Zuster!' schreeuwde hij opnieuw. Au! Wat deed zijn keel zeer. Zijn lijf schokte van de pijn door het schreeuwen, waardoor zijn schouder ook meer pijn ging doen. In een natuurlijke reflex kromde hij zijn schouders tegen die pijn, maar het werd er natuurlijk alleen maar erger van. Lekker liggen was er ook niet bij. Zijn laken lag in een knoedel onder hem.

'Dat verrotte pokkenjong,' mompelde hij. Het was allemaal Charlies schuld. Zo goed en zo kwaad als het ging, legde Rafi zijn hoofd in de nek en snakte naar adem. Hij voelde zich hondsberoerd.

Toen de zuster kwam, was zijn gezicht groen en bezweet; om zijn hals lag een kring van blauwe plekken. Eerlijk gezegd dacht ze heel even dat hij dood was. Ze vond het erg – hij mocht dan onbeschoft zijn, mooi was hij wel, met die prachtige wimpers, en veel te jong om dood te gaan. Ze begon zijn voorhoofd met een koele doek af te wissen.

Rafi kwam plotseling bij, keek met grote ogen van schrik om zich heen en begon wild met zijn handen te slaan. Hij gaf haar een dreun – niet expres, maar wel hard.

'Blijf van me af!' kraste hij. Au – zijn keel.

De verpleegster legde haar hand tegen de plek waar hij haar geslagen had. 'Oef,' zei ze.

'Laat me dan ook met rust, stom wijf,' zei hij, met een stem van schuurpapier die hij met moeite uit zijn opgezwollen keel perste.

'Je ziet eruit alsof iemand je heeft willen wurgen,' zei de verpleegster. 'Ik was het niet, al kan ik best begrijpen dat iemand die neiging zou hebben. Ooo...' Ze duwde tegen de donkere plekken die onderaan op Rafi's bleke hals zaten. 'Diepe kwetsuren,' zei ze. 'Akelig.'

'Ik heb honger,' fluisterde Rafi kil. 'Breng me eten.'

Ze keek hem aan. Hij gaf over. Het deed ontzettend zeer.

Ze maakte hem schoon, alsof hij een kleine baby was die zijn luier had bevuild, en zei dat hij de eerstkomende vierentwintig uur niets mocht eten omdat hij had overgegeven. Toen ze weg was, besloot hij zichzelf op te vrolijken door Charlie te bellen.

Hij liet een boodschap achter. Met zijn precieze, pijnlijke, schuurpapierachtige stem klonk het nog griezeliger dan anders.

'Hoi Charlie. Met Rafi. Ik heb pijn. Wist je dat? Ik ben gebeten, Charlie, door een smerig wild beest dat afgemaakt wordt zodra ze hem gevangen hebben – en dat zal niet lang duren. De politie is hem op het spoor. Ik heb laaiende koorts en moet steeds kotsen. Ik heb hier niks anders te doen dan beter worden. Ik heb dus tijd zat om te bedenken hoe ik jou ga laten boeten, en of jij wel bestand bent tegen de pijn die ik je ga doen zodra ik weer op de been ben. Ik vraag me af door wie ik jou zal laten bijten. Een gifslang lijkt me wel wat... En dan duw ik je in ijskoud water. En ik hou je uren onder. En dan zorg ik voor een beul van een dokter om je te martelen – als je het overleeft... En ik zal je rotzooi te eten geven waarvan je ook moet kotsen. Interessant voedsel wordt dat. Eerlijk gezegd kikker ik alleen al op van het idee, wist je dat? Maar goed, ik wou je dus even bijpraten. Ik weet waar je trein heen gaat. Ik weet waar je ouders zijn, ik weet dat jij zo stom bent als het achtereind van een varken... En o ja, ik weet ook dat je die leeuwen niet kunt blijven verbergen... Dacht je nou echt dat het niet in de gaten zou lopen? Dacht je dat Maccomo je doodleuk met zijn leeuwen laat verdwijnen? Ik wou dus maar zeggen... de politie doet het meeste werk voor me terwijl ik hier zit, en daarna ben ik in een vloek en een zucht bij je. Akkoord? De mazzel!'

Hij was trots op zichzelf dat hij het bericht zo vrolijk had afgerond. Dat zou dat joch veel erger de stuipen op het lijf jagen dan al zijn geschreeuw en getier in eerdere berichten. Hij vond dat zijn boodschap dreigend en volwassen klonk. Daarna kon hij niet meer denken, want zijn temperatuur vloog omhoog en hij begon weer te kokhalzen, al was er niets meer in zijn lijf dat omhoog kon komen.

Buiten lag Troy stilletjes te wachten. Hij had op het ziekenhuisterrein ratten gevangen om in leven te blijven, hield zich schuil en wachtte geduldig. Zijn jachthondenneus zei hem dat Rafi nog binnen was, en zijn hondentrouw zei hem dat hij moest blijven waar hij was tot zijn baas hem nodig had.

De weg en spoorrails over de lagune van Venetië waren lang en smal, als de draden van een spinnenweb over een plas water. Op het station heerste de drukte van hordes mensen die haast hadden. Charlie loerde door de gordijnen voor de raampjes van koning Boris' rijtuig.

'Ga bij dat raam weg,' zei koning Boris. 'Je mag niet gezien worden.' Hij had geregeld dat het deel van het perron waar zijn rijtuig aankwam werd afgezet, maar toch moesten ze voorzichtig blijven.

Vier mannen met een grote, glanzend zwarte, overdekte wagen kwamen hen afhalen. De leeuwen – inclusief Primo – gleden soepel als grote moppen goudkleurige schenkstroop regelrecht van de trein in de wagen. Ze krulden zich op de vloer op en gingen berustend liggen wachten, alsof ze wilden zeggen: 'Voor deze keer krijgen jullie je zin, maar flik ons niet te veel kunstjes.'

'Dag,' zei de koning. 'Ik wou dat ik met jullie meekon. Ik hoop dat we elkaar gauw terugzien. Sterkte met alles, en veel succes.' Zijn donkere olijfkleurige ogen stonden triest, wat je niet zou verwachten bij zo'n vrolijke man. Hij ging de trein weer in en Charlie voelde een steek door zijn hart: hun vriendelijke, grappige beschermheer was weg. Maar ja, om te beginnen hadden ze niet verwacht dat ze een beschermheer zouden krijgen, en bovendien bleven ze toch nog onder zijn bescherming, want Edward was bij hen.

Ze gingen het station uit. Daar, onder aan de brede trappen en achter de stoep, waar de weg hoorde te liggen, lag water.

Charlie had dat wel geweten, maar hij knipperde toch met zijn ogen. Water! Geen straat te bekennen – geen auto's, geen verkeerslichten, geen paarden, geen bestrating... niets dan ruisend, groen water. En boten. De stad dreef op de zee. De stad was de zee. De zee was onderdeel van de stad. Aan de overkant van het water stond een roze hotel: het Carlton Executive, met een groene koepel overdekt door een netwerk van steigers. En ergens in die stad waren zijn ouders. Zijn hart sprong op.

Een lange, lage, zwarte boot lag achter de bocht van een rustig zijkanaal op hen te wachten. Charlie wist dat het een gondel was. De gebogen metalen punt van de voorplecht stak hoog in de lucht. De boot was veel groter dan hij verwacht had. Toen hij aan boord ging en omhoogkeek, viel Charlie bijna achterover. De voor- en achterkanten waren zo hoog en in het midden was de gondel zo laag.

De leeuwen stapten van de wagen over in de gondel. Er was niemand in dat afgelegen hoekje en in de schemering leken ze onzichtbaar, ook voor de gondelier, een blonde jongeman die zich nodig moest scheren, met een zonnebril op, brede schouders en een lenige rug. Charlie keek naar Edward en bedacht dat mensen die voor koning Boris – of voor Edward – werkten er wel voor zorgden dat ze niets zagen wat niet voor hun ogen was bedoeld. De schipper keek sereen voor zich uit in de avondzon, die een gloed van vloeibaar goud over het water legde. Charlie en Edward zaten op lage, zwartleren bankjes; de leeuwen lagen in een duistere holte op de bodem van de boot. Wat moest het leven makkelijk zijn als je rijk was, dacht Charlie. Wat ontzettend aardig van de koning om ons in zijn rijkdom te laten delen. Wat ben ik blij dat ik nu niet door de achterstraatjes van deze vreemde, drukke stad hoef te sluipen, op zoek naar een rustige schuilplaats.

'Naar het paleis van de *doge*, Claudio,' zei Edward op die bedaarde toon van hem. 'Daar moeten we een document afleveren voor we naar huis gaan.'

Claudio trok één wenkbrauw op zonder dat Edward het zag en liet daarmee merken dat hij niet dol was op de doge, liever niet naar zijn paleis ging en al helemaal geen zin had om een brief bij hem af te leveren.

Maar Charlie was onder de indruk. De doge was de heerser van Venetië!

NAAR
DE ALPEN

Station

GRAND CANAL

CANAL GRANDE

SCALE: LONT ANO

GIUDECCA

SAN MICHELE

Rialto

Paleis van
de doge

**NAAR HET
ARSENAAL**

Piazza
San Marco

San Giorgio
Maggiore

**NAAR HET LIDO
EN AFRIKA**

Palazzo
Bulgaria

Venetië

Van stiekem sluipen was echt geen sprake – integendeel. Fier als een zwaan gleden ze in een fraaie, zwartgelakte gondel over het Canal Grande, ogenschijnlijk moeiteloos voortgepunterd door een gondelier. Het verder zo gladde water rimpelde door de zachte golfslag om hun boot en overal werden ze omringd door de volgebouwde stad Venetië. Charlie keek zijn ogen uit.

Nergens was een weg: de eeuwenoude paleizen, van wit, grijs en roze marmer, leken rechtstreeks in het gouden water te zijn gebouwd, met bij de voorgevels hoge gestreepte meerpalen van blauw en wit en goud, waar de boten konden aanleggen. Het leek alsof elk gebouw tot aan de knieën doorweekt was, als een zoom die door een waterplas sleept. Tegen de meeste gebouwen stonden steigers; sommige huizen waren helemaal bedekt met enorme lappen, waarop stond afgebeeld hoe het gebouw eronder was geweest – en weer zou zijn zodra de bouwvakkers klaar waren met de restauratie. En overal om de huizen heen, om de balkonnetjes en tuinen, de hoge muren en rijen bogen, was het water.

Charlie had natuurlijk wel geweten dat Venetië waterwegen had in plaats van straten, dat de stad midden in een brede, ondiepe, modderige lagune was gebouwd en uit eilandjes bestond. Maar hij had verwacht dat het er ook echt als een verzameling eilandjes uit zou zien, met strandjes en bomen en velden, en niet als een compacte stad. Het was alsof de stad over de eilandjes heen puilde en ze verborg, als een weelderige korst die alles afdekte, zoals het smeuïge glazuur van een taart. Dat vond hij een leuk beeld: een heleboel prachtig geglazuurde taartjes getooid met fantastische geglazuurde gebouwen, omringd door een ondiepe zee en met elkaar verbonden door bruggen.

Op datzelfde moment kwamen ze bij zo'n brug: de Rialto. Als een hoge boog stond de brug over het kanaal en de beide zijkanten waren volgebouwd met winkeltjes vol leuke koopwaar, die op hun beurt afgeladen waren met drukke, winkelende mensen.

Charlie wist dat Venetië honderden jaren geleden een van de belangrijkste steden van de wereld was geweest, vol kunst en weelde en uitzonderlijke architectuur. Iedere koopman die de stad aandeed moest iets moois meenemen voor de privé-kerk van de doge, de massieve San Marco-kathedraal met de vijf koepels, waardoor de stad uit haar voegen barstte van de standbeelden, schilderijen, oude kunststukken, juwelen en mozaïeken, marmer en goud, jaspis en albast, bronzen paarden en stenen draken, pilaren en bogen, zilveren lampen en daken van goud. Dan waren er ook nog de meesterwerken van plaatselijke kunstenaars, van musici en van buitenlandse artiesten die naar de stad waren gekomen om zich door de schoonheid van Venetië te laten inspireren.

Broeder Jerome had Charlie uitgelegd dat de eerste gebouwen in Venetië waren ontstaan als vogelnesten, gedeeltelijk op eilandjes en gedeeltelijk op houten vlonders boven het troebele water van de brede lagune. Later waren er stenen huizen en marmeren paleizen bij gekomen. Vanuit het noorden stroomden elf rivieren de lagune in en vanuit het zuiden woelde de zee de modder op en deed de houten funderingen rotten. Charlie had geleerd dat de waterspiegel was gestegen toen het klimaat veranderde en de wereld warmer werd. De stevige, beboste zoutmoerassen die ooit de stad tegen de vloedgolven van de zee beschermden, stroomden langzaam vol. Daarna konden de winterstormen ongestoord de hoge golven tegen de gebouwen jagen, waardoor het sierlijke houtsnijwerk werd aangetast en het ene na het andere balkonnetje werd weggeslagen. Er was aardgas uit mijnen onder de stad gewonnen, waardoor de stad zelf dieper in de modder verzakte. Een hebzuchtige schurk kreeg toestemming een reusachtige olieraffinaderij bij de lagune te bouwen, waardoor enorme schepen werden aangetrokken die hun vervuiling op het water loosden.

Langzamerhand begonnen de grote gebouwen van Venetië over te hellen en te wankelen, te wijken en verzakken. De klokkentoren van de San Marco stortte neer en werd herbouwd. Ratten, zeezout en vervuiling vraten de gebouwen aan. Bij vloed stonden de mooie witte kerken hulpeloos in het smerige water, werden net zo lang aangetast door het grijsgroene vocht tot ze eruitzagen als rottende gebitten. Bolle loopbruggen van steen stonden midden in het water, gingen doelloos van niets naar nergens. Sierlijke portieken die ooit uitkwamen op een kade van wit marmer kwamen nu op het water uit, en het stinkende water liep de binnenhof van wit marmer binnen, waar een rare en walgelijke algengroei ontstond. Charlie had foto's gezien van de San Marco-kathedraal, die nu aan een enorme waterplas stond in plaats van ooit aan een groot plein. De *venditori* die daar vroeger duivenvoer en ansichtkaarten en ijsjes hadden verkocht, handelden tegenwoordig in rubberlaarzen en opblaasboten. De Venetianen legden lange houten vlonders neer om over de overstroomde gebieden te komen. Ze moesten goed uitkijken naar het punt waar een volgelopen stoep ophield en het diepe kanaal begon. Aan het wateroppervlak was het verschil niet te zien, zodat je maar zo in het diepe kon donderen als je niet oppaste.

Charlie had ook geleerd dat er in de 21ste eeuw een hoge muur was gebouwd: een drijvende muur met 79 sluisdeuren, die open konden en weer dichtgingen als er een stormvloed op komst was, om de hoogste golven bij de grachten en gebouwen weg te houden. Hij had gehoord over de drijvende, kunstmatige eilandjes die de vloed en de golven niet echt tegen konden houden, maar wel als golfbrekers dienden voor het water dat de prachtige, zinkende, verdrinkende stad teisterde.

En Charlie wist wat iedereen wist: dat dit niet genoeg had geholpen. Venetië was uiteindelijk bezweken en in de smerige lagune gezakt. Het grootste deel van de eilanden Giudecca en San Giorgio Maggiore lag in witte puinhopen in de groene diepte, waar de Venetianen, kunsthistorici, ingenieurs, musici, architecten en toeristen tot tranen toe geroerd naar de brokstukken keken.

Charlie wist dit allemaal, maar hij was nooit zelf in Venetië geweest en hij hield zijn adem in toen hij in het lage, gouden licht van die voorjaarsavond in de gondel over het Canal Grande voer.

De gebouwen die nog overeind stonden werden steeds weelderiger. Boog na boog was rijkelijk versierd met beeldhouwwerk, met cirkels en bloemen, met wijnranken tussen de pilaren, met balustraden en pauwen, balkons en fraaie portieken, nissen en ingezette panelen en vogels op de hoeken, balkonnetjes en ramen, engelen en boogvullingen, maaswerk en siertorentjes, leeuwen – heel veel leeuwen, maar alles even vlak, alsof het gefiguurzaagd was. Of gevormd uit waterijs... De prachtige gebouwen stonden in het water als tanden in het tandvlees.

En alles zag er even blinkend schoon uit. Hoe kon het dan intussen stukje bij beetje worden vernietigd door het klimaat en de vervuiling? (Het antwoord lag natuurlijk voor de hand. De gebouwen werden langzaam maar zeker afgeschuurd door de vervuilde wind en de zure regen, waardoor alles wel blinkend schoon werd, maar tegelijkertijd verzwakte.) Vanaf het grote kanaal liepen smalle, donkere kanaaltjes geheimzinnig tussen hoge gebouwen door. Er waren lijnen overheen gespannen, waar wasgoed zachtjes aan hing te wapperen. Gondels voeren hoog en glanzend door het water; de gestreepte meerpalen stonden er fier bij. In het voorbijgaan ving Charlie een glimp op van de grote San Marco-kathedraal, met twee hoge pilaren aan de waterlijn. Op de ene pilaar stond het beeld van een edele, eeuwenoude leeuw met grote vleugels op zijn rug, die een open boek vasthield.

'Kijk,' fluisterde hij naar de jonge leeuw, die vanuit de diepte van de gondel met niet-begrijpende verbazing omhoogkeek. 'Een leeuw!'

De jonge leeuw grijnsde en stootte de anderen aan, die ook opkeken, hun soortgenoot zagen en hun snorharen lieten trillen.

Claudio, de gondelier, begon opeens te praten, zonder Charlie aan te kijken.

'De gevleugelde leeuw van Venetië is de Leeuw van San Marco, die jij Sint-Marcus noemt,' verklaarde hij. 'In het boek dat hij vasthoudt, staat: *"Pax tibi, Marce evangelista meus. Hic requiescat corpus tuum".* Dat betekent: "De vrede is met je, Marcus, mijn evangelist. Hier zal jouw lichaam rusten."' Hij keek Charlie even aan. 'Een evangelist is iemand die het woord van God verkondigt aan mensen die daar niets van weten,' legde hij uit. Toen vervolgde hij: 'Heel lang geleden was San Marco, die een vriend van Jezus was en een deel van de bijbel schreef, op de terugweg naar Rome. Hij schuilde voor de nacht in de Venetiaanse lagune, omdat overal vijanden naar hem op zoek waren, en er verscheen een engel die hem met die woorden begroette. De vrede is met je, enzovoort, wat San Marco wel prettig in de oren moet hebben geklonken, want hij rammelde van de honger en verging van de dorst, snap je. Maar goed, jaren later ging hij dood en werd in Egypte begraven. En in het jaar 828 gingen twee goede Venetiaanse mannen die graftombe in en stalen het lijk. Om het langs de bewakers te krijgen, verstopten ze het onder bergen varkensvlees, want de bewakers waren moslims en de mannen wisten dat die geen varkensvlees eten.' Hij haalde adem. 'Goed, ze brachten San Marco dus naar Venetië terug en gaven hem aan de doge, die een kerk voor hem liet bouwen, waarin hij opnieuw begraven werd. Venetië blij natuurlijk, want toen hadden we een echte heilige, een belangrijke heilige, helemaal van ons, en de Venetianen begonnen overal standbeelden van leeuwen op te richten ter ere van San Marco. Je zult ze nog wel zien! Maar toen de kerk in 1063 verbouwd moest worden, verstopte de bevolking het lijk opnieuw. Ze waren bang dat het anders gestolen zou worden, omdat de mensen in die tijd dachten dat het lijk van een heilige wonderen kon verrichten. Het werd dus verschrikkelijk goed verstopt. Zo goed, dat geen mens meer wist waar precies, en toen was het lijk zoek en niemand kon het terugvinden. Maar toen de nieuwe kerk klaar was en ze een mis hielden om de kerk in te wijden, brak midden onder de mis – BAF! – een arm van San Marco uit een pilaar te voorschijn. Tjonge! Knalt zo die pilaar uit, met een gouden ring om zijn vinger.'

'Goeie timing,' vond Charlie.

'Nou!' stemde de gondelier in. Hij manoeuvreerde zijn boot naar een meerpaal bij een gigantisch, roze palazzo. 'Sommige mensen zeggen dat het opzet was, om het op een wonder te doen lijken.'

Charlie lachte. Een nepwonder! 'Maar waarom hoort de leeuw bij Marcus?' vroeg hij.

'Dat staat zo in de bijbel,' zei de gondelier. 'Een gevleugelde leeuw, met maar liefst zes vleugels, vol ogen. Dat komt doordat Marcus altijd zei dat God even *magnifico* is als de leeuwen.' Hij gebaarde naar de leeuw hoog op de pilaar. 'Die daar is van brons, met ogen van agaat, weegt drieduizend kilo en staat daar al 2200 jaar. Het is best mogelijk dat hij uit het Midden-Oosten komt, net als Jezus, maar hij is veel ouder dan Jezus. Maar hij kan ook van oorsprong Chinees zijn. Misschien had hij eerst geen vleugels, maar heeft hij die er later bij gekregen. Maar goed, dat doet er ook niet toe. In oorlogstijd gaat het boek van de leeuw dicht: dan doen we niet aan "de vrede is met je". Zo zie je hem bij het Arsenaal staan, waar de schepen worden gebouwd. Napoleon – heb je wel eens van Napoleon gehoord... een Frans ventje, klein van stuk, dat overal binnenviel? Nou, die Napoleon veranderde de woorden in het boek. Hij maakte er "de rechten van mannen en burgers" van. Weet je, de Leeuw van San Marco zie je in heel Venetië. Wij houden van leeuwen.'

Claudio keek omlaag naar de leeuwen in zijn boot en een uitdrukking van verwondering en genegenheid gleed over zijn gezicht. Charlie vond hem aardig. Hij had het gevoel dat de leeuwen er ook zo over dachten. De jonge leeuw probeerde over de rand van de gondel te gluren om te zien waar Claudio het over had.

Charlie trok een gezicht naar hem, alsof hij zeggen wilde: 'Trek nou geen aandacht!'

De jonge leeuw stak heel even zijn tong uit en zei: 'Ja, jij hebt makkelijk praten – maar ik wil die leeuw met zes vleugels ook zien!'

Charlie slikte. Het was lollig als de jonge leeuw tegen hem praatte als er andere mensen bij waren, maar het was ook lastig, want hij wilde dolgraag antwoord geven en dat kon nu eenmaal niet.

De jonge leeuw grijnsde ondeugend naar hem. Charlie keek streng terug en wendde toen fluitend zijn hoofd af. Hij keek met zijn hoofd in z'n nek naar het palazzo en naar de leeuw op de pilaar. Toen keek hij achterom. Ze waren nu aan het einde van het Canal Grande, in het gedeelte dat de Bacino heette, waar het water breed werd en andere eilanden in het zicht kwamen. Maar dat uitzicht deugde van geen kanten.

Daar, achter het oude tolhuis, waar het eiland Giudecca hoorde te liggen en de kerken Zitelle, Redentore en het eiland San Giorgio Maggiore, was het een deinende, rommelige puinhoop. Het uitzicht maakte de indruk van een kruising tussen een zeekerkhof en een bouwput, als één groot scheepswrak. Er waren boten met hijskranen en drijvende dokken beladen met bergingsafval, massieve roestige metalen platen die als muren in het water stonden, en tussen de puinhopen door liepen grote glazen tunnels, die half onder water lagen. Af en toe kwamen de tunnels uit het water omhoog, doken op als reusachtige glazen rupsen die over de bergen marmer en steen klommen, over het beeldhouwwerk en de standbeelden, de verwoeste koepels en kapotte frontons. Ze werden omringd door de werktuigen en apparatuur van de mensen die nog altijd bezig waren de brokstukken van de oude gebouwen te bergen. Charlie zag massieve kettingen, machines en generatoren, kleine onderzeebootjes en sleepboten, stapels rubberlaarzen en zuurstofmaskers, draagriemen, plattegronden en inventarisatielijsten. Gedeeltes van de lagunebedding waren afgezet en werden leeggepompt, zodat een groot leeg bassin ontstond, als een lege sluis. In een zo'n deel lagen de omgevallen muren van wat ooit de kerk van San Giorgio Maggiore was geweest. De brokstukken leken op een berg bleke botten, waar arbeiders als vliegen overheen kropen. In het bassin was met de regelmaat van een kloppend hart een enorme pomp aan het werk, die voortdurend troebel water en trage modderstromen uitspuwde. Je kon het geklop goed horen.

Charlies adem stokte.

'Ze maken een onderwatermuseum van Venetië,' zei Claudio, die opkeek terwijl hij de gondel behendig aan de meerpaal bond. 'Ze leggen die grote glazen buizen in de modder vast, en dan kunnen de mensen erdoorheen lopen en naar de ruïnes onder water kijken. Als vissen in een aquarium, met open mond. Er wordt over een tijdje ook licht aangelegd, zodat je het zeewier op onze ruïnes kunt zien. Ruïnes vol algen, als giftige, slijmerige spinnenwebben. Dan kan iedereen pas goed zien hoe de zee Venetië kleingekregen heeft en de modder in heeft gewerkt.'

De muil van de jonge leeuw viel open. 'Ik wil erheen!' riep hij. Deze keer deed hij het niet om Charlie te plagen, maar omdat hij zo opgewonden raakte bij het idee over de zeebodem te lopen dat hij zich niet kon beheersen. Gelukkig klonk het in de oren van Claudio en Edward als een laag gegrom. Claudio keek even naar hem, knipoogde toen naar Charlie en stapte uit de boot. Edward, die zonder het te laten merken scherp naar het gesprek over Venetië had geluisterd, overhandigde de gondelier een pakketje.

Claudio liep naar het roze palazzo en Edward leunde achterover, met gesloten ogen en een peinzende uitdrukking op zijn gezicht.

Charlie herinnerde zich opeens iets waar hij lang niet meer aan had gedacht: zijn ouders waren naar Venetië geweest op huwelijksreis. Zo wist hij dat dit uitzicht helemaal niet klopte. Thuis op de keukenkast stond een foto van hen tweeën, een gelukkig lachend jong bruidspaar, met de armen om elkaar heen. Die foto was hier ergens genomen. Hij herkende de omgeving. En hij zag dat de helft van die achtergrond was weggevaagd. In plaats daarvan waren er nu de ruïnes.

Hij werd treurig bij de gedachte wat zij van die puinhopen zouden vinden. Hij wist wel zeker dat het hen ook treurig zou maken.

En waar waren zijn ouders nu? Hij sperde zijn ogen open en keek om zich heen of hij een kat zag. Katten hadden hem steeds van informatie voorzien, vanaf het moment dat hij thuis was weggegaan: toen hij in Londen de Theems af voer en toen hij in Parijs de Seine op voer. Katten zijn geweldige roddelkonten. Hij moest een kletspraatje met een kat gaan houden, en liefst zo snel mogelijk.

VIER

Koning Boris' stulpje bleek een klein palazzo aan het Canal Grande te zijn. Het paleisje heette Palazzo Bulgaria, wat je moest uitspreken als 'Palatso Boelka-ria'. Nadat ze er eerst voorbij waren gevaren, gingen ze nu terug om aan te meren. Charlie was blij dat hij niet langer tegen de ingestorte treurnis van de Giudecca hoefde aan te kijken.

Claudio meerde aan bij de brede stenen traptreden, die direct vanaf het water naar een hoge, deftige deuropening in een van de roomijsgebouwen leidde. De onderkant van de deur was weggerot; de zijkanten van de treden waren nat van het hardgroene zeewier. Omhoogkijkend naar de voorgevel, zag Charlie dat het balkon van de eerste verdieping versierd was met uit stenen gehouwen leeuwen. Hij vond het fijn dat hij het verhaal erachter kende. Hij lachte naar Claudio, die met een knipoog reageerde.

De zware houten deur in de hoge, gewelfde portiek gleed open. Claudio hield de boot stabiel en de leeuwen krulden zich naar buiten, slopen de trap op en verdwenen in de half-schaduw van het gebouw. Charlie ging achter ze aan en Edward volgde hem statig.

Ze kwamen in een zaal die hoog en koel was, met vervaagde donkerrode wanden en een gladde, donkerrode vloer die uit één enorme tegel leek te bestaan. Er hing een muffe geur van oud vocht. Charlie had het gevoel dat hij nog nooit in zo'n oud gebouw was geweest. De gordijnen voor de hoge ramen aan weerskanten van de deur waren van een zwaar, donkerrood fluweel dat honderden jaren oud leek, in bundels bijeengehouden door gordijnbanden van gouddraad, die rafelig en gevlekt waren. Als je die gordijnen aanraakte, zou het materiaal zomaar in karmozijnkleurig stof tussen je vingers kunnen verkruimelen. In de verre welving van het plafond schemerde een grote, glazen luchter: niet meer dan een verre illusie van veel bleke, juweelkleurige stukjes glas, dik onder het stof, met de weerkaatsing van gouden kaarslicht op de vele ornamenten. Charlie staarde ernaar met zijn hoofd in zijn nek en meende daarboven vogels, bloemen en verstrengelde wijnranken te zien, allemaal met dezelfde vage, waterige glans.

De mufheid in het vertrek mengde zich met een zware bloemengeur. Tegen een van de wanden stond een stenen kruik die bijna tot Charlies kruin kwam, vol paarse en witte lelies. Ze schemerden in het vage licht alsof het geesten waren. Er was geen meubilair. Ver aan de andere kant van de zaal kon hij nog net een andere deur zien, met op de muur erboven een grote, ronde stenen schelp.

Charlie vroeg zich af of het er overal in dit gebouw zo uit zou zien.

Op dat moment kwam er iemand binnen. Het was een lange, nogal somber kijkende vrouw met een lang gezicht en lichte, wijd uit elkaar staande ogen. Ze droeg een lichtblauwe duster, sandalen van spijkerstof en zware, gouden oorbellen. Ze leek wel een soort zeemeermin. Ze bleef staan, keek Charlie aan en rolde met haar ogen op een manier die duidelijk maakte dat ze geen hoge dunk van hem had. Toen gaf ze tot Charlies verbazing Edward een kus op beide wangen.

'Signora Battistuta,' zei Edward. 'Wat fijn u te zien.'

Maar zij keek inmiddels al naar de leeuwen en haar mond viel open. Haar rollende ogen stonden nu vol angst, maar haar mond vol lange tanden plooide zich in een brede glimlach.

'*Bellissimi*,' zei ze vleierig, met veel neusklanken. '*Bellissimi! E questio qui, mio Dio!*'

Vooral Primo trok haar aandacht. '*Che bello*,' prees ze, terwijl ze zijn omvang en brede schouders bestudeerde. Wat een mooi dier. Ze wilde weten waarom zijn hoofd in het verband zat. Edward legde het in het Italiaans uit. De vrouw met het lange gezicht sprak de wens uit het hoofd van die grote leeuw te mogen zien.

Charlie zei niets. Zijn Italiaans was maar amper goed genoeg om te kunnen raden waar ze het over hadden.

'Hier zijn onze geëerde gasten dan,' zei Edward in hun eigen taal. 'Het lijkt me een goed idee om de dieren gastvrijheid te bieden in de *cortile* en de jongen in de Chinese kamer. We zouden graag over een halfuur eten. We hebben geen bagage bij ons.'

Cortile. Cor-tiel-eh. Charlie vroeg zich af wat dat voor iets mocht zijn, en waar het dan wel was.

Signora Battistuta, die Charlie geen blik waardig keurde, maar nog steeds bewonderend naar de leeuwen keek, krijste: 'Lavinia! *Vieni!*'

Op die kreet verscheen er een klein, bleek meisje van een jaar of zes, dat een raar jurkje aanhad. Ze pakte Charlies hand en trok hem de grote zaal door naar een al even grote trap, toen over nog meer grote trappen naar de bovenverdieping, waar ze door een eindeloze gang, ook met rode tegelvloer en beschilderd met die oude donkerrode verf, bij een hoge, donkere deur kwamen. Daarachter lag een heel andere wereld: een lichtgroene kamer met sierlijk krullend meubilair van bamboe, en muurschilderingen van gouden fazanten en zilveren chrysanten. Heel even dacht Charlie dat ze echt waren, dat hij in een oosterse tuin terecht was gekomen, met bengelende varens en bleekrode bloemen. Maar alles was geschilderd – zelfs het bamboe van de meubels was niet echt bamboe, maar houtsnijwerk met een laklaag dat erop moest lijken. Het effect was een beetje vreemd: alsof je niet zeker kon weten of er wel echt een stoel stond wanneer je ging zitten. Je kon ook niet zeker weten of een wand wel echt een wand was of een ruim uitzicht op een Chinees park van drie eeuwen geleden. Charlie dacht nuchter dat het onwaarschijnlijk was dat er in een Venetiaans paleis een driehonderd jaar oude Chinese tuin kon bestaan... Maar er waren de laatste tijd zo veel rare dingen gebeurd, dat niets meer onmogelijk leek.

Vanuit het raam had hij het volle zicht op de chaos van de verdronken Giudecca. De laatste stralen van de avondzon schitterden fel op het tafereel, weerkaatsend in een hete gloed van het wateroppervlak, waardoor het geheel in een hel van gesmolten metaal leek te veranderen, bevolkt door bedrijvige, machteloze mensen. Charlie kon er zijn ogen niet van afhouden.

'*Maledetta Venezia*,' zei het bleke kind. Zij praatte ook nog eens door haar neus.

'Wat zeg je?' vroeg Charlie en hij draaide zich om.

'*Maledetta, la città*,' zei het kind. '*Maledetta!*'

Charlie puzzelde het uit: male = slecht, detta = gezegd, maledetta = vervloekt. Het kind stond kennelijk te beweren dat er een vloek over Venetië was uitgesproken.

Charlie staarde uit het raam. Gek dat iets moois dat lelijk wordt, veel lelijker is dan wanneer het altijd al lelijk was geweest. De aanblik daarbuiten was verschrikkelijk. Het zag er echt uit alsof er een vloek op rustte. Het zag eruit als een lijk met wonden, waar piepkleine kannibalen overheen kropen.

Hij draaide zich om.

'*Bagno*,' zei het kind, en het klonk als 'ban-jo'.

'Wat?' zei Charlie.

'*Bagno*,' herhaalde het kind en ze wees naar de deur. Charlie nam aan dat ze wilde dat hij met haar meeging, en hij volgde haar dus maar de gang door tot ze hem een helemaal betegelde kleine ruimte in stuurde, met een grote douchekop op de plaats waar gewoonlijk een lichtaansluiting zou hebben gezeten.

'*Bagno*,' fluisterde het kind weer. '*Adesso*.'

Charlie begreep dat het de bedoeling was dat hij zich ging wassen, dus wierp hij het kind een blik toe waardoor ze het kamertje uit ging. Hij kleedde zich uit en waste zich uitgebreider dan in al die tijd sinds hij van huis was weggegaan. De waterstraal was heet en sterk, en omdat de hele ruimte betegeld was hoefde hij zich niet druk te maken over zoiets stoms als het nat spetteren van de vloer – hij kon naar hartelust plonzen, of onder de douche gaan zitten, of zelfs gaan liggen, wat echt lollig was als hij zijn gezicht recht onder de straal hield. Daarom begon hij zijn favoriete doucheliedjes te zingen ('Spetter-spatter, ik word steeds natter!') en vroeg zich af of het niet onaardig van hem was dat hij blij was dat zijn moeder op dit moment niet in de buurt was om hem te dwingen zijn haar te wassen en te kammen. Eigenlijk had hij zijn haar in al die weken van huis niet echt goed gewassen. Nu het langer werd, groeide het in krulletjes uit en Charlie hield zich voor dat hij eraan moest denken om net zolang krulletjes te draaien tot het echte dreadlocks werden. Hij had altijd al dreadlocks gewild. Maar dat mocht niet van zijn vader.

Charlie plonsde nog een beetje rond en richtte de waterstraal uit het raam om niet langer aan zijn verdwenen ouders te denken. Hij stond net te wensen dat er iemand was om een echt watergevecht mee te houden, toen het stemmetje van Lavinia boven zijn spetterende, stomende lawaai uit kwam. Hij draaide de kraan dicht en keek om naar de deur. Daar stond het kind, met in haar armen een stapel handdoeken waar ze net overheen kon kijken. Haar ogen waren echt heel wit.

'Bedankt,' zei Charlie en hij pakte een handdoek. Het kind deed een stap achteruit en bleef staan wachten.

Tjee, dacht Charlie, die inzag dat het de bedoeling was dat hij nu uit de douche kwam. Zou dat kind er soms de hele tijd bij blijven om hem te vertellen wat hij moest doen?

'*Sono bellissimi, i leoni,*' zei het kind. '*I leoni. Bellissimi. Piacciono ai Veneziani, i leoni.*'

Charlie veronderstelde dat het kind de leeuwen mooi vond.

'*Sí,*' zei hij met een glimlach. Hij stond er verder niet bij stil. Iedereen in deze stad was nu eenmaal stapelgek op leeuwen.

Hij sloeg de handdoek om en liep druipend de gang door. Hij hoopte dat de koning in zijn palazzo even lekker eten liet maken als in zijn trein.

Daar hoefde hij niet over in te zitten. Het eten was verrukkelijk en het was vooral ook heel veel. Eerst kwam er een schotel met salami en ham, heerlijk gekruid en lekkerder dan hij ooit had geproefd. Hij zat zich blij vol te proppen toen hij merkte dat signora Battistuta hem aanstaarde, en hij begon langzamer te eten. Misschien was dit nog maar de eerste gang en moest hij een gaatje overhouden.

Toen kwam er pasta carbonara, Charlies lievelingsmaaltje, bereid met ei en spek en kaas, bijna net zoals zijn vader het maakte. Toen kwam er vis, wit en schoon met een pikant groen knoflooksausje, dat er een beetje eng uitzag, maar het was zo lekker dat Charlie wel had kunnen jubelen. Toen waren er asperges. Daarna artisjokken. Vervolgens was er gebakken kip met rozemarijn. Daarna aardappeltjes en sperziebonen. Toen kwam er een plak kalfsvlees met tonijn en mayonaise. Gevolgd door een groene salade. Een korte pauze... en daarna werd er een kaasplankje gebracht, met vervolgens tiramisu onder dikke lagen slagroom en biscuit, gedrenkt in koffie en chocola. Alsof dat niet meer dan genoeg was, kwamen er nog peren gekookt in zoete wijn, met als afsluiting chocola, waarna Edward en signora Battistuta een glaasje namen van een heldere vloeistof, waarin een koffieboon dreef die ze in brand staken.

Charlie zat zo vol dat hij zich niet meer kon verroeren. Hij voelde zich veilig en op en top prima. Als het hem nog ooit zou lukken van tafel op te staan, zou hij op zoek gaan naar katten voor nieuws. Zou Edward hem een sleutel geven, vroeg hij zich af – of misschien moest hij eerst maar eens op het dak kijken of er een kat was?

Toen zei Edward: 'Hoor eens, Charlie.'

De woorden klonken zwaar, alsof je binnen werd geroepen om je huiswerk te maken terwijl je net lekker wilde gaan voetballen. Charlies aangename gevoel werd op slag een stuk minder.

'De astmakuur van je ouders.'

Charlie zei niets.

'Weet jij daar meer van?'

Charlie kreeg een heel raar gevoel. Het was Edward die bevestigd had dat zijn ouders ontvoerd waren vanwege hun astmakuur. Edward was de vertrouwde chef veiligheidsdienst van koning Boris, en koning Boris was de vertrouwde beschermheer en helper van Charlie. Maar Charlie wilde niet met Edward over de astmakuur praten. Een stem binnen in hem zei heel duidelijk: nee.

'Nee,' zei hij.

Dit was de halve waarheid. Hij wist er niet veel van, begreep al helemaal niet hoe het werkte en gemaakt werd, maar hij... tja, hij had wél de formule, die zijn moeder met haar eigen bloed had geschreven op een stuk perkament, dat nu boven in zijn tas zat. Ze had het maanden geleden geschreven en hem gezegd dat hij het mee moest nemen 'als hij dringend ergens heen moest'. Daarmee was dit hele drama eigenlijk begonnen. Ze was die dag van een ladder gevallen en had haar been opengehaald. Nu hij eraan terugdacht, verlangde hij opeens heftig naar haar. Hij knipperde met zijn ogen.

Hij moest dat stuk perkament goed bewaren. Het was erg belangrijk.

Edward zat naar hem te kijken, niet onvriendelijk.

'Ach, het geeft ook niet,' zei hij. 'We hoeven de kuur niet te kennen om je ouders terug te vinden. Ik ga het uitzoeken en dan vinden we ze in een ommezientje!'

Hij praatte als een kleuterjuf. En al was Charlie blij dat hij geholpen werd door de Koninklijke Veiligheidsdienst van Bulgarije, hij was minder blij met het idee dat Edward zijn ouders zou vinden. Hij, Charlie, wilde ze zelf vinden.

Of was dat nu zijn eergevoel?

Het deed er natuurlijk niet toe hoe ze gevonden werden, of door wie... hij wilde ze terug, meer niet.

Maar nu leek het opeens alsof het buiten hem omging, en dat stond hem niet aan.

Signora Battistuta klapte in haar handen en het kind Lavinia verscheen weer. Signora Battistuta snauwde een bevel en weer pakte het kind Charlies hand om hem mee te trekken. Hij zei de anderen beleefd welterusten, maar toen hij de kamer uit ging moest hij opeens aan de leeuwen denken.

'Lavinia,' zei hij. 'Ik moet de leeuwen nog welterusten zeggen.' Hij dacht erbij: en de nieuwe ontwikkelingen met ze bespreken, hoe we met mam en pap in contact kunnen komen, hoe we verder reizen en zo. Maar dat hield hij wijselijk voor zich.

Het kind staarde hem wezenloos aan.

'De leeuwen,' zei Charlie. '*Leoni*,' probeerde hij de uitspraak van Lavinia na te doen. '*Leoni*.'

'*No*,' zei Lavinia en ze draaide zich om op haar hielen.

Wat? Maf kind.

'Jawel,' zei Charlie, en hij rukte zich los van haar smoezelige handje.

'Nee,' zei Lavinia, dubbel zo vastberaden.

'Ja,' zei Charlie, drie keer zo vastberaden.

Lavinia putte zich uit in een stortvloed van Italiaanse woorden, die erop neerkwamen dat Charlie het wel kon vergeten de leeuwen te zien. *No*.

Je kunt je wel voorstellen hoe Charlie zich voelde. Hij voelde zich als de Drie Musketiers – hij en de leeuwen waren één voor allen en allen voor één, en ze lieten zich toch echt niet door een klein meisje van elkaar scheiden.

'Laat me los,' zei hij. 'Ik ga naar mijn vrienden en ik wil je niet graag slaan.'

Het kind keek hem aan met haar witte ogen en hief een iel, raar geluidje aan: een langzaam, steeds hoger wordend gejammer alsof haar nog nooit zoiets treurigs was overkomen.

'Hou je kop!' zei Charlie.

Hij was in de war. Aan de ene kant had hij er een gruwelijke hekel aan als meisjes huilden. Dan kon hij niets anders bedenken dan een arm om hen heenslaan, maar wat moest je als je iemand amper kende en domweg niet leuk genoeg vond om een arm om haar heen te slaan – zoals Lavinia? En hij wilde niet dat Edward en signora Battistuta door haar gejammer hun diner in de steek zouden laten om een boel drukte te maken.

'Stil!' zei hij weer tegen Lavinia, heel dringend, en hij maakte er met zijn handen 'rustig-rustig'-gebaren bij. 'Stil nou toch.'

Het gejammer nam af en het kind staarde Charlie aan, met angst in haar grote ogen, en een trillende pruillip.

Charlie zuchtte en stak zijn hand uit, zodat ze hem weer mee kon trekken.

'Toe maar,' zei hij. 'Breng me dan maar naar waar je me heen wilt brengen.'

Iets beters kon hij niet bedenken. Nu moest hij zich de weg door dit enorme gebouw heel goed inprenten en als Lavinia eenmaal weg was, zou hij gewoon de kamer uit sluipen en zelf de leeuwen gaan zoeken. Wat en waar zou die cortile toch zijn? Misschien wel een plek waar hij een kat vond om mee te praten.

Achter het raam van de Chinese kamer werden de ruïnes van San Giorgio Maggiore verlicht door hoge vlammen en elektrische lampen aan een snoer. In het donker leek het daar nog meer op de hel: het ondergelopen moeras, al die hijskranen en werktuigen, al die brokstukken van wat ooit mooi was geweest. Charlie keek er niet lang naar.

Op de vensterbank zag hij zijn telefoontje liggen, dat hij daar eerder had neergelegd om het in de laatste zonnestralen op te laden.

Het berichtenlampje flitste.

Nadat hij van huis was weggegaan, had dat icoontje hem alleen ellende opgeleverd. Er was maar één iemand die hem steeds had gebeld.

Hij staarde ernaar en keek toen weer uit het raam.

Maar hij kon het niet laten. Hij was te nieuwsgierig.

'Welterusten, Lavinia,' zei hij gedecideerd en hij duwde haar de kamer uit.

En zo hoorde hij Rafi's boodschap.

Onder het luisteren zonk de moed hem in de schoenen. De dingen die Rafi zei... politie, trein, Maccomo, zijn ouders... O, god. Daarbuiten loerde overal gevaar op hem en de leeuwen. Al die machten die zich tegen hem bundelden...

Hij beet op zijn lip.

Maar nu ben ik hier, hield hij zich voor, beschermd door Edward en koning Boris. Niemand kan ons hier vinden als we ons gedeisd houden. Ik moet gewoon zorgen dat ik snel mijn ouders vind en mijn biezen pak voordat Rafi weer op de been is, of voordat de politie heeft uitgedokterd dat koning Boris ons verbergt. Ik moet niet opvallen.

Hij was tot in zijn tenen dankbaar dat ze deze veilige, gerieflijke schuilplaats hadden.

De bewoners zaten in kringen op grote kussens van namaakbont op de geboende, houten vloer. (Dat wil zeggen – de vloer leek van hout, maar was van een bijzonder materiaal dat

gedeeltelijk uit houtvezels was gemaakt en er ook als hout uitzag, maar veel sneller versleet. In veel delen van de wereld
was deze vloerbedekking inmiddels verboden, omdat het een
verspilling van goede bomen was. Maar de Corporatie had het
materiaal destijds zelf uitgevonden, had het overal ter wereld
aan de man willen brengen om er dikke winst op te maken,
want de mensen zouden steeds weer nieuw materiaal moeten
aanschaffen, en door het verbod hadden ze nu een veel te grote voorraad. Daar wilden ze geen verlies op lijden, zodat ze
het over de hele wereld als vloerbedekking in hun woonge-
meenschappen gebruikten.)

Ze aten, dronken en ademden de zoete, koele lucht in van
het corporatieve gemeenschappelijke opleidingscentrum.

'Het is waar dat geld niet gelukkig maakt,' zei een zangeri-
ge, lieve stem. 'Dat zou toch helemaal niet kunnen?' De mensen keken elkaar glimlachend aan. Ze wisten zelf ook wel dat
geld niet gelukkig maakte. Het idee alleen al. Mooi dat zij veel
te slim waren om zoiets onzinnigs te geloven.

'Maar geld maakt alles wel veel prettiger!' zei de stem blij.
'Waardoor voel je je gelukkig? Als je dierbaren gelukkig zijn.
En als je geld hebt, kun je je dierbaren nóg gelukkiger maken.'

De mensen dachten vergenoegd aan hun dierbaren. De
meesten woonden hier met hun gezin in de corporatieve besloten dorpsgemeenschap en ze hadden het geweldig naar hun
zin. Er was een mooie dorpsbrink van namaakgras, een school
alleen voor gemeenschapskinderen, winkels die alleen ge-
meenschapsproducten verkochten, en het mooist van alles
was de hoge muur om alles heen, zodat er geen enge, arme
mensen of buitenlanders of rare kinderen naar binnen konden
om onrust te stoken in het leven van de gemeenschap. Achter
de muren waren er eigenlijk ook geen straatarme mensen,

want echte straatarme mensen woonden in de Arme Wereld, al werden er soms armen uit de Arme Wereld toegelaten om het werk te doen dat niemand in de Rijke Wereld nog doen wilde, en die mensen werden hier dus niet binnengelaten (behalve dan om het vuile werk te komen doen, natuurlijk). Als ze probeerden binnen te komen, wisten de bewakers er wel raad mee.

Er waren veel besloten dorpsgemeenschappen. Heel populair waren die waar niet alleen arme mensen, maar ook kinderen werden buitengesloten. Daar konden oudere mensen ongestoord wonen, zonder nog ooit last te hebben van fietsen en voetballen en popmuziek en gelach en geschreeuw. Andere gemeenschappen sloten buitenlanders of mensen met een andere huidskleur uit – maar daar logen ze liever over, door net te doen alsof die types om iets anders niet werden toegelaten. Iedere gemeenschap had zo z'n eigen methode ontwikkeld om er zeker van te zijn dat er alleen mensen bij kwamen die net zo waren als de mensen die er al woonden. 'Bange stakkers zonder hart zijn het, zonder hersens, zonder verbeeldingskracht en zonder iets anders dat ze nog iets menselijks had kunnen geven,' had Charlies moeder ooit vernietigend gezegd. 'Het zijn mensen die het leven haten. Het is eigenlijk wel zo goed dat ze lekker veilig bij elkaar zitten opgesloten... Dan kan de rest van de wereld in ieder geval leuk en boeiend blijven voor ons!'

Maar ja, dat had ze gezegd toen ze nog thuis was, en zichzelf.

'Denk eens goed na,' ging de stem door. Magdalena probeerde goed na te denken. Ze wist niet meer zo goed wat nadenken was. 'Als je je dierbaren kunt geven wat hun hartje begeert, zijn ze dolgelukkig! Dan zorg je echt goed voor ze. Je geeft ze eten en drinken en een levensstijl die ze verdienen –

veilig en vol welvaart. Dat zijn ze toch waard? Natuurlijk zijn ze dat waard!'

Een of twee cursisten hadden een vage gedachte in hun achterhoofd dat toch eigenlijk alle mensen het prettig en goed moesten hebben – en mensen van wie niet gehouden werd, verdienden dat net zo goed, misschien nog wel meer... Maar het idee zakte snel weer weg.

'Jij bent het toch ook waard?' zei de stem vol overtuiging. 'Natuurlijk! Je kunt je alles veroorloven waarvoor je ouders vroeger jammer genoeg het geld niet hadden.' De stem droop van begrip. 'Jij kunt je kinderen dat alles wél geven. Jij kunt de keuze maken hoe je wilt leven! Omhels je ambities! Je hoeft je nergens voor te schamen. Maak je dromen waar! Wees degene die je in je dromen altijd hebt willen zijn!'

Nu zat iedereen te glimlachen. Dat klonk pas tof.

'Geld is goed, geld is de moeite waard, en het is geweldig om alles te kunnen kopen wat je hebben wilt! Hoe harder we met ons allen voor de Corporatie werken, hoe meer geld we zullen verdienen! Met de Corporatie kun je hard werken in het heerlijke besef dat je al die moeite doet voor het welzijn van je gezin. Jij kunt de beste zijn in je vak! Daag jezelf uit! Zorg dat je je doel haalt. Zorg voor hoge verkoopcijfers. Zet je zaak op poten. Laat je aandelen groeien. Je kunt dik verdienen en een geweldig leven leiden. Wees niet bang om je ambities te omhelzen!'

De stem ging maar door.

Magdalena fronste haar wenkbrauwen. Een stemmetje diep in haar hart gaf antwoord: 'Dat zijn mijn ambities helemaal niet. Ik wil niet dik verdienen en een geweldig leven leiden met namaakdingen, afgesneden van de echte wereld. Ik wil niet dat de Corporatie geld aan mij verdient terwijl er op de wereld nog zo veel kinderen zijn die geen medicijnen kunnen betalen... Ik wil met rust gelaten worden... Ik wil Charlie... Ik ben bang... Ik ben bang dat ze mijn hersens leegzuigen...' Maar het was een klein, zwak stemmetje.

Aneba dacht: 'God, wat ben ik moe. Ik wil een borrel.'

Magdalena keek naar hem. Hij verveelt zich, dacht ze. Misschien houdt hij niet meer van me.

Toen zette het kleine stemmetje in haar binnenste het op een schreeuwen, en ze viel voorover en greep naar haar hoofd. 'Aneba!' schreeuwde ze. 'Aneba... word wakker, word wakker! Liefste, Aneba, ze maken ons kapot, ze maken ons kapot...' Ze schreeuwde en huilde.

Aneba staarde naar haar.

Ze verstoorde de motivatiecursus 'Winst maken'.

De manager van de gezondheidsafdeling kwam haar ophalen. Ze kreeg medicijnen en daar werd ze rustig van. Toen ze rustig was, gaven ze haar nog meer pillen. 'Je mag binnenkort naar haar toe,' zeiden ze tegen Aneba.

Hij staarde voor zich uit.

Na een minuut of tien luisterde Charlie met gespitste oren aan de kamerdeur om te controleren of Lavinia nog in de buurt was. Zachtjes deed hij de deur open.

Ze lag opgekruld op de gang als een blok te slapen. Charlie glimlachte en stapte voorzichtig over haar heen. Wat een plek om te gaan slapen. Hij glipte de gang met de koude tegelvloer door. Zijn voeten maakten nauwelijks geluid, en hij was blij dat die vlakke, gladde vloeren niet kraakten.

Het was een koud kunstje om de eetkamer op de eerste verdieping terug te vinden. Daarbinnen werd met gedempte stem Italiaans gemurmeld. Hij herkende de stemmen van Edward en signora Battistuta, maar er was nog iemand, een man, die laag en snel praatte. Uit nieuwsgierigheid bleef Charlie even staan luisteren, maar hij kon er geen wijs uit worden – behalve het woord *leoni*.

Wat hadden ze over de leeuwen te melden? Waar ging het over?

Opeens hoorde hij dat er stoelen achteruit werden geschoven en het ademen veranderde op een manier die betekende dat mensen opstaan en in beweging komen. Charlie dook snel in de schaduw weg en wachtte af.

Drie gestalten kwamen de eetkamer uit, nog steeds zacht pratend. Ze liepen de grote zaal door en gingen door een gewelfde deuropening naar de trappen. Zonder te weten waarom gleed Charlie achter hen aan, zo stil en snel als een duizendpoot langs een muur.

Naar beneden, de leliezaal door, weer onder een boog door, nog een gewelfde gang, en toen stonden ze in het paarse licht van de avond. Charlie verschool zich in de donkere portiek. Het drietal stond aan de ene kant van een binnenhof, met bogen aan weerskanten en een fontein in het midden. De plek baadde in het maanlicht en de koele nachtlucht geurde naar rozen en jasmijn, die Charlie aan zijn tuin thuis in Londen deden denken. De geur gaf hem een steek van pijn.

Vanuit de veilige duisternis in de portiek kon Charlie de door de maan beschenen leeuwen aan de andere kant van de galerij zien. Ze lagen berustend onder de laatste boog. Bij het terugzien van zijn vrienden sloeg er een golf van genegenheid door Charlie heen. Alleen de jonge leeuw liep rusteloos achterin heen en weer.

Charlie kon maar al te goed begrijpen waarom hij onrustig was. De leeuwen zaten achter een zwaar metalen hekwerk.

Het maanlicht weerspiegelde dof in de grijze tralies. Na alles wat ze hadden moeten doormaken om vrij te komen, zaten ze nu weer in een kooi.

Woede welde in Charlie op, bonkte tegen zijn borstkas en reutelde in zijn longen. Hoe had Edward het lef om ze op te sluiten? Niemand, dacht Charlie, houdt mij bij die dieren weg. We horen bij elkaar. We hebben samen zoveel doorgemaakt. En dit is nooit de bedoeling geweest.

Sprak hij maar goed Italiaans! Aan de gedempte, dringende toon waarop die drie mensen praatten hoorde hij dat er een belangrijk geheim werd besproken. Edward was zo te zien de gespreksleider en signora Battistuta viel hem bij. De vreemdeling – een kleine, gedrongen man met een ratelende stem, die blijkbaar doodsbang was in de buurt van de leeuwen, ook al zaten ze achter tralies – vroeg honderduit. Ze keken naar de leeuwen en gebaarden druk. Als je die mensen zo zag, zou je denken dat ze plannen smeedden.

Charlie zag het verbaasd aan. Het was zonneklaar dat het verblijf van de leeuwen hier geheim moest blijven. Dat was wel zó zonneklaar dat je daar toch niet over hoefde te vergaderen.

En wie was die gozer? Wat kwam hij hier zo laat nog doen? En waarom werd Charlie er buiten gehouden?

En waarom stond Edward plannen met hem te maken? Plannen over de leeuwen?

En waarom zaten de leeuwen weer in een kooi?

Waar haalde Edward het lef vandaan? En – Charlie hield van schrik zijn adem in toen het idee in hem opkwam – wist koning Boris hiervan? En wat was erger? Dat de koning ervan wist en het er kennelijk mee eens was? Of dat de koning er niets van wist... wat misschien wel betekende dat Edward achter zijn rug om met iets slechts bezig was?

De gedrongen man hield iets in zijn hand en hij wond zich vreselijk op. Het leek alsof Edward hem tot bedaren probeerde te brengen en hem tegelijkertijd wilde overhalen iets te doen. De man, die woest naar de leeuwen gebaarde, weigerde hardnekkig, maar op een manier die uitdrukte: ik werk daar niet aan mee, maar ik wil toch bevriend met je blijven. Charlie kon er niet achter komen wat het was dat hij niet wilde doen.

Toen hij naar het einde van de galerij tuurde, zag Charlie een paar gele ogen die zonder te knipperen naar hem terugstaarden. Hij wist dat leeuwen, in tegenstelling tot de meeste katten, niet goed konden zien in het donker, maar die ogen zagen hem heel goed. Wie was het?

Aha... Primo, natuurlijk. Een smilodon kon dus wél goed in het donker zien. Charlie stak zijn hand op, heel voorzichtig, en zwaaide even.

Om zijn groet te beantwoorden, knipperden de gele ogen langzaam.

Dit gaf Charlie weer moed. Weer stak hij zijn hand op, maakte een gebaar dat 'heb geduld' moest betekenen en toen glipte hij weg achter de deur.

Een paar minuten later kwam het drietal teruggelopen en passeerde Charlie rakelings om het gebouw weer in te gaan. Charlie stoof de deur door, de galerij over en ging naast de tralies liggen, zo dicht mogelijk bij zijn vrienden.

De leeuwinnen wendden hun hoofd af. Aan de deftige, verontwaardigde manier waarop ze hun hoofd hielden kon hij zien dat ze zich diep gekrenkt voelden. De oudste leeuw keek Charlie treurig aan. Primo lag er stilletjes bij. Elsina keek zenuwachtig van de een naar de ander. Het was de jonge leeuw die zijn mond opentrok.

'Wat is er aan de hand?' fluisterde hij op ijzige, kwade toon. 'Waar bleef je al die tijd? We moesten wel toestaan dat ze ons hierin stopten – we wilden niemand verscheuren – maar goeie goden, Charlie! Wat is er aan de hand!'

'Ik weet het niet!' barstte Charlie radeloos los. 'Ik mocht niet naar jullie toe, dus nu ben ik hier stiekem, maar iedereen praat Italiaans en ik versta er geen woord van. Ik weet niet wat er aan de hand is. Ik weet het niet, maar ik vind het waardeloos!'

Als het palazzo, hun veilige toevluchtsoord, niet veilig was, dan zaten ze pas goed in de nesten.

VIJF

'Dat moet je ook waardeloos vinden,' zei de gele leeuwin.

'Het deugt niet,' zei de zilveren leeuwin.

'Edward heeft een plan dat we geen van allen willen,' zei de bronzen leeuwin.

De leeuwinnen deden bijna nooit hun mond open. Charlie keek hen gretig aan.

'Hoe weten jullie dat?' vroeg hij.

'Hij praat erover,' zei de gele leeuwin.

'Verstaan jullie dan Italiaans?' riep Charlie uit.

'We zijn een tijdje in Abessinië geweest,' zei de zilveren leeuwin, alsof dat alles verklaarde.

'En wat zegt hij dan?' vroeg Charlie.

De leeuwinnen keken een beetje opgelaten.

'Hij heeft het over de doge,' zei de bronzen leeuwin, 'en over vleugels, en dat wij niet vrijgelaten mogen worden, en dat jij ons niet mag zien, maar dat je ook niet achterdochtig mag worden.'

Charlies woede laaide weer op. Was het Edward soms in zijn bol geslagen dat hij die prachtdieren in een kooi stopte en zei dat Charlie niet bij ze mocht? Charlie wist wel bijna zeker dat dit geen idee van de koning kon zijn.

'Maak je geen zorgen,' zei Charlie. 'Ik kom zo vaak als ik kan, en ik krijg jullie hier wel uit. Heb je nog meer gehoord?'

'Alleen dat het de bedoeling is dat we hier een tijdje blijven. Ze hebben ons een stapel kussens gegeven, kijk, en zonneschermen voor schaduw. Ze zijn te goed voor ons,' zei de leeuwin spottend. Inderdaad lagen er dikke, groene en gouden kussens van brokaat in het leeuwenverblijf, en er stonden grote koperen schalen met vers water. Ook lag er vers vlees. De zonneschermen waren zwaar en oud en ook al van brokaat, versierd met krullerige bloemen en bladeren, waar goud- en zilverdraad doorheen liep, dat vaag naar metaal rook. Ze zagen er stoffig uit en Charlies neus begon te kriebelen. Alleen al bij het zien van die oude stoflappen voelde hij zich astmatisch.

De oudste leeuw zei: 'We houden onze oren wijdopen. Ze weten niet dat we hen verstaan. Kom morgen terug, dan weten we misschien meer. Intussen moet jij alles op alles zetten om nieuws over je ouders te krijgen.'

Charlie lag op de koele stenen vloer naast de kooi. Door de tralies krabbelde hij de leeuwen achter de oren en ademde hun diepe, zoete, wilde geur in. Elsina kietelde hem plagerig. Ze was zo jong dat haar neus nog roze was – pas later zou die even zwart worden als de neuzen van de anderen. In het maanlicht zag ze er heel lief uit.

De jonge leeuw was niet te houden. 'We moeten iets doen,' zei hij. 'We zijn toch zeker leeuwen! Dan moeten we ook vechten als een leeuw. We moeten uitbreken...' Zelf leek hij die woorden ook niet helemaal te geloven, maar zijn gevoel kwam sterk over. Charlie voelde zich vol liefde voor zijn leeuwengroep en hij vond het heel erg dat het hem niet gelukt was ze uit een kooi te houden.

Hij kon niet langer bij ze blijven. Hij wilde hier niet betrapt worden. Toen hij omhoogkeek, zag hij de bovenramen van het palazzo. Iedereen kon zo naar buiten kijken en hem ook zien. Zelfs hier moest hij zich verstoppen.

De volgende ochtend werd Edward al vroeg opgebeld. Hij hoorde dat een dolgedraaide Engelse jongen, met ernstige wonden die hij volgens eigen zeggen van een leeuw had, in het gevangenisziekenhuis lag. In het begin had iedereen gedacht dat hij gek was, of aan de drugs; maar later bleek dat een groep leeuwen vermist werd uit het beroemde circus van majoor Thibaudet, en het verhaal van de jongen werd opnieuw onderzocht – al werd zijn bewering dat de leeuwen met de Oriënt-Expres uit Parijs waren vertrokken door niemand geloofd en toegeschreven aan de koorts van zijn verwondingen.

Edward dacht hier een tijdje over na. Hij nam een slok sterke koffie uit een klein kopje. Toen pakte hij de krant op.

Charlie kwam laat beneden en bediende zichzelf rijkelijk van zoete taartjes met verrukkelijke slagroom, kersen, abrikozen en kleine donkere vijgen.

'Charlie,' zei Edward, die de krant neerlegde en voorover leunde. 'We moeten eens praten.'

'Goed,' zei Charlie, die geleerd had dat mensen weinig argwaan koesterden als je deed alsof je meewerkte.

'We hebben een probleem,' zei Edward. 'Ik heb het je niet eerder verteld om je niet bang te maken... maar het bericht dat jouw leeuwen zijn ontsnapt, heeft het nieuws gehaald. Ik hoopte dat het met een sisser zou aflopen, maar dat is niet gebeurd. Iedereen in heel Europa is er nu van op de hoogte. Het is... nou, kijk zelf maar.'

Hij gaf Charlie de krant: een uitgave van het Imperium in het Engels, die over de hele wereld te koop was. Op de voorpagina stond in een kleine kop: 'Vermiste leeuwen nog spoorloos. Zie pagina 7.' En op pagina zeven stond:

Vermiste leeuwen: beloning uitgeloofd
Gerucht leeuwen in Alpen onbevestigd

Majoor Maurice Thibaudet, directeur van Thibaudets Koninklijke Drijvende Circus en Filharmonische Ruiteracademie, ook bekend als Tibs circus, looft een beloning van 15.000 dirham uit voor informatie die leidt tot de opsporing van zes leeuwen die sinds de première op de eerste avond in Parijs worden vermist. Majoor Thibaudet deed zijn aankondiging in Parijs, waar de voorstelling een groot succes is, ondanks het gemis van de populaire leeuwenact. 'De leeuwen zijn waardevol, goed afgericht en zeer kwetsbaar,' zei majoor Thibaudet in zijn verklaring. 'Ze hebben hun medicatie nodig. Ze hebben goed voedsel nodig. Waar ze ook zijn, het is van groot belang dat ze snel bij hun kundige verzorgers terugkomen.' Monsieur Maccomo, de leeuwentrainer, is sinds hun verdwijning niet meer in het openbaar gezien.

Bronnen dicht bij het circus onthullen dat hij aan een zware depressie lijdt en niet in staat is mededelingen te doen. Zijn assistent, Charlie Ashanti, is dezelfde avond verdwenen. Niet bekend is of er verband bestaat tussen deze ontwikkelingen.

Leeuwen in de Alpen?

Het leeuwennummer is overgenomen door mevrouw Mabel Stark, die met haar tijgers optreedt. Mevrouw Stark heeft in het verleden romantische banden met monsieur Maccomo onderhouden. Berichten dat de leeuwen gezien zouden zijn tijdens de sneeuwstorm in de Alpen van vorige week, waarbij de Oriënt-Expres enige dagen ingesneeuwd raakte met aan boord de koning van Bulgarije, worden door de bergpolitie ontkend.

Charlie legde langzaam de krant neer. Het verbaasde hem niks.

'Daar zal zijne majesteit niet blij mee zijn,' zei Edward. 'Hij komt niet graag in opspraak. Trouwens, vreemd dat ze schijnen te denken dat het om zes leeuwen gaat – journalisten zitten er meestal naast.' Hij zei dit met het air van iemand die er prat op ging zelf altijd gelijk te hebben. 'Maar,' vervolgde hij, 'daar gaat het nu niet om. Het gaat erom dat we nu niet zo snel kunnen handelen als we hadden gehoopt. De leeuwen kunnen hier voorlopig blijven, zoals het plan was, tot we een veilige weg hebben gevonden om ze naar Afrika terug te laten gaan. Dat is op zich niet erg, maar het betekent dat jij voor alle zekerheid ook binnen moet blijven. Nu er een beloning voor je is uitgeloofd, is dat wel zo verstandig.'

Charlie stond op het punt hier tegenin te gaan. Het was alsof er een net over hem heen viel, waarin al zijn bedoelingen, plannen, verlangens en wensen stuk voor stuk verstrikt raakten. Maar Edward leunde weer achterover en veranderde van onderwerp.

'En dan is er nog een probleem. Ik heb inlichtingen ontvangen over de verblijfplaats van je ouders.'

Charlies handen voelden opeens koud aan.

'Ik ben bang dat ze hier niet zijn. Je bent verkeerd geïnformeerd.'

IJskoud.

'Ze zijn niet in Venetië geweest,' zei Edward. 'Ik ben het aan het uitzoeken en hoop er snel achter te komen waar ze dan wel zijn. Maar hier zul je ze niet vinden.'

Charlie staarde Edward aan en de woorden hamerden door zijn hoofd.

'Mijn opvatting is dat je hier moet blijven en niets doen, totdat we meer weten,' zei Edward. 'We houden onze oren open. We zullen wel snel iets horen.'

Charlie had een heel andere opvatting. Zijn opvatting was dat hij onmiddellijk weg moest, naar... ergens anders... ergens waar hij wél iets kon doen...

Edward glimlachte bemoedigend naar Charlie. Charlie had het gevoel dat al zijn moed, zonder hem erbij, zestien verdiepingen lager in een lift was afgedaald. Hij bleef Edward aanstaren. Er vormde zich een belangrijke, angstaanjagende vraag in zijn hoofd.

Loog Edward? En als hij loog, was alles wat hij zei dan een leugen? Of was er ook iets van waar?

Dat van de krant was waar – dat kon hij met eigen ogen zien.

Waarom waren zijn ouders niet hier? Sergei had de leeuwen verteld dat ze in Venetië waren!

Sergei had vast niet gelogen – dat zou hij nooit doen. Dat zou hij toch zeker nooit doen?

Was het dan allemaal een vergissing?

Die verrekte doorfluisterspelletjes ook!

Wat wilde Edward eigenlijk van hem? Wat was hij van plan?

Tering, tering, tering, téring. Maar Edward mocht niet merken dat hij van streek was.

Charlie haalde een paar keer diep adem.

'Edward,' zei hij toen beleefd.

'Ja?' zei Edward, al even beleefd.

'Waarom mag ik niet bij de leeuwen komen?'

'Hoezo mag dat niet?' zei Edward. 'Maar beste jongen, natuurlijk mag dat. Wie verbiedt het je?'

'Gisteren mocht ik niet naar ze toe,' zei Charlie.

'Wat een onzin,' zei Edward. 'Ik wil juist niets liever dan dat je meteen naar ze toe gaat. Ik heb nagedacht over hoe we de dieren hier weg kunnen krijgen, zie je, en ik moet hun hoogte en gewicht weten. Jij moet hun maten opmeten.'

Charlies verstand stond erbij stil. De maten van de leeuwen opmeten? Waarom?

Zijn verbazing stond kennelijk op zijn gezicht te lezen. 'Vanwege het vervoer,' zei Edward. 'Zodat de boot niet zinkt. Wees een flinke jongen en doe wat ik zeg.'

Flinke jongen. Opeens moest Charlie denken aan die keer in Londen, toen Rafi hem ook een flinke jongen had genoemd omdat hij – zogenaamd – deed wat hem gezegd werd. Zijn moeder en hij hadden die kreet zelfs als code gebruikt in hun briefjes aan elkaar, waarvoor de katten als koerier hadden gediend. Hij voelde zich misselijk van woede. Hij had niet om hulp gevraagd, en moest je zien wat ervan kwam... Daar zaten ze nu met z'n allen in een paleis vast, de leeuwen in een kooi, met koning Boris mijlenver uit de buurt, kranten die over hen schreven en Edward die wilde dat hij deed wat hem gezegd werd. Zodat de boot niet zonk! Alsof Charlie achterlijk was! De gondel was toch ook niet gezonken?

Edward loog dat het gedrukt stond.

Nou, Charlie piekerde er niet over om nog langer te niksen en de dingen op hun beloop te laten. Hij verrekte het om nog langer op hulp van anderen te rekenen. Om te beginnen zou hij bij zijn maten de maat gaan nemen, want dan kon hij tenminste bij ze zijn en misschien met ze overleggen...

'Oké.' Hij haalde zijn schouders op. Hij hield Edward voor de gek zoals hij Rafi voor de gek had gehouden, door de onnozele hals uit te hangen, zodat ze hun waakzaamheid lieten varen.

Edward trok onmiddellijk een centimeter uit zijn broekzak. Charlie herkende het ding. Daar had de kleine vreemde man gisteravond mee staan te zwaaien voordat hij hem aan Edward gaf.

Dat gedrongen mannetje had dus met die maatnemerij te maken. Interessant...

'Eén ding nog,' zei Edward toen ze op weg waren naar de cortile. 'Voor hun eigen veiligheid hebben we de leeuwen afgeschermd. Ze mogen niet opvallen, begrijp je, of de bedienden aan het schrikken maken. Het is veel beter dat alles gewoon lijkt...'

Afgeschermd voor hun eigen veiligheid, dacht Charlie. Edward, jij bent een heel gluiperige gluiperd! En weer vroeg hij zich af of koning Boris enig idee had hoe gluiperig Edward eigenlijk was. Kon hij in contact komen met de koning? Charlie was er heel zeker van dat de koning niet blij zou zijn met wat er allemaal gebeurde.

Het was maar goed dat Charlie de tralies al had gezien, want anders zou Edward zeker gemerkt hebben hoe kwaad hij was. Nu wist hij kalm te blijven toen Edward het deurtje in de tralies openmaakte en weer op slot deed zodra Charlie binnen was. Op veilige afstand gaf Edward hem instructies over wat Charlie moest opmeten en hij noteerde de maten. Aan de weegschaal dacht hij kennelijk niet meer. Edward was alleen geïnteresseerd in de maten van borst, hoogte en ruglengte van de leeuwen. Charlie praatte gedempt met de leeuwen terwijl hij bezig was.

'Nog geen nieuws,' mompelde hij. 'Ik snap niet waar dit goed voor is. Jullie wel?'

'Ik denk dat Edward gisteravond wilde dat die man onze maten nam, maar hij was te bang,' zei de jonge leeuw.

'Maar waarom?' vroeg Elsina.

Niemand begreep het.

Ze konden niet veel zeggen. Ze wilden niet dat Edward hen doorkreeg, zoals Maccomo hen had doorgekregen.

Op de gezondheidsafdeling lag Magdalena in een bed van namaakhout te slapen tussen lakens van namaakkatoen. Voor het raam, dat niet open kon, hing luxaflex met een digitale afbeelding van een tuin erop. De airco pompte zoete, te koele lucht door de afdeling. Bij de deur van Magdalena's kamer zat een verpleegster op een stoel van namaakhout.

Buiten, in het park van de gemeenschap – of liever in de namaaktuin met airconditioning die voor een parkje doorging – maakte Aneba een wandeling en ademde de lucht in die voor frisse lucht moest doorgaan. Hij was allang vergeten dat dit geen frisse lucht was en dat de lucht in het hele complex vermengd was met iets wat kalmerend en versuffend werkte – of beter gezegd, iets wat de mensen van hun vrije wil beroofde. De meeste mensen hier waren superslim – zoals Magdalena en Aneba. En die slimheid was van waarde. Het was hun vrije, zelfstandige denken dat moest verdwijnen.

Aneba liep tot hij niet meer lopen kon. Na een halfuur kwam hij bij een hoge muur van beton. Hij dacht er niet bij na hoe vreemd dat was. Hij draaide zich doodleuk om en liep weer terug. Na nog een uur stond hij weer bij een hoge muur. Hij maakte deze wandeling iedere dag. 'Beweging is goed!' jubelde de stem – zat die nu soms al in zijn hoofd? Of kwam het geluid uit een luidspreker ergens in die zo kunstig nagemaakte bomen van plastic? 'Het is goed om voor je conditie te zorgen! Zorg goed voor jezelf! Hou van jezelf! Je verdient het! De Corporatie wil dat je gezond en fit bent!'

Soms sprak de stem hem bij naam aan en feliciteerde hem omdat hij zo goed voor zichzelf zorgde. Toen hij op een keer drie chocoladerepen bij de traktatieafdeling kocht, vroeg de stem of hij zich wel goed voelde en waarschuwde hem voor het gevaar van te veel suiker. Later die dag riep de sectie tandheelkunde van de gezondheidsafdeling hem voor controle op. (Niemand had kennelijk door hoe tegenstrijdig het was dat ze in de recreatiezaal drank en chips kregen voorgezet terwijl de gezondheidsafdeling hen doof toeterde met tips voor hun dieet en beweging. Dat kwam doordat de bewoners hun consumpties moesten betalen, en zolang ze maar betaalden – voor alcohol, snacks, gezondheidszorg en het gebruik van de sportschool – vond de Corporatie alles best. Ze zagen het geld dat ze hun werknemers betaalden graag terug, en het kon ze niet schelen hoe. Zodra Aneba en Magdalena 'fit' genoeg waren om aan het werk te gaan, zouden zij ook geld in het laatje brengen.)

Aneba draaide zich om en liep weer terug. Hij wilde door dit enorme namaakpark blijven ijsberen tot hij erbij neerviel. Iets anders wist hij niet te doen, behalve wanneer de stem hem opdroeg om naar de volgende cursus, workshop, therapiegroep of gezelligheidsavond te gaan. En ze hadden Magdalena weer afgevoerd. Ergens besefte hij nog vaag dat hij zich moest verzetten, maar hij wist niet meer hoe hij zich verzetten moest, of waartegen eigenlijk…

Weer stond hij voor een hoge muur.

Voor de verandering liep hij er maar eens een stukje langs.

Lopen, lopen, lopen.

Hij keek wezenloos naar zijn voeten.

Lopen, lopen, lopen.

Onverwachts landde een krabberig, pluizig en rommelig geval op zijn gladgeschoren hoofd.

Au! Aneba schrok en keek verwilderd om zich heen.

Het geval gleed omlaag en kwam voor hem staan, staarde hem woest en woedend aan en maakte een afgrijselijk geluid.

Het was een kat – een schurftige, broodmagere kat die een half oor miste en een of andere huidziekte op zijn kont had. De kat staarde hem aan met ogen als koudvuur, nekharen overeind, stijve poten.

De kat siste. Aneba stond stil en keek naar hem.

De kat spuwde. Aneba stond als aan de grond genageld.

De kat sprong op een namaakrots, vandaar in een flits naar Aneba's gezicht en krabde hem, hard, scherp, over zijn wang.

Aneba slaakte een kreet en de hand die naar zijn gezicht vloog zat onder het bloed. Het deed helse pijn. De pijn sneed door de mist van verwarring die hem vanaf zijn komst hier in de ban had gehouden. De pijn sneed door het pak watten in zijn hoofd en door de stopverf in zijn hart, door de wolken van twijfel en onzekerheid.

De kat staarde hem met vonkende ogen uitdagend aan. Toen draaide hij zich om en slenterde weg, steeds omkijkend. Op veilige afstand, een meter of tien verderop, draaide hij zich om en zat kalmpjes naar Aneba te kijken. Hij geeuwde. Zijn bekje was buitengewoon roze van binnen. Zijn tanden waren kleine, scherpe, gele puntjes.

Aneba, die nog nahijgde van schrik en pijn, keek van het bloed op zijn hand naar de kat.

'Wrrauw,' zei de kat vriendelijk, op een nogal spottende, Noord-Engelse manier.

Alle wolken dreven uit Aneba's hoofd. Hij vermande zich. Hij herinnerde zich alles weer. Voorzichtig likte hij aan zijn hand. Zijn bloed smaakte scherp, zout en sterk. Zo ben ik, dacht hij. Ik ben scherp en sterk. Goeie god, man… ze hebben je ontvoerd om je hersenen. Gebruik die dan ook!

Het leek wel of de kat naar hem grijnsde.

Aneba dacht aan zijn zoon Charlie. Aan hoe een kat op hun reis naar dit oord een briefje van Charlie had bezorgd en een antwoordbriefje aan hun zoon had gebracht. Aneba lachte terug naar de kat. Als Charlie erbij was geweest, zou hij dolblij zijn armen om de kat heengeslagen hebben en hebben uitgeroepen: 'Ben je daar weer! Eindelijk! Heb je een brief bij je?' Maar Charlie was hier niet, en Aneba had geen idee wie deze kat was.

Toch wist Aneba dat hem maar één ding te doen stond toen de kat met zijn schriele staart wenkte. Hij volgde het dier.

Nadat hij die dag met de leeuwen had gepraat, ging Charlie naar boven en schreef op zijn kamer een brief aan de koning.

'Lieve uwe majesteit,' begon hij. Dat leek hem niet goed en dus begon hij opnieuw. 'Uwe lieve majesteit.' Nee. Eh... majesteit, lieve... nee, dat klonk eerder alsof Charlie de oma van de koning was...

Ten slotte schreef hij: 'Lieve koning Boris.' Daarna werd het nog moeilijker. Hoe moest hij uitleggen dat hij zich verraden voelde door het hoofd veiligheid van de koning? Dat was een ernstige beschuldiging. Hoe moest hij dat inkleden? Hij beschuldigde de koning zelf nergens van – hij wist wel zeker dat koning Boris het goed met hem meende... Charlie kauwde op zijn pen en piekerde.

Ten slotte schreef hij de brief in bijna dezelfde stijl als waarin hij naar zijn ouders had geschreven: vertrouwend op de intelligentie en eerlijkheid van degene die het bericht moest lezen.

Lieve koning Boris,

We zijn nu in uw huis en het is prachtig. Volgens Edward is het
niet mogelijk om hier te doen wat ik kwam doen. Wel moest ik de
maten van mijn vrienden van hem opmeten, maar vraag me niet
waarom. Wat vindt u ervan? Hij zegt dat het nog een tijdje duurt
tot we verder kunnen, omdat het circus en de politie in Parijs boos
zijn, maar ik wil graag nu naar ons volgende adres en mijn vrien-
den op weg helpen. Ik krijg hier veel lekker eten, wat fijn is, maar
ik mag bijna niet naar buiten en er is niemand om mee te spelen.
Eigenlijk verveel ik me. Dat betekent niet dat ik niet dankbaar
ben. Ik ben erg dankbaar, vooral voor het eten.
Ik hoop dat alles goed is met u en dat u snel bij ons komt.
Groeten,
Charlie.

Hij las het briefje over. Het leek hem wel goed zo. Hij hoopte
dat koning Boris de echte betekenis erin zou lezen: Edward
houdt ons gevangen, kom ons redden! Hij hoopte vooral dat
het een onnozel briefje leek van een jongen die geen idee
heeft wat er echt gaande is, voor het geval Edward het in handen zou krijgen.

Tegelijkertijd wist Charlie dat het gevaarlijk voor hen was
als ze nu het palazzo verlieten. Hij hoefde maar te denken aan
de Franse politie, aan Maccomo, Rafi, majoor Tib, de beloning... Nee, dank je feestelijk.

Hij had het vreselijke gevoel dat hij als gevangene veiliger
was. Was dat een vreselijker gevoel dan het idee dat hij steeds
meer verstrikt zou raken in het net dat zich om hem sloot als
hij hier nog langer bleef?

Nee. Dat was een vraag van niks, waar hij niks aan had. De
belangrijkste vraag was hoe hij het briefje naar buiten kon

smokkelen. Hij kon het toch moeilijk aan Edward geven om het voor hem te posten.

In de dagen die volgden hield Charlie het briefje op zak en piekerde zich suf hoe hij weer greep kon krijgen op de hele toestand.

Hij verkende het gebouw van onderen naar boven en terug. Hij ging elke kamer in, elke trap op, deed elke deur open, keek uit ieder raam, ging onder alle bogen door. Aan alle vier de kanten was het palazzo omringd door water. Over het kanaal aan de achterkant liep een smalle, ommuurde brug naar een mooi pleintje. De deuren van het palazzo waren enorm, oud, op slot en afgegrendeld. Er zaten tralies voor alle ramen op de begane grond. Aan het einde van de cortile, tegenover de leeuwenkooi, was een poort naar het Canal Grande, maar ook hier zaten dikke ijzeren tralies voor een rooster, waar alleen geluid en wind doorheen kon. Je kon alleen per boot wegkomen en dan moest iemand nog zo goed zijn om de deur van het slot te doen.

Zuchtend herinnerde Charlie zich de gigantische lijfwachten van koning Boris en zijn angst voor huurmoordenaars. Hij ging naar het dakterras boven de schuine helling van rode dakpannen, maar hoe mooi het uitzicht ook was – zolang je tenminste niet naar de Giudecca of San Giorgio Maggiore keek – en hoe makkelijk je ook op het dak kon klimmen, van daaruit kwam je nergens. En een kelder was er niet.

Hij had dus een bondgenoot nodig. Signora Battistuta kwam niet in aanmerking. Hij overwoog vriendjes te worden met Lavinia en inlichtingen uit haar los te peuteren. Maar hij besloot dat het beter was van niet. Dat kind was veel te eigenaardig. Ze leek eigenlijk helemaal geen kind en hij wist niet of hij haar kon vertrouwen, laat staan begrijpen. Hij had het gevoel dat ze elkaar nog niet zouden begrijpen als hij vloeiend Italiaans sprak, of zij vloeiend Engels.

Hij zat urenlang aan de achterkant van het palazzo naar buiten te staren, over het smalle kanaal naar de piazza aan de overkant. Daar waren mensen... Kon hij ze roepen? En wat moest hij dan zeggen?

Katten waren er ook. De eerste keer riep hij zich blauw naar de katten. Maar hij durfde niet keihard te schreeuwen en bovendien was het raam heel hoog en het kanaal te breed en de wind stond verkeerd. Ze hoorden of verstonden hem kennelijk niet. In ieder geval reageerden ze niet.

Charlie staarde naar de katten, dwong ze in gedachten om zich om te draaien, hem te horen, naar hem toe te komen. Eerlijk gezegd waren het geen leuke katten – ze hielden zich vooral bezig met onderlinge vechtpartijen. En als het waar was wat Edward beweerde, dat zijn ouders hier niet waren, zouden die katten hem toch niets wijzer kunnen maken?

Maar of ze hem nu wel of niet konden helpen, ze negeerden hem volledig. Hij kon blijven kijken tot hij een ons woog.

Toch moest hij met iemand praten. Zijn ouders zeiden altijd: 'Als je niet weet wat je doen moet, laat je dan inlichten!' Hij moest inlichtingen verzamelen, want anders zat hij hier net zo lang vast als Edward wilde. Hij werd stapelgek van het idee dat hij in Edwards macht zou blijven.

'Het lijkt me beter dat je een tijdje bij de leeuwen wegblijft,' had Edward pas nog gezegd. Hij keek erbij alsof hij het goed met Charlie en de leeuwen meende. 'Het komt vreemd over en dat zou te veel aandacht kunnen trekken. We willen niet dat de bedienden gaan roddelen. Het is al moeilijk genoeg om te zorgen dat ze ons niet verraden, nu die beloning is uitgeloofd.'

Daar trapte Charlie niet in, want de bedienden waren signora Battistuta, die Edwards geheimen kennelijk toch al kende en de houding had van een dame die precies deed wat ze zelf wilde, en de kleine Lavinia, die even gevaarlijk leek als een uitgewrongen theedoek. Maar hij wilde niet dat Edward doorhad dat hij hem niet vertrouwde, en dus bleef hij doen alsof hij zich door Edward liet inpalmen. Leuk was anders.

Charlie deed die dagen niet veel meer dan eten (garnalen, vis, venkel, ijs, kalfsvlees), uit ramen staren, aan de voorkant naar het kanaal en aan de achterkant naar de piazzakatten, en plannen smeden. Als ze nu eens uit het raam sprongen en een boot overvielen... Konden leeuwen zwemmen? Misschien konden ze toch beter over het dak wegkomen, want leeuwen sprongen als de beste... Maar na Charlies eerste bezoek op het dakterras was het afgesloten.

Edward was een sluwe man, een man met spionnen en macht. Een halfbakken plannetje zou niets uithalen.

's Nachts sloop Charlie in het geheim naar de cortile en ging bij de leeuwen liggen; 's ochtends staarde hij naar de piazzakatten en tegen de middag legde hij zijn telefoontje op de vensterbank van de Chinese kamer, naast het telefoontje van zijn moeder, dat hij al die weken geleden van thuis had meegenomen. Ze lagen op te laden in de zon. De telefoons gingen nooit over. Er kwamen geen berichtjes. Hij speelde boter-kaas-en-eieren. In zijn wanhoop toetste hij een keer Rafi's nummer in om met hem te kunnen bekvechten, maar een eentonige computerstem meldde dat zijn beltegoed verlopen was. Geen wonder – hij was al zo lang van huis; hij had geen telefoonkaarten meer.

Vaak zag hij Claudio voorbijkomen. Lenig en soepel, sterk en bruin van de zon, gebogen over zijn puntstok, punterde de gondelier bijna geluidloos voorbij. Dan zwaaiden ze naar elkaar. Zo te zien vond de gondelier het leuk dat Charlie altijd bij een ander raam zat.

Claudio zong veel en soms hield hij zijn vaart in en zong speciaal voor Charlie, die altijd hoopte dat hij één bepaald, leuk liedje zou zingen en Claudio merkte dat hij erop wachtte. Zodra hij in de buurt van het gebouw kwam, hief hij het aan.

'*Quando vado in gondola sogno sempre sempre di Elena,*' zong hij.

'Wat betekent dat?' riep Charlie op een ochtend.

'Als ik in mijn gondel stap, droom ik altijd, altijd van Elena!'

Claudio's Gondelierslied

R. LOCKHART

Charlie begon zelf ook het liedje te neuriën, maar in plaats van Elena zong hij 'Aneba', wat heel toepasselijk was.

Claudio en Charlie begonnen naar elkaar uit te kijken. Het werd een soort spel dat ze speelden.

'Alles goed met de leeuwen?' riep de gondelier en Charlie trok een gezicht, als om te zeggen: hm, kon beter.

'Ik hou van leeuwen,' zei de gondelier op waarschuwende toon, als om te zeggen 'zorg goed voor ze' en zijn gondel met passagiers aan boord gleed verder.

Op een keer vroeg Charlie: 'Claudio, wil je iets voor me doen?'

'Jawel,' zei Claudio.

Charlie trilde van de zenuwen toen hij hem vroeg een brief te posten. 'Iedereen is weg,' legde hij uit en hij schokschouderde: stom van me. 'Ik ben vergeten hem aan signora Battistuta mee te geven.'

'Waarom ga je hem zelf niet posten?' vroeg Claudio verwonderd.

'Ik mag niet naar buiten,' fluisterde Charlie door de tralies voor het raam.

Claudio's lege gondel deinde op de hekgolf van een passerende *motoscafo*.

'Waarom niet?' vroeg hij voorzichtig.

Charlie grinnikte zenuwachtig. Hij had geen idee wat hij moest antwoorden.

'Post hem nou maar voor me!' zei hij en hij schoof de brief door de tralies. Claudio manoeuvreerde zijn boot dichterbij en behendig balancerend boog hij zich naar de muur om de brief aan te nemen.

'Doe ik,' zei hij en hij keek Charlie een beetje nieuwsgierig aan. Toen vroeg hij: 'De leeuwen… hebben ze het naar hun zin daarbinnen?'

Charlie antwoordde op de man af: 'Nee, helemaal niet.'

'Vertel eens,' zei Claudio, ook op de man af en zo vriendschappelijk dat Charlie bijna zijn hart luchtte. Maar hij deed het niet. Een brief was tot daaraan toe – dat risico moest hij maar lopen. Maar hij moest vooral niet vergeten dat Claudio voor Edward werkte.

Rafi voelde zich stukken beter. Hij voelde zich goed genoeg om overeind te zitten en de krant te lezen.

'Hoi,' zei hij tegen de verpleegster.

'Hmf,' zei ze terug.

'Het spijt me dat ik zo rot heb gedaan,' zei hij en hij gaf haar zijn mooiste glimlach.

De verpleegster was nog jong. Nu haar lastige patiënt toch manieren bleek te hebben, kon ze er niets aan doen dat ze onder de indruk van hem was. Hij was echt een lekker ding. Ze bracht hem al snel alle krantenberichten over de verdwenen leeuwen, de verdwenen leeuwentrainer Maccomo, Maccomo's verdwenen hulpje Charlie, het barre weer in de Alpen en de ingesneeuwde trein.

Waarom zou Charlie juist die trein hebben genomen? vroeg Rafi zich af. Was het de eerste de beste trein die hij kon vinden?

Rafi dacht dat niemand, zelfs niet zo'n sukkel als Charlie, een poging zou wagen om zes leeuwen op de eerste de beste trein te zetten die hij tegenkwam. Daar moest iets achter zitten.

Het viel Rafi op dat de trein door Venetië ging. Venetië en Vence kun je best verwarren, dacht hij – want hij wist donders goed dat Vence de dichtstbijzijnde stad was van de Corporatieve besloten dorpsgemeenschap waar Magdalena en Aneba naartoe waren gebracht.

Maar dat kon Charlie toch niet weten?

Hij las verder. 'Berichten dat de leeuwen gezien zouden zijn tijdens de sneeuwstorm in de Alpen van vorige week, waarbij de Oriënt-Expres enige dagen ingesneeuwd raakte met aan boord de koning van Bulgarije, worden door de bergpolitie ontkend.'

Maar de leeuwen konden nergens anders zijn dan bij Charlie.

En hij had Charlie met eigen ogen in die trein gezien!

En – hij had gezien in welk rijtuig Charlie zat. Het tweede na de brandstofwagon.

Ha! Bingo! Hij hoefde alleen maar uit te zoeken wie of wat er tijdens de reis in dat rijtuig had gezeten! Uitzoeken of die passagier machtig – en eigenwijs – genoeg was om te voorkomen dat het rijtuig werd doorzocht! Die persoon had Charlie en de leeuwen in bescherming genomen.

Rafi voelde zich echt stukken beter.

Wacht eens even, zei hij in zichzelf. Wacht eens even…

Als Rafi bij de dokter kwam, haalde hij zijn neus niet op voor roddelbladen vol nieuws over vorstenhuizen en beroemdheden. Rafi wilde niets liever dan zelf rijk en beroemd worden en als niemand keek bestudeerde hij de foto's van zwembaden bij luxueuze villa's en liet zijn fantasie de vrije loop.

'De koning van Bulgarije?' zei hij. 'De beroemde, excentrieke, zonderlinge koning Boris van Bulgarije die – wacht eens even! – een privé-rijtuig in de Oriënt-Expres heeft en die trein zelfs wel eens eigenhandig bestuurt? En – volgens mij heb ik beet – die een echt Italiaans paleisje heeft aan het wereldberoemde Canal Grande in Venetië, waar nooit een verslaggever wordt binnengelaten… Natuurlijk! Dat is het!'

Rafi klaarde helemaal op. Hij durfde er zijn genezende rechterarm onder te verwedden dat hij bij die koning Boris wezen moest. Nu hoefde hij alleen nog maar een telefoonnummer te achterhalen, plus een adres misschien, en dan was hij de leeuwen – en Charlie – weer op het spoor.

Venetië, dus.

Hij moest zo verschrikkelijk hard lachen dat de verpleegster kwam kijken of alles goed was.

'Hé, hallo,' zei Rafi. 'Hoe heet jij eigenlijk?'

Laat op een middag zat Charlie weer eens naar de piazza te staren. Er waren een heleboel katten. De meeste waren erg mager. Het waren de net iets dikkere magere katten, zag hij, die het gemunt hadden op de net iets dunnere magere katten.

Kleine kinderen waren met een van de dikkere magere katten aan het spelen, sleepten met iets aan een lange plastic lijn dat op een veertje leek en lieten het ding kronkelen en springen. De dikkere magere kat – eigenlijk nog een jong poesje – huppelde er flodderig achteraan, kreeg de veer te pakken, deed even alsof hij het ding negeerde, sloop er toen van de zijkant op af, nam een sprong en viel aan. Charlie moest lachen. Hij had ook graag met die kat gespeeld. Een van de kinderen, een klein blondharig meisje met een smoezelig jurkje aan, stortte zich op de kat en droeg hem in haar armen geklemd naar de fontein midden op het plein. Ze wreef haar neus langs zijn kopje en hield hem stevig vast terwijl het dier hevig miauwend tegenspartelde, met bengelende achterpoten en woedend slaande voorpoten. Zijn schone, witte buikje met nesthaar was goed zichtbaar. Charlie schoot opnieuw in de lach.

Charlie kon heel hard lachen, net als zijn vader.

Bij dat geluid keek een oudere kat opeens om.

Charlie zag de beweging. Hij draaide zich snel om en staarde de kat aan. Weer lachte hij – gemaakt, maar hard – een harde namaakkattenlach.

De oudere kat keek naar hem en wiebelde met zijn oor. Charlie staarde terug. Kom hier, kom hier, kom hier, kom hier, dwong hij de kat in gedachten. Zou hij het riskeren om hardop te roepen?

Hij riskeerde het.

'Kom met me praten!' schreeuwde hij vanuit het hoge raam, luidkeels, in het Kats. Als iemand hem gehoord had, zou het in mensenoren klinken alsof een kat onder de voet werd gelopen.

Was hij aan de andere kant van het kanaaltje te horen? Kwam hij boven de middaggeluiden van kinderen en katten en het leven op de piazza uit?

Hoorde die kat hem?

Misschien.

Zou hij antwoord geven?

Als dat gewiebel met een oor en die plotselinge waakzame blik een antwoord waren, ja, dan gaf die kat antwoord.

Zou hij met Charlie komen praten?

De kat kwam niet.

De volgende dag hing Charlie op de eerste verdieping rond, in de grote zaal, de *portego*, die zich over het hele gebouw uitstrekte. De zaal had hoge, diepe glas-in-loodramen die uitzicht boden op het Canal Grande, en een stenen balkon, met bogen en versieringen die hij vanaf buiten had bewonderd. Hij was het balkon op gegaan en had op de brede, hoge rand gezeten met zijn rug tegen de gebeeldhouwde stenen muur om met droge, boze ogen niet naar Venetië te kijken, maar naar de krullen van steen en ijzerwerk die de buitenkant van het palazzo verfraaiden. Het was raar om het van binnenuit te zien, van zo dichtbij, vanaf de verkeerde kant. Het was alsof hij een vuiltje in iemands oog was en opkeek naar reusachtige wimpers.

Wat was Edward aan het uitbroeden?

Charlie liep niet warm voor het uitzicht vanaf dit balkon – als hij onder de dichtbije, aan de binnenkant gebeeldhouwde balkonrand van roomijs doorkeek kon hij de vreemde vloedlijn zien met alle rommel en afval, die kleiner leek onder de hoge middagzon. Hij besloot dat hij een ander zitplekje moest zoeken en daar gaan verzinnen hoe het in vredesnaam verder moest, of, wat de laatste tijd steeds vaker gebeurde, zich ellendig zitten voelen omdat hij zo dicht bij zijn ouders in Parijs was geweest en ze toch was misgelopen. God mocht weten hoe het met ze was, waar ze nu waren, of hij nog ooit in contact met ze kon komen... Ook kon hij over zijn brief aan koning Boris gaan tobben – had Claudio hem wel gepost? Had koning Boris hem wel gekregen? Wanneer zou hij antwoord krijgen?

Maar toen werd zijn aandacht afgeleid door drukte bij de voordeur onder hem.

Een kleine motoscafo kwam aangevaren, met een dikke schuimlaag op de hekgolf. De oude knakker met krullend haar die de boot bestuurde gaf een jongere man opdracht een aantal grote, rare pakketten op de traptreden van het palazzo te leggen, maar iemand bij de voordeur zei dat dat juist niet mocht. Er werd wat heen en weer geschreeuwd en de motoscafo ging weer weg, met de pakketten nog aan boord. Maar hij verdween niet echt; hij ging de bocht om naar het zonverlichte kanaaltje dat langs de zijkant van het palazzo liep.

Misschien gaat hij naar de achteringang, dacht Charlie.

Hij werd nieuwsgierig. Hij sprong lichtvoetig van de rand –

Leeuwen

piazza

SCALA: VICINO

Palazzo
Bulgaria

hij had van de jonge leeuw geleerd dat hij bij het neerkomen de botten van zijn voet lang moest maken, waardoor hij zo licht en stilletjes landde als... nou ja, als een kat dus. (Sigi Lucidi zou het prachtig hebben gevonden.) Toen glipte Charlie naar een kamer aan de overkant, waar hij op het zijkanaaltje kon kijken.

Van beneden klonken inderdaad stemmen. Signora Battistuta gaf in de achtergang iemand een veeg uit de pan, maar tegelijkertijd klonk het steunen en kreunen en kraken en schuiven van dingen die uitgeladen werden. Charlie hing zo ver mogelijk uit het raam om de boot te kunnen zien, en de mensen die daar heen en weer liepen.

Zodra alles klaar was en signora Battistuta iemand anders had gevonden om te commanderen, sloop Charlie naar beneden, de achtergang in om de pakketten te bekijken: een dikke rol, en twee dezelfde, vreemd gevormde, platte pakken van zo'n twee meter lang, met een ronding erin. Charlie stikte van nieuwsgierigheid.

Hij hoorde zachte voetstappen naderen. Snel verstopte hij zich achter de grote garderobekast (wat een geluk dat Venetiaanse meubels zo enorm waren) toen Lavinia en de jongeman uit de motoscafo er aankwamen, ruziënd over hoe ze de lange, onbuigzame pakketten het beste konden verplaatsen. Ze pakten allebei een uiteinde en probeerden een pakket de deur door te krijgen. De jongeman sloeg kennelijk ergens tegenaan met zijn hand, want opeens vloekte hij en liet zijn kant van het pakket vallen.

Het bruine pakpapier bleef aan de zware deurgrendel haken en scheurde open, als een lange onthullende wond. Binnenin zat een laag zacht, wit vloeipapier en daarin zat een vracht aan veren – gladde roomkleurige veren met karmozijnrode randjes, dik en zacht als een uitnodigende matras, of de borst van een zwaan. En op de veren zaten ogen: gouden ogen.

Ogen!

Charlie kon niet zien hoe ze gemaakt waren – geborduurd misschien, met gouddraad? Of warcn zc op de veren ondergrond afgedrukt?

Ogen. Veren.

Het deed hem ergens aan denken. Iets wat hij niet zo lang geleden gezien had…

Toen alle pakketten weg waren, ging Charlie weer naar de Chinese kamer boven en lag op bed na te denken over veren en ogen.

Veren en ogen.

Toen hij een halfuur later wakker werd, wist hij wat er in de pakketten zat, en hij had ook zo'n idee dat hij wist waarom.

ZES

Na de lunch werd er altijd siësta gehouden en dan werd het doodstil in het palazzo. Charlie, die 's ochtends al een dutje had gedaan, zou best nog een dutje willen doen, want zijn middernachtelijke uitstapjes naar de leeuwen begonnen hem op te breken, maar in plaats daarvan ging hij naar het raam aan de achterkant en staarde naar de zonovergoten piazza. Gisteren had die ene kat bijna op hem gereageerd. Misschien was hij er vandaag weer, op zoek naar een plekje in de schaduw om tijdens de middaghitte te liggen soezen. Charlie rekte zich uit tegen de koele stenen van het raamkozijn en snoof de vochtige kanaallucht van beneden op. Zo goed als maar mogelijk was vanaf die afstand speurde hij het plein af. De dikkere katten lagen in groepjes bij elkaar, strekten hun poten en kromden hun rug om zich voor te bereiden op een luie, lange middagtuk. Hij zag de dikkere magere kat met de witte buik, die gisteren door het blonde meisje was geplaagd, en een van de dunnere magere katten, helemaal in z'n eentje. De kat die bijna op hem gereageerd had, zag hij nergens. Pech.

O, kijk – daar kwam dat blonde meisje weer aan! Ze was

vandaag alleen. Ze was te klein om in haar eentje buiten te spelen, vond Charlie. Ze kon niet veel ouder zijn dan vier, hooguit vijf jaar. Misschien waren er ergens oudere broers of zusjes in de buurt, die net buiten Charlies gezichtsveld speelden.

Een paar dikkere katten hadden heel wat te melden over de dunnere kat. Aan de manier waarop ze erbij lagen kon Charlie zo wel zien dat ze aan het schelden waren. De dunnere kat bleef wijselijk uit hun buurt, sloop in plaats daarvan naar de kanaalkant, waardoor hij vol in Charlies zicht kwam. Het beest zag er niet al te best uit, eigenlijk.

Opeens zag het meisje de kat met de witte buik – 'haar' kat, waar ze laatst zo'n lol mee had gehad. Ze sprong boven op hem, maar hij wist te ontsnappen. Geërgerd stortte ze zich toen maar op de dunnere kat, en tot haar eigen verbazing – en die van de kat – kreeg ze hem te pakken. Ze was in de wolken. (De kat niet.)

Met de krabbende, klauwende kat in haar armen ging ze zitten en ze drukte het dier tegen zich aan. Ze gaf hem kusjes, babbelde tegen hem, rommelde met haar vrije hand in zijn vacht en nam hem snel met diezelfde hand in de houdgreep zodra de kat dreigde te ontsnappen. Charlie keek toe, al boeide het hem niet erg. Hij had wel met de kat te doen, maar hij was vooral op de uitkijk naar de oudere kat, waarmee hij een praatje wilde aanknopen. Zijn aandacht was niet langer bij het blonde kind en haar mottige slachtoffer.

Het duurde dan ook even voordat het tot hem doordrong wat er gebeurde. Hij hoorde een geluid op het plein, ver weg, maar onmiddellijk herkenbaar. Was het al lang aan de gang? Het was een geluid dat Charlie nooit meer had willen horen: gehijg, kort, raspend, akelig gehijg, met nog akeliger gehoest tussendoor. Het was als ademhalen, maar dan te kort, te hoog, te moeizaam, te pijnlijk en krampachtig, met een nare droge kuch bij het inademen. Het was het geluid van een klein kind dat een acute, hevige astma-aanval krijgt.

Charlie keek weer naar het meisje. Ze had haar schouders hoog opgetrokken, waardoor haar nek verdween, en haar gezicht zag wit. Haar ingetrokken borstkas ging snel op en neer. Haar ogen leken spleetjes in haar gezicht. Hij kende die uitdrukking; hij kende dat gevoel.

Charlie gaf een schreeuw.

Waren daar dan helemaal geen grote mensen? Was er niemand bij haar? Ze moest haar medicijnen hebben, en wel nu meteen.

Zelfs onder zijn geschreeuw merkte Charlie dat de dikkere katten wakker schrokken uit hun geluiwammes. Als één vijandig leger rukten ze op naar de magere kat, die door het meisje was vastgehouden. Maar het was alsof de kat de aanval had verwacht – hij was er als een speer vandoor gegaan en rende doodsbang over de piazza een steegje in. De andere zetten de achtervolging in, vervaarlijk, jagend, krijsend.

Charlie was geschokt. Hij was wel aan kattengevechten gewend, want die had hij zo vaak in en om de ruïnes thuis gezien, maar deze haat was nieuw voor hem. Waarom was dit?

Twee vrouwen doken bij het kleine meisje op. Charlie hing uit het raam, maakte zich zo lang mogelijk om te horen wat er gezegd werd. Hij ving iets op over *soldi* en *medicina* en *non posso* en *sporco gatto* – hij wist dat dat smerige kat betekende – maar hij begreep er niets van. Hij zag wel dat het meisje geen medicijnen kreeg. Kennelijk hadden de vrouwen niets voor haar bij zich. Misschien is het haar eerste aanval, dacht Charlie. Als ze niet weten dat ze astmatisch is, weten ze ook niet dat ze altijd haar medicijnen bij de hand moeten hebben.

Toen herinnerde hij zich wat koning Boris had gezegd over mensen die geen medicijnen konden betalen.

Zonder erbij na te denken haalde Charlie zijn puffer uit zijn zak – hij had nog een heel voorraadje in zijn tas – en riep de vrouwen.

'Signora!' riep hij. 'Signora! Hier!' En hij gaf de puffer een harde zwaai het kanaal over – laat hem niet in het water vallen, bad hij.

Dat gebeurde niet. Het apparaatje kwam dicht bij het groepje neer en een van de vrouwen pakte het op. Ze wisten blijkbaar maar al te goed dat het kind astmatisch was, want ze wisten precies hoe ze de puffer moesten gebruiken. Terwijl het kind het medicijn inademde en de moeder – tenminste, Charlie meende dat die vrouw de moeder was – haar arm om haar heensloeg en haar hielp, stond de oudere vrouw bezorgd toe te kijken.

Het kind nam een pufje, kreeg een flinke stoot lucht binnen, en nam nog een pufje. Charlie wist hoe goed dat hielp. Op deze afstand kon hij het niet goed zien, maar het leek alsof ze kalmer werd. Nog een pufje. Ze moesten ermee doorgaan tot ze weer gewoon kon ademen of in het ziekenhuis was.

De oudere vrouw, gerustgesteld nu het beter ging met het kind, had zich omgedraaid en keek over het water naar Charlie. Ze ging op haar tenen staan om hem te zien en hief haar armen in de lucht.

'Grazie, bambino!' riep ze. '*Sei un angelo venuto dat Cielo! Grazie a Dio eri qui con la medicina, senza di te non so che cosa sarebbe successo. Sei gentillissimo, vieni qui, vieni fuori! Vogliamo ringraziati! Vieni, per favore, vieni…*'

Ze wenkte hem. Ze werd er geestdriftig van. Het was duidelijk dat ze wilde dat hij bij hen kwam, zodat ze hem kon bedanken. Charlie lachte naar haar en ging bij het raam weg. Hij kon niet naar buiten. Hij zou hen trouwens toch niet kunnen verstaan. Hij wilde niet nog meer aandacht trekken en zich daarmee de woede van Edward of signora Battistuta op de hals halen. Hij vond het jammer dat hij zich terug moest trekken, want hij was blij dat hij had kunnen helpen, maar wat moest hij anders?

Tien minuten later durfde hij weer een kijkje te nemen. Het meisje en haar moeder waren weg, maar de oudere vrouw stond er nog. Misschien was zij de oma.

Zodra ze Charlie zag, begon ze hem weer te roepen. '*Vieni, angelo salvatore della figliola... vieni!*'

Charlie dook weer onder. O, help. Ging ze dan nooit weg?

Tien minuten later was ze er nog steeds. Weer vijf minuten later was ze verdwenen en Charlie kon weer op de uitkijk gaan staan om te wachten op de kat die gereageerd had.

De kat die gereageerd had, wachtte ook op hem, zo bleek. Hij zat op de vensterbank zijn pootjes te likken. Toen Charlie, veilig nu de oma weg was, zijn uitkijkpost weer innam, miauwde de kat dicht bij zijn oor.

'Aggh!' riep Charlie uit. 'Laat me niet zo schrikken!'

Bij die woorden viel de kat in het kanaal. Hij schrok nog erger dan Charlie.

Toen de kat zich uit het kanaal had gesleurd, was er heel wat praten en soebatten voor nodig om hem ervan te overtuigen dat Charlie geen spook was, geen boze kabouter, weerwolf, hersenschim, zombie, trol, geest, eng tovenaartje, vampier of welk ander denkbaar griezelig monster ook – maar een jongen die Kats sprak. Zelfs toen bleef hij liever in de volgende vensterbank zitten, ook omdat hij zich daar in het zonnetje kon drogen, maar vooral – vermoedde Charlie – omdat hij zich buiten handbereik veiliger voelde.

Charlie was eigenlijk best blij dat hij niet weer 'die jongen' werd genoemd door de zoveelste kat die meer van hem leek te weten dan hij zelf wist.

Nu de rust terugkeerde en het vaststond dat deze kat geen idee had wie hij was en niets van zijn ouders wist, zei Charlie: 'Vertel eens. Wat was dat nou, vanmiddag? Wat gebeurde er?'

'Dat was de zoveelste beroerde astma-aanval,' zei de kat, die Enzo heette.

'Wat raar,' zei Charlie. 'Vorige week speelde dat meisje ook met de katten en er was niets aan de hand. Waarom kreeg ze dan nu opeens een aanval?'

Enzo keek hem zijdelings aan. 'Dus dat is je opgevallen?'

'Ja, en het viel me ook op dat de grote groep katten bij de fontein er gezonder uitziet en het op hem gemunt heeft. Trouwens, ze hebben het op alle dunnere katten gemunt. Dat begrijp ik niet.'

'Menselijken merken zulke dingen meestal niet,' zei Enzo peinzend.

'Menselijken spreken meestal geen Kats,' zei Charlie verstandig.

Enzo likte aan zijn poot, wreef zich achter het oor en staarde naar het kanaal.

'Menselijken houden tegenwoordig niet meer van katten,' zei hij zacht en bitter.

'Wel waar!' riep Charlie uit. 'Wat bedoel je? Dat is gewoon te gek voor woorden. Waarom zeg je dat?'

Enzo draaide zich naar hem toe en vernauwde zijn ogen tot spleetjes. 'Menselijken willen geen katten meer in huis. Ze kunnen niet weten wie er allergeen is en wie niet, en ze hebben geen geld om de veel te dure medicijnen te betalen. Dus worden we allemaal op straat gezet.'

Aha.

Nu kwamen ze ergens.

Deze kans wilde Charlie niet verknallen. Hij moest dat allergenengedoe tot op de bodem uitzoeken.

'Denk je dan,' zei hij langzaam, 'dat dat meisje eerst wel medicijnen had, maar dat haar ouders ze niet meer kunnen betalen?'

'Ja, dat denk ik,' zei Enzo gedecideerd.

'En...' Nu nam Charlie een groot risico. Maar hij had de afgelopen weken veel vreemds gehoord, er diep over nagedacht en nu moest hij het zeker weten. 'Denk je dan,' zei hij, 'dat die kat een allergeen is?'

'Natuurlijk,' zei Enzo. 'Ook zonder zo'n acute, heftige astma-aanval kun je dat zien. Aan het meisje kon je merken dat dat beest meer allergenen heeft dan een gewone kat, al heeft een gewone kat meestal ook iets allergeens, maar je ziet het ook aan... nou ja, aan hoe dun ze zijn, en hoe dun hun vacht is. Ongezond van top tot teen.'

Allergeen. Charlie kende het woord niet, maar het was hem wel duidelijk wat het betekende. Allergeen betekende dat allergische mensen een aanval van je kregen. Hij wist dat sommige katten allergener waren dan andere, want dat had hij aan zijn vrienden en de ruïnekatten gezien. En nu wist hij dat de allergenen bijzonder sterk allergeen waren.

Mensen konden aan katten niet zien of het allergenen waren, waardoor ze alle katten wantrouwden en omdat ze zich geen astmamedicijn voor hun kinderen konden veroorloven, werden overal de katten uit huis gedaan... Het was allemaal zo klaar als een klontje.

Geen wonder dat de katten wanhopig graag wilden dat zijn ouders hun astmakuur konden afmaken. Als kinderen niet langer allergisch waren, maakte het niet uit hoe allergeen de katten waren...

En intussen joegen de katten op de allergenen omdat ze hun de schuld gaven van de hele ellende.

Arme allergenen. En arme katten! Wat een afgrijselijke toestand.

'Maar Enzo,' vroeg Charlie, 'waar komen de allergenen vandaan? Zijn het altijd allergenen geweest?'

Enzo zweeg even en begon toen te praten. 'Dat weet eigenlijk niemand,' zei hij. 'Soms zijn ze er opeens, zomaar. De ene dag zijn ze er niet en de volgende wel. Maar... er gaat wel een gerucht rond. Vijf jaar geleden is er iets geks gebeurd. Er verdwenen massa's vrouwtjeskatten. Niet alleen hier in Venetië. Dat gebeurde overal. De poezen zijn een paar dagen weg en opeens zijn ze weer terug. Na een tijdje krijgen ze een nest. Niemand weet wie de vader is. Een heleboel nesten lijken op elkaar – niet erg gezonde, zwart-witte kleintjes. Mager. Het idee is dat die poezen bevrucht zijn met allergenenbaby's en dat iemand wil dat er over de hele wereld allergenen komen. Maar waarom, vraag ik je? Wie heeft daar wat aan? Zo makkelijk is dat niet hè, geen koud kunstje van: o, laat ik voor het eten nog even een heleboel allergeentjes maken. Ken jij Latijn?'

Charlie kende wel een beetje Latijn.

'*Cui bono*,' zei Enzo.

'Wie heeft er baat bij,' vertaalde Charlie. 'Wie heeft er iets aan?'

Hij dacht na. Niemand had er iets aan. De katten niet, de allergenen niet, de menselijken niet...

Toen hij opkeek, zag hij de oma terugkomen. Ze kwam de piazzo op gestrompeld, beladen met een bos bloemen, een soort spandoek en zelfs een stoel die verdacht veel op een strandstoel leek.

'Jemig,' zei Charlie. 'Ik moet hier weg. Kom je straks terug? We zijn nog niet uitgepraat.'

'Graag,' zei Enzo beleefd. 'Ciao!'

De oude mevrouw klapte de strandstoel uit bij het kanaal, recht tegenover Charlies raam. Ze zette het spandoek tegen een meerpaal en legde de bos bloemen op de stenen kade.

Allemachtig nog aan toe.

Nu grabbelde ze in haar zak en haalde iets te voorschijn.

Jemig. Een kaarsje – zo'n waxinelichtje dat je in de kerk zag, of in gekleurde glazen potjes op cafétafeltjes. Ze zette het naast de bloemen neer, frummelde wat en stak het aan. Ze keek omhoog naar het raam, lachte en zwaaide. Toen maakte ze het zich gemakkelijk op de stoel en haalde een breiwerk te voorschijn.

Charlie maakte dat hij wegkwam.

Edward kreeg een telefoontje. Iemand stelde zichzelf voor.

'Ach,' zei Edward. 'Ja, ik weet wie u bent, meneer Sadler. Ik dacht dat u ziek was.'

'Was ik ook,' zei Rafi, honderden kilometers verderop, leunend tegen het raam van de recreatiezaal in het ziekenhuis. 'Maar nu ben ik weer beter.' Zoveel beter zelfs dat hij de heer van de spoorwegen, de politie en de dokter had verzekerd dat er geen enkele reden was om hem langer vast te houden. Hij was niet ziek meer, had geen misdaad gepleegd, het speet hem verschrikkelijk dat hij zo'n scène had getrapt toen hij koorts had, maar ze hadden ook niemand gearresteerd die een misdaad had gepleegd waarvan hij ooggetuige was geweest, dus tja, als het hun verder hetzelfde bleef…

Ze hadden zich op het hoofd gekrabd en geprobeerd een smoes te bedenken om hem vast te houden, want ze voelden aan hun water dat hij weinig goeds in de zin had. Uiteindelijk zei de politieman: 'Goed, maar als we een verklaring van je nodig hebben, moet je terugkomen', en Rafi had gezegd: 'Ja natuurlijk, dat spreekt vanzelf.' Hij was gaan grijnzen zodra de politieman zijn hielen had gelicht.

'Ja, ik voel me stukken beter,' zei Rafi.

'Gaat mij dat wat aan?' vroeg Edward.

'Jazeker,' zei Rafi. 'En het gaat ook die leeuwen aan, die u verborgen houdt. Ik kan ze van hieraf zo zien.' Op de vensterbank lag een kleine, bruine kat te dutten. Rafi krabbelde het dier achter de oren.

Edward zei niets.

'En als ik ze van hieraf kan zien, kun je ze overal zien.'

Edward zei niets.

'En er zijn natuurlijk heel veel mensen van wie u liever niet hebt dat ze ze zien.'

Edward dacht hierover na.

'Hun eigenaar, bijvoorbeeld. Niet het circus – over het circus hoeft u zich geen zorgen te maken. Dat zijn eerlijke, nette mensen. Ik bedoel die andere gozer,' zei Rafi.

Hier dacht Edward nog dieper over na. Hij wist dat hij van de meeste dingen goed op de hoogte was – maar misschien wist hij hier toch het fijne niet van.

'Die mafkees van een Afrikaan, die op de loop is,' zei Rafi. 'U wilt toch niet dat die gozer opeens op de stoep staat, wel?'

Aha – de leeuwentrainer, Maccomo. Ja, die kon nog lastig worden. Edward had plannen met de leeuwen, en daarin was geen plaats voor een gozer op de stoep, zeker niet die gozer.

Edward bleef een tijdje nadenken. Een grijnzende Rafi liet hem rustig begaan.

'Wat wil je nu eigenlijk, jongen?' vroeg Edward.

Rafi glimlachte. 'Niks,' zei hij en hij hing op. Hij had al wat hij wilde – de bevestiging dat de leeuwen en Charlie in het paleis van koning Boris in Venetië waren.

'We gaan op reis!' zei Rafi vrolijk, trok zijn leren jas voorzichtig over zijn kwetsbare schouder en pakte de grote doos pijnstillers die hij van de verpleegster had losgepeuterd. 'Op naar Venetië!'

Pas toen herinnerde Rafi zich dat hij ook nog ergens een hond had. Toen hij 'we gaan op reis!' zei, besefte hij tegen wie hij praatte – tegen Troy, zijn slaafse viervoeter. Troy, die nergens te bekennen was.

Even ging er een steek door zijn hart. Waar was Troy? Toen besloot hij: 'Die is 'm dus duidelijk gesmeerd. Geen greintje trouw in deze pokkenwereld. Laat me gewoon stikken als ik halfdood ben. Ja, hoor. Jammer dan. Wat kan die stomme hond me schelen...'

En daarmee ging hij weg. Door de achterdeur, terwijl de trouwe Troy in de schaduw onder de bomen bij de voordeur lag te soezen, zoals hij al die tijd had gedaan vanaf het moment dat zijn baas in het gebouw kwam, wachtend op zijn terugkeer.

Op hetzelfde moment dat Rafi de kamer uit ging, schoot de kleine bruine kat van de vensterbank, klaarwakker, en koerste naar het station waar haar oom een treinkat was. Als ze het zou halen voordat de trein van halfzes vertrok, kon vanavond nog een boodschap richting zuiden gaan dat Rafi Sadler op weg was naar Venetië.

In de gang bij Magdalena's kamer op de gezondheidsafdeling liep Aneba, met in zijn handen een boeketje veel te felle, veel te mooie bloemen zonder geur die al helemaal niet uit de grond kwamen, met een veel te vrolijke en stralende lach naar de verpleegster. Aneba's mond was één brede glimlach, zo breed als die van de motivatiemanager. Zijn ogen stonden koeltjes en een beetje dommig.

'Hallo,' zei hij. 'Ik kom mijn arme vrouwtje opzoeken.'

'Natuurlijk, doctor Ashanti,' zei de verpleegster, die hem al even gemaakt glimlachend aankeek. 'Wat een mooie bloemen. Van de puur-natuurafdeling zeker? Ik geloof dat ze nog slaapt, maar ze zal het heerlijk vinden u te zien. O jee, wat hebt u aan uw gezicht? Dat ziet er lelijk uit!'

Aneba maakte zijn namaaklach nog een tikje breder. Het ging bijna pijn doen (en dat kwam niet van de kattenkrab) en hij wist niet hoe lang hij het zou volhouden, maar het leek het beste teken dat hij zich had aangepast, en dus moest het maar. Hij wilde niet dat iemand zou vermoeden dat hij nog zelfstandig kon denken en hem meeslepen naar een volgende ronde therapie en medicijnen. Nee, hij wilde dat het leek alsof hij het volkomen eens was met alles wat iedereen zei.

'O, niets bijzonders,' zei hij. 'Een schrammetje.'

De verpleegster liet hem Magdalena's kamer binnen.

'Denkt u dat ze al een wandelingetje in de tuin kan maken?' vroeg Aneba opgewekt.

'Nou...' twijfelde de verpleegster.

'Het is zo'n mooie dag,' zei Aneba grijnzend. Zijn kaken deden er zeer van.

'Dat is zo,' zei de verpleegster.

'Ik ondersteun haar wel,' zoemde hij en hij wierp zijn vrouw een liefhebbende blik toe.

De verpleegster vond het leuk om echtparen samen te zien. Er gingen tegenwoordig genoeg gezinnen uit elkaar, door scheidingen en zo. Het was fijn om zo'n toegewijde echtgenoot mee te maken.

Ze glimlachte bijna oprecht naar hem – want eigenlijk was de verpleegster een aardige vrouw, die het ook niet kon helpen dat ze door de Corporatie was gehersenspoeld.

'Vooruit dan maar,' zei ze. 'Een luchtje scheppen. Dat zal haar goed doen.'

De glimlach die Aneba haar nu toezond was honderd procent echt. De verpleegster was er even door van haar stuk gebracht. Ze zou van haar stuk zijn gebracht door elke echte emotie, want die maakte ze hier al jarenlang niet meer mee, maar zelfs in de categorie eerlijk lachen was die lach van Aneba nog een wereldwonder. En beter dan zo kon hij het niet. Duizelend van die krachtige lach ging de verpleegster de kamer uit.

Aneba ging onmiddellijk aan de slag. Eerst trok hij het infuus met het kalmerende middel uit Magdalena's ader. Toen gooide hij haar een plons koud water in het gezicht. Daarna wreef hij haar voeten en vervolgens kuste hij haar. Als Doornroosje deed ze haar ogen open. En meteen zag ze die van hem, krachtig en klaarwakker.

Ze keek hem geschrokken en bang aan.

'Word wakker,' zei hij. 'Word goed wakker. Vecht ertegen. Vecht zo hard je kunt. Harder dan je ooit gevochten hebt.'

Ze knipperde met haar ogen.

Hij plukte een paar bloemblaadjes af. 'Zelfs de namaakvariant geeft wel wat kracht,' prevelde hij. Hij wist dat bloemen een belangrijk bestanddeel waren in Magadalena's allesbetermakende drankje. 'Natuurlijk niet zoveel als wilde bloemen uit een bos, maar het kan allicht een beetje helpen.'

Hij drukte de bloemblaadjes fijn, zodat ze verpulverden en vochtig werden en legde ze op haar tong.

'Zuig ze op,' zei hij.

Hij veegde zijn hand af aan de nog bloedende krab over zijn wang.

'Lik eens,' zei hij. 'Mijn bloed maakt je sterker.'

Ze likte zijn hand. Weer knipperde ze met haar ogen.

'Water,' zei ze.

'Niet hun water,' antwoordde hij. 'In alles hier zit een middel waardoor we niet meer zelf kunnen denken. In hun eten, hun medicijnen, hun water, hun lucht. Niets is zuiver. Ga mee.'

'Te zwak,' mompelde ze.

Aneba lachte. 'Daar trap ik niet in,' zei hij. 'Jij bent de sterkste vrouw die ik ken.'

Ze moest glimlachen om zijn lach. Ze proefde het bloed nog op haar lippen. Ze voelde zich echt wat sterker.

'Er is een kat,' fluisterde hij, 'die een uitweg kent.'

Daar werd ze nog sterker van.

'En?' fluisterde ze terug.

'En we gaan een leuk wandelingetje in de tuin maken,' zei hij.

Edward ging later die middag het huis uit.

Vijfenveertig seconden daarna stond hij weer binnen.

'Charlie,' zei hij.

'Ja?' zei Charlie.

'Waarom zit hier buiten een vrouw met kaarsen en bloemen en een spandoek waarop staat: "In dit palazzo woont een engel van de Heer. Hij heeft het leven van mijn kleindochter Donatella gered, doe met mij mee in een dankgebed voor de jonge bruine engel, bid om genade van de Heer in deze moeilijke tijden"?'

Charlie snakte naar adem.

Nee, hè!

Hij voelde zich echt opgelaten.

'Welke jonge bruine engel zou ze bedoelen, Charlie?' vroeg Edward.

Charlie voelde zijn mond open- en dichtgaan, maar hij had geen idee wat hij zeggen moest.

'Je weet toch dat we geen aandacht mogen trekken, Charlie? Hoe zou een vrouw met bloemen en kaarsen en geklets over engelen en wonderen bij het huis van zijne majesteit geen aandacht kunnen trekken, denk je? Waarom zit ze daar?'

Toen vertelde Charlie het maar. Hij vertelde dat een kind een astma-aanval had gehad en dat hij haar zijn puffer had toegegooid. Dat zou toch iedereen gedaan hebben, zei hij. Je kijkt toch niet werkeloos toe als een kind stikt...

Nee, dat moest zelfs Edward toegeven.

'Enfin,' zei hij. 'Laten we maar hopen dat niemand op haar let.'

Tegen zes uur waren er nog drie vrouwen bij de oma. Een van hen lag aan één stuk door op haar knieën te bidden. Blijkbaar was haar dochter ook astmatisch. Een andere hield een bord op met de tekst: 'Doge van Venetië, luister naar uw volk! Verban de katten uit de stad! Alle kinderen worden ziek!'

Ook deze drie vrouwen hadden bloemen bij zich. En kaarsen.

Even voor het avondeten belde een jonge man aan bij het hek van de brug.

'Ik ben van de krant, de *Venezia Sera*,' zei hij tegen signora Battistuta. 'Ik wil graag meer weten over het wonder van de bruine engel van de kinderen met astma. Gelooft u in wonderen? Vindt u dat de doge genoeg aan de problemen van zieke kinderen doet?'

'Ga weg,' zei signora Battistuta. Ze keek over het bruggetje en zag tien vrouwen, zes kinderen, drie baby's, veertien bosjes bloemen, tweeëntwintig kaarsen in een rij langs het kanaal, vier kruisbeelden, zeven kaarten met afbeeldingen van het heilig hart van Jezus, een aantal oude astma-inhalers die met roze linten aan het hek waren gebonden, en een teddybeer. Het zag er heel mooi uit, in de schemering, met het kaarslicht dat in het water weerspiegelde.

'O, grote goden,' zei Charlie. 'Ik heb alleen maar een puffer naar ze toe gegooid.'

Later kwamen er jonge mensen bij, met borden waarop stond: 'Doge, onderdrukker van Venetië, negeer ons niet langer!' Ze verkochten blaadjes waarin stond dat de doge moest oprotten en plaatsmaken voor een nieuwe regering. Niet veel later arriveerde de dogepolitie met knuppels en handboeien om hen af te voeren. De oma's sisten kwaad en een van de dienders zwaaide met zijn knuppel in hun gezicht.

Charlie, die verdekt opgesteld bij het raam alles zag gebeuren, besefte dat de Venetianen écht een hekel hadden aan de doge.

Na het eten begon Charlie hartgrondig te gapen en hij zei dat hij erg moe was en naar bed wilde. Edward hield hem tegen en zei: 'Charlie, ik heb een beslissing genomen.'

'O ja?' zei Charlie. Hij bleef vriendelijk en nietszeggend kijken.

'Het is hier niet meer veilig voor de leeuwen, Charlie. We hebben het nu toe stil weten te houden, maar... tja. Die kans is nu wel verkeken. Er wordt te veel aandacht aan dit huis besteed. Het nieuws kan elk moment uitlekken. De kranten hebben je al genoemd, er is een beloning uitgeloofd, en nu weer al die onzin over een wonder. Als iemand die dingen bij elkaar optelt – de bruine engel en de bruine jongen uit het circus... enfin, onze beste hoop is dat we elders bescherming vinden. En de enige die de leeuwen kan beschermen is de doge.'

Charlie begreep hem wel als het om die bescherming ging, maar de opmerking dat hij bruin was vond hij onnodig. Er waren zo veel mensen bruin.

Edward keek verdacht onschuldig.

'Als we de leeuwen naar de doge brengen en doen alsof ze zijn gasten zijn, zorgt hij verder wel voor ze,' zei Edward. 'Hij zal ze opnemen, zeg maar, als persoonlijke vrienden en als vrienden van Venetië. Dan waagt geen mens het om te proberen ze terug te halen naar het circus. Jouw circusvrienden moeten in allerlei steden optreden, ook in Venetië, maar als de doge zijn mensen beveelt ze hier niet toe te laten, komen ze Venetië niet in. Geen circus durft het op te nemen tegen de machthebber van Venetië. De leeuwen zouden veilig zijn. Het is dan ook het beste dat we bij de doge op bezoek gaan. Hij verwacht ons – ik heb niet gezegd wie ik meeneem, maar wel dat ik niet alleen kom. Jij moet mee. Natuurlijk. Omdat je de leeuwenjongen bent. Claudio zal je tolk zijn. Dit is de beste oplossing.'

Edward gedroeg zich alsof alles in kannen en kruiken was, waardoor Charlie het moeilijk vond om tegen hem in te gaan. Maar Charlie maakte zich zorgen. Ze hoefden niet in Venetië beschermd te worden – ze moesten weg uit Venetië! Maar als ze wél naar de doge gingen, kwamen ze eindelijk het Palazzo Bulgaria uit en dat kon overal goed voor zijn. Behalve dan dat hij het contact met Enzo zou verliezen en hij had nog geen kans gehad Enzo te vragen om hier en daar naar zijn ouders te informeren.

Er kwam een glasheldere gedachte bij Charlie op.

Cui bono. Wie heeft hier iets aan?

De bedrijven die astmamedicijn maakten, hadden er absoluut niets aan.

Maar wisten ze dat zelf wel?

Hoe konden zij in het begin geweten hebben dat het zo zou gaan?

Misschien dachten ze toen nog dat ze er wel hun voordeel mee zouden doen. Misschien hadden ze zich voorgesteld dat er niet genoeg zieke kinderen overbleven die hun producten nodig hadden nu auto's verboden waren, en dat het hun zaken goed zou doen als ze de kinderen ziek maakten met bijzondere allergieopwekkende katten. Ze hadden niet voorzien dat de ouders de katten weg zouden doen in plaats van veel meer geld uitgeven aan medicijn. Ze konden onmogelijk weten dat ze niets aan hun snode plan zouden hebben. Ze hadden vast en zeker gedacht van wel.

De farmaceutische fabrieken konden best iets te maken hebben met de plotselinge verschijning van de allergenen. En in dat geval...

Edward onderbrak Charlies gedachtegang.

'Nou, welterusten, Charlie,' zei hij. 'Het komt allemaal

goed. Morgen of overmorgen gaan we naar de doge.'

Dat was snel! Dan moest hij zorgen dat hij morgen nog met Enzo kon praten.

Charlie keek gehoorzaam. 'Goed hoor,' zei hij beleefd. 'Welterusten.'

Hij lag nog een uur lang trillend van ongeduld in bed voordat het hem in huis rustig genoeg leek om naar de leeuwen te gaan.

Terwijl Aneba met Magdalena naar de hoge muur liep, zat Sergei op hen te wachten. Hij zat erbij als een Egyptische god met zijn oren – in ieder geval zijn ene hele oor – fier in de lucht. Aan zijn voeten lag een envelop.

Sergei had een prachtplan in elkaar gedraaid. Hij had zich suf gepiekerd over hoe hij met die belangrijke menselijken moest communiceren.

Hij had de vader zo laten schrikken dat hij zijn wezenloosheid liet varen, hem een adrenalinestoot toegediend waardoor zijn hoofd lang genoeg helder werd om te beseffen dat hij het helder moest houden. (Grappig dat hij meteen aan de planten was gaan ruiken en een bloem had opgegeten. Sergei deed net zoiets als hij misselijk was – dan at hij gras.) En hij had een artikel voor ze uit de krant gescheurd, wat ook geen probleem was. Zo zouden ze erachter komen wat Charlie intussen zo'n beetje had uitgespookt. Maar hoe moest hij ze naar Venetië krijgen? Sergei kon naar de bibliotheek gaan en een bladzijde uit een boek over Venetië scheuren. Maar de stad was te ver weg en hij had te veel haast. En bovendien waren katten – vooral broodmagere katten met kale konten – niet bepaald welkom in een bibliotheek. Vooral niet als ze boeken gingen verscheuren. Niet dat hij daar erg mee zat. Hij kon bijna elk kunstje dat in hem opkwam wel stiekem flikken, maar er was geen tijd voor. Nee, dat krantenartikel moest voldoende zijn. Dan kon hij ze door de diensttunnels naar het station brengen en ze op een trein naar Venetië zetten.

Sergei petste de envelop met zijn poot naar Aneba.

Aneba pakte hem op en maakte hem open.

Onder een namaakstruik lazen Magdalena en hij het verhaal. (Het was een ander artikel dan Charlie had gezien, uit een Franse krant, maar het gaf ongeveer dezelfde informatie, al werd Mabel hierin niet genoemd.)

Ze zuchtten ervan. Ze moesten lachen. Ze keken elkaar aan. Ze wisten maar al te goed hoe hun zoon was.

'Hij heeft een groep leeuwen bevrijd!' juichte Aneba. 'In zijn eentje! Wat een joch!'

'Ssst,' waarschuwde Magdalena.

Sergei miauwde schril en wenkte hen.

Met zijn drieën slopen ze langs de hoge muur, Sergei voorop. Na een tijdje werd de koele, zoetige lucht waaraan ze gewend waren geraakt, verdreven door een onaangename geur. Een wel heel erg onaangename geur. Een stank van bedorven voedsel, rottende patat, vissenvel en... bllgh. Magdalena en Aneba haalden hun neus op. De stank werd steeds erger.

Ze begrepen al snel waarom. Ze kwamen bij een terrein, een soort binnenplaats, met rijen enorme vuilnisvaten. De vuilnisbakken bewogen, als soldaten die langzaam marcheerden. Rij na rij gleden ze naar iets wat in de ogen van Aneba en Magdalena een soort rek leek, waar lange mechanische armen uit staken om de vaten vast te grijpen en hun inhoud op een lopende band te storten. De lopende band had hoge zijkanten, waardoor het vuil er niet af viel. De band verdween in een tunnel.

'Het zal toch niet waar zijn...' zei Magdalena.

Sergei ging regelrecht naar de lopende band, net op het moment dat deze de tunnel in de enorme muur in ging. Papier, plastic, rottend eten, stofballen, koffiefilters, oude natte dweilen, dood haar uit haarborstels, plastic zakken, afgekloven botten, de derrie van schoongemaakte aquariums, bruine klokhuizen, gebruikte zakdoekjes en gebroken glas...

'Tja,' zei Aneba.

Het was zonneklaar wat hen te doen stond.

'Maar het is hier prettig,' zei Magdalena. 'Ik zie niet in waarom we... het gaat hier toch goed met ons en alles is zo leuk...'

'Magdalena!' schreeuwde Aneba.

Ze keek hem uitdrukkingsloos aan.

'Ik wil niet met die stinkende rotzooi mee,' zei ze. 'Ik zie niet in waar dat goed voor is.'

'Wij mensen maken die stinkende rotzooi,' zei Aneba droog. 'Doe maar niet zo verwaand.'

'Ik ben moe,' zei Magdalena. 'Ik wil naar mijn kamer terug. Ik voel me niet goed.'

Ze begon te huilen. Behoorlijk hard ook nog.

Aneba vroeg zich af of hij haar moest slaan. Soms helpt dat als mensen hysterisch worden. In plaats daarvan kuste hij haar.

'O,' zei ze en ze knipperde met haar ogen. 'Ik doe zo stom. Sorry... ik zal het proberen...'

'De stank ben je zo vergeten als we weer buiten staan,' zei Aneba.

Ze keken naar Sergei. Sergei keek naar hen. Ze keken alledrie naar het afval. Sergei vond het bijna even afstotelijk als de menselijken.

Ze keken elkaar alledrie aan. Twee van hen knepen hun neus dicht. Ze sprongen op de band.

Zzompp.

Jesses.

Bah.

ZEVEN

Toen Charlie eindelijk bij de leeuwen terugkwam, waren de meeste onrustig en ze liepen eindeloos heen en weer in de koele avondlucht. Ze hadden van ongeduld hun vlees niet opgegeten. De zilveren en gele leeuwinnen lagen er in het maanlicht bij alsof ze stenen afbeeldingen van de leeuw van Marcus waren. De geur van jasmijn hing nog in de lucht.

'En?' zei de jonge leeuw, die naar Charlie toe sprong. 'Wat gebeurt er? Heb je al nieuws over je ouders?'

'Het nieuws is,' zei Charlie, 'dat ik contact heb gelegd met een kat buiten, ene Enzo, die dik in orde is. Het andere nieuws is dat we overmorgen gaan logeren... bij eh... bij de doge, zodat hij onze vriend wordt en ons zal beschermen.'

'Wat?' zei de jonge leeuw, die er niets van begreep.

'Ja,' zei Charlie. 'Ik begreep er ook niets van, maar hier bij het huis zijn mensen een kamp aan het oprichten omdat ze denken dat ik een engel ben en toen kwam er een journalist bij en majoor Tib heeft een beloning voor jullie uitgeloofd. Dus moeten we hier weg. Dan zijn we tenminste dit gebouw uit...'

'Wát?' zei de oudste leeuw, die dit nog veel verwarrender vond.

Het was niet Charlies bedoeling geweest ze in de war te maken en hij vond het vervelend dat hij het deed. Hij begon alle nieuwe ontwikkelingen uit te leggen.

De leeuwen stonden paf.

'Maar we willen gewoon weg!' zei de jonge leeuw. 'Waarom wordt alles zo moeilijk gemaakt? Koning Boris zou ons toch helpen? We hoeven alleen maar een boot te hebben om weg te kunnen...'

Charlie zuchtte.

'Ik geloof dat Edward andere plannen heeft,' zei hij. 'Weet je nog dat ik jullie de maat moest nemen?'

De oudste leeuw wilde net ja zeggen, dat wist hij nog, toen een hard en onverwacht gekraak de stilte van de nacht verstoorde.

Charlie wisselde een snelle blik met de leeuwen.

Aan de overkant van de cortile ging een deur open.

Charlie schoot over de schaduwrijke galerij naar de deur waardoor hij binnen was gekomen. Hij haalde het op het nippertje. Achter zich hoorde hij het soort stilte waarin iemand is die er even daarvoor niet was.

Van zijn vertrouwde wachtpost achter de deur tuurde Charlie de nacht in. In het maanlicht lag de cortile erbij als een filmdecor. De fontein spetterde. Ergens liet een eenzame vogel een lange, lage toon horen. Verder was het heel stil.

De iemand die verscheen, was Edward. De gedrongen man was bij hem. Achter hen kwamen de twee mannen van de motoscafo. Ze hadden een stapel roomkleurige veren in hun armen, bezaaid met gouden ogen.

Charlies ademhaling ging langzamer.

De mannen legden de veren neer en Edward keek naar de leeuwen. Toen draaide hij zich om en zei opeens, zo hard dat de stilte aan stukken werd gebroken: 'Kom maar te voorschijn, Charlie. We hebben je nodig.'

Als Charlie een jongen was die vaak vloekte, zou hij nu gevloekt hebben. Maar in deze situatie kon hij niets anders dan uit de portiek komen en naar Edward toe lopen.

'Ondeugende jongen,' zei Edward, maar het leek hem verder koud te laten. Hij had belangrijkere dingen aan zijn hoofd.

'Hier,' zei hij. 'Pak op en leg ze over de gewonde leeuw.' En hij gebaarde naar de mannen dat ze de stapel veren aan Charlie moesten geven.

Charlie begreep precies wat er van hem verlangd werd.

'Oké,' zei hij en toen hij de veren in handen had, zette hij ze rechtop om eindelijk te kunnen zien of ze waren wat hij dacht dat ze waren. En jawel, hoor!

De stapels veren ontplooiden zich tot vleugels. Lange, prachtige vleugels, mollig, glad en weelderig als de vleugels van aartsengelen of zwanen. Net als de vleugels in de bijbel die Claudio had beschreven. Als de vleugels van de stenen leeuw bij de San Marco.

Terwijl Edward aanstalten maakte het hek open te doen, hield Charlie de vleugels omhoog en liet ze aan Primo zien. Primo knipperde lui door de kijkgaten van zijn tulband en liet zijn oren heen en weer gaan, één, twee, drie keer.

Charlie mompelde binnensmonds toen hij de vleugels de kooi in sjouwde. De mannen stonden een heel eind uit de buurt, bang voor de leeuwen.

'Charlie, waar is dat voor?' riep de jonge leeuw uit. 'Wat moet dat met die vleugels?'

'Primo,' mompelde Charlie. De mannen mochten niet merken dat hij fluisterde. 'Je begrijpt het wel, hè?'

Primo keek hem bedaard aan.

'Hij moet op die leeuw van de pilaar lijken,' zei de jonge leeuw.

'Ja,' zei Charlie en hij glimlachte naar zijn vriend. 'Ze willen dat Primo de eeuwenoude leeuw speelt, de leeuw die we gezien hebben. Die de beschermer van Venetië is. Ik denk dat Edward een wonder wil nadoen – om de doge in te palmen. Wat denk je ervan, Primo? Lukt dat? Het is onze enige kans om uit dit fort weg te komen... Wat denk je ervan?'

Primo glimlachte onder zijn verband.

'En mijn eh... mijn wond dan?' vroeg hij zacht. 'Zal de doge daar blij mee zijn?'

Charlie glimlachte ook. Hij wist dat Primo zijn tanden bedoelde.

'De doge zal doodsbang en vol ontzag zijn voor je wond,' zei hij. 'Mag ik deze dingen aan je vastmaken?'

Primo boog zijn hoofd een klein stukje. Zijn treurige ogen zeiden ja.

'Allemachtig,' mompelde de jonge leeuw. De oudste leeuw grijnsde grimmig.

Van achter de tralies probeerde de gedrongen man aanwijzingen te geven, maar Charlie negeerde hem straal en dokterde zelf uit hoe de vleugels bevestigd moesten worden. Ze waren knap gemaakt. Lange, sterke, smetteloze witte veren waren stevig vastgenaaid aan smalle leren banden, die op hun beurt waren vastgespijkerd op een raamwerk van hout en ijzer dat uitgespreid en ingeklapt kon worden en vervolgens weer bevestigd was aan een ander raamwerk, dat de vorm van Primo's rug had. Dit zat verpakt in een zacht, dik fluweel in de kleur van Primo's vacht, zodat het hem geen pijn zou doen.

Het zat hoog als een zadel op zijn rug en werd onder zijn buik met een soort zadelriemen vastgemaakt. De mannen snakten naar adem toen Primo behulpzaam ging liggen en daarna weer staan, zodat Charlie de gespen onder zijn buik vast kon maken. Toen Charlie het grote raamwerk eenmaal op Primo's rug had gesjord, lagen de vleugels glad en gevouwen tegen hem aan.

'Jemig,' zei de jonge leeuw. De leeuwinnen ademden zacht. Ze waren het van zichzelf gewend dat ze prachtig waren, maar ook zij waren hiervan onder de indruk.

Charlie deed een stapje achteruit. In het maanlicht op de oude binnenplaats leek Primo van zilver, als een sprookjesdier, een wezen uit de mythen, een groot, eeuwenoud standbeeld. Zijn in lappen gewikkelde kop straalde een heel bijzondere geheimzinnigheid uit – alsof hij een dreigend mysterie uit de oudheid was. Hij leek een halve mummie, een dode Egyptische god met het lijf van een leeuw en het hoofd van een mummie. De mannen achter Charlie hielden hun adem in – zelfs Edward.

'*Magnifico*,' mompelde de gedrongen man. De jonge man sloeg een kruisteken.

De gedrongen man probeerde Charlie iets duidelijk te maken. Hij wees naar een kort leren riempje langs Primo's borstbeen, met een kleine antenne eraan. Hij keek eerst naar Edward en gaf Charlie toen een piepkleine afstandsbediening.

Charlie bekeek het ding in het vage lichtschijnsel.

'Hoe werkt het?' zei hij.

De man glimlachte en zei iets in het Italiaans dat Charlie niet verstond, al begreep hij de bedoeling wel.

Mompelend tegen Primo richtte Charlie de afstandsbediening en drukte op het linkerknopje.

Langzaam, zachtjes, vouwden de leeuwenvleugels open en

verhieven zich in het maanlicht, tot ze hoog en breed en trots gespreid stonden, alsof Primo op het punt stond op te stijgen. Hij tilde zijn poot op en gromde zacht. Als hij de spieren van zijn machtige schouders liet golven, golfden de vleugels mee, als water in een bries, of een zwaan die zijn vleugels uitschudde. Het was ongelooflijk overtuigend.

'*Fantastico*,' mompelde de gedrongen man.

'*Ostrega!*' zei de jonge man.

De man met de krullen was met stomheid geslagen.

Edward glimlachte minzaam.

'Je bent een kanjer, Primo,' zei de jonge leeuw.

De rechterknop bracht de vleugels weer omlaag. Met de middelste knop kon je ze zacht laten klapwieken. Primo zag er precies uit als de reusachtige, levende, gevleugelde leeuw.

'Doe hem het verband af,' commandeerde Edward. 'Ik moet het hele effect zien.'

'Nog niet,' zei Charlie. 'Zijn kaak is nog niet sterk genoeg.'

Edward keek Charlie vorsend aan.

'Echt,' zei Charlie. 'Ik weet alles van leeuwenkwaaltjes. Geloof me.' Hij lachte breed naar Edward.

Edward dacht na en knikte toen.

'Goed,' zei hij.

Charlie wist dat Edward aan zijn moeder, de wetenschapper, dacht. Wist Edward van haar genezende gaven? Hoeveel wist Edward eigenlijk van het vele dat er te weten viel?

Op dat moment kroop er een kille angst om zijn hart en alles viel op zijn plaats.

Het begon met een simpele gedachte: Edward weet dat mijn ouders misschien astma kunnen genezen – niet alleen een kuur bij een aanval, maar een kuur waardoor het voor altijd verdwijnt, de wereld uit, voorgoed.

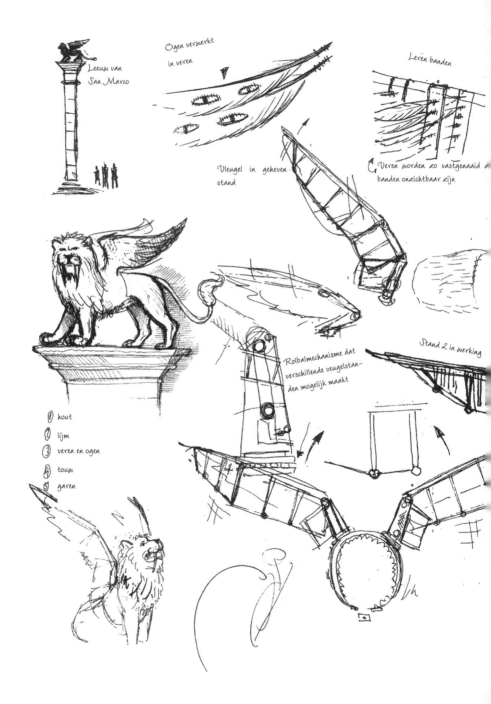

Leeuw van
San Marco

Ogen verwerkt
in veren

Leren banden

Veren worden zo vastgenaaid
banden onzichtbaar zijn

Vleugel in geheven
stand

Rolbalmechanisme dat
verschillende vleugelstan-
den mogelijk maakt

Stand 2 in werking

① hout
② lijm
③ veren en ogen
④ touw
⑤ garen

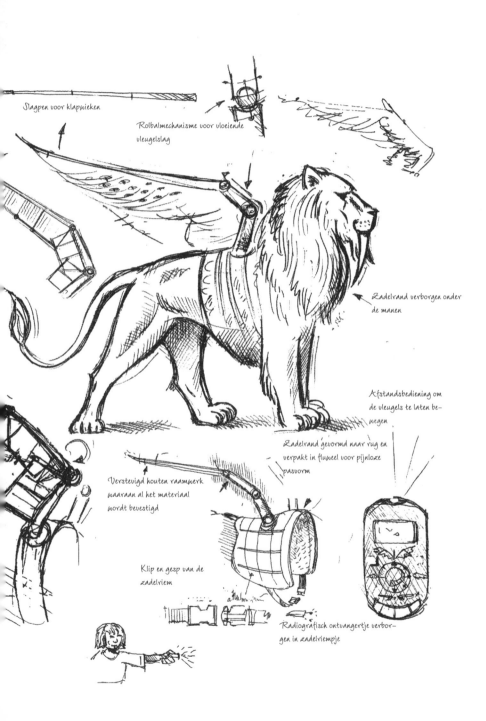

Slagpen voor klapwieken

Rolbalmechanisme voor vloeiende
vleugelslag

Zadelrand verborgen onder
de manen

Afstandsbediening om
de vleugels te laten be-
wegen

Zadelrand gevormd naar rug en
verpakt in fluweel voor pijnloze
pasvorm

Verstevigd houten raamwerk
waaraan al het materiaal
wordt bevestigd

Klip en gesp van de
zadelriem

Radiografisch ontvangertje verborgen in zadelriempje

Dit idee werd gevolgd door: Edward is niet eerlijk. Hij bedriegt koning Boris, hij spant samen met de doge door hem dit grote cadeau van de gevleugelde leeuw te brengen... En toen buitelden de gedachten over elkaar, de een na de ander, en het werd een optelsom.

Stel nou, dacht Charlie, dat de fabrikanten van astmamedicijnen écht de allergenen hebben gemaakt. Stel dat zij degenen zijn die mijn ouders hebben ontvoerd... en stel dat ze willen dat mijn ouders nieuwe dingen maken, dat ze hun kennis en talenten gebruiken om nieuwe ziekten te bedenken waarvoor dan weer nieuwe medicijnen moeten komen. En stel dat Edward met hen samenspant. Hij houdt net zo goed mij gevangen als de leeuwen... misschien is hij van plan om me voor mijn eigen bestwil uit te leveren... of liever voor zijn bestwil. Iedereen denkt dat ik spoorloos ben, verdronken misschien. De mensen die mam en pap hebben ontvoerd willen mij misschien wel gebruiken om hen te dwingen dingen te doen die ze niet willen...

Al die gedachten raasden door zijn hoofd en werden één groot probleem met als conclusie: gevaar!

Ik moet snel handelen, dacht Charlie. Het net sluit zich om ons heen. Ik moet de leeuwen in veiligheid brengen en ik moet mijn ouders vinden.

Hij glimlachte nog steeds naar Edward. Hij voelde zich misselijk.

'Geef me de afstandsbediening,' zei Edward.

Charlie keek van hem naar Primo.

Primo gaf hem een soort knipoog.

Charlie gaf Edward het apparaatje. Op hetzelfde moment draaide Primo zich naar Edward toe, liet zijn gele ogen bliksemen en hief een laag, maar onmiskenbaar dreigend gegrom aan.

Edward schrok.

Primo gromde nog harder.

Edward gaf Charlie de afstandsbediening terug.

Primo grijnsde achter zijn verband.

Edward was opgelucht, maar ook geërgerd – en opgelaten.

De jonge leeuw en Elsina hielden met moeite hun lachen in.

'Dat verband gaat er morgen af,' zei Edward, om zijn gezag te herstellen. 'Hoe kunnen we de doge een in verband verpakte leeuw presenteren?'

De tunnel, de lopende band, het afval – alles was even smerig en walgelijk en stonk erger dan een van de twee mensen ooit geroken had. Sergei was natuurlijk wel het een en ander gewend. Slapjanussen van menselijken, dacht hij, terwijl hij aan een visgraat knabbelde.

En het duurde ook allemaal zo lang.

Magdalena moest overgeven. Daar werd het niets smeriger van, want het was al smerig genoeg. Aneba zei dat het juist goed was, omdat haar lijf de verdovende middelen nu sneller kwijtraakte. Magdalena zei dat dat een geluk bij een ongeluk was en viel in slaap. Ze had eierschalen in haar haar.

Na een tijdje daverden ze de late schemering en het bleke licht van de opkomende maan in.

De lopende band was hoog in de lucht. Diep onder hen was een parkeerplaats en een energiestation, verlicht door een zwakke lamp. Voor hen lag de grootste afvalbelt die Aneba ooit van zijn leven gezien had. Het leek wel een moeras van afval, een enorm terrein dat zich mijlenver uitstrekte, met dalen en heuvels van grove, roestige, rottende, zompige derrie: plastic zakken lagen klapperend op hopen onuitsprekelijke rommel. Dieren – ze konden niet zien wat voor dieren – stroopten het oppervlak af, tilden hun poten voorzichtig op, snuivend en ruikend.

Het gebied reikte tot aan de horizon. Boven dat onmetelijke terrein liep de lopende band als een eentonige, stinkende kermisattractie. Maar na zo'n vijfhonderd meter kwam er een eind aan de eentonigheid, toen de band begon te bokken en bobbelen als een enorme slang, om de stinkende lading te lozen op de enorme, duistere berg. De stank werd nog honderd keer erger toen de smerige rotzooi door de lucht vloog, met rondspattend afvalwater en klonten en etensresten.

Het was duidelijk waar ze moesten springen: op die zompige afvalbelt (Getverdegetver, dacht Aneba) en wel zo dicht mogelijk bij de rand, voordat ze naar die eindeloze vlakte werden vervoerd, waar de bokkende achtbaan hen in een gruwelijke vergetelheid zou storten...

Voorzichtig kwamen ze overeind. Ze wilden niet in de diepte op de harde grond te pletter vallen. Onder hen naderde de geweldige smeertroep... de stank was niet uit te houden... bllgh – nú!

Ze sprongen: man, vrouw en kat.

Ze rolden om en om en om door de troep. Dat kunnen we maar beter overslaan.

Aan de rand bleven ze stil liggen. Tot zover ging het goed.

Aneba bleef nog even plat liggen en keek om zich heen. Er plakte een oud, nat theezakje aan zijn oor.

Sergei keek ook om zich heen, begon toen onschuldig rond te kuieren en verkende het terrein om er zeker van te zijn dat er niemand in de buurt was.

Aneba kreeg de wagens in de gaten. Er was een benzineauto bij – zo'n ouderwets ding van vroeger. Ze waren veel sneller dan de elektrovrachtwagens en brommers op zonne-energie van nu. En ze zouden ook niet aangehouden worden door politieagenten, want alleen belangrijke mensen mochten er nog in rijden.

Er was niemand in de buurt. Het was bijna onmogelijk om aan benzine te komen, maar als er nog een bodempje in zat...

Heel lang geleden had Aneba leren autorijden en hij wist hoe een motor werkte. Hij wist ook hoe je een auto op de bedrading kon starten als je geen contactsleutel had.

Hij greep Magdalena's hand.

'Kom mee,' zei hij.

Twee minuten later waren ze op weg naar Parijs.

Tien minuten later gilde Magdalena: 'Aneba! We zijn de kat vergeten!'

Negen minuten eerder had Sergei ongelovig naar de achterkant van de auto gekeken toen het ding zonder hem wegraasde. Wat bezielde die lui? Die moesten voor superintelligent doorgaan... maar moest je ze nou zien wegstormen! God mocht weten waarheen. Hij wilde ze naar Venetië brengen! Waar gingen ze in vredesnaam naartoe?

'We kunnen niet terug,' zei Aneba in de auto. 'Dat is te riskant.'

Ze gaan vast naar Parijs, dacht Sergei op de vuilnisbelt. Halvezolen! Ze gaan achter dat krantenverhaal aan, niet achter mij. Hij ging op een bergje rottende bananenschillen zitten en voelde zich een stomme idioot.

Nu moest hij ze wéér achterna en proberen ze alsnog naar Venetië te krijgen. Wat een belachelijke tijdverspilling.

Maar toen dook er een dikke, besnorde, bruine kat uit de

schemering op en stoof op hem af, bomvol belangrijk nieuws – en weer veranderde Sergei van plan.

'De jongen!' hijgde de kat. 'De mensenjongen die door de leeuwinnen in het water is gegooid en in het ziekenhuis lag. Hij is vrij... Hij zit achter de Katssprekende leeuwenjongen aan. Is vanmiddag naar Venetië vertrokken. Ik vond dat je het moest weten... dat wil zeggen, mijn nichtje in Parijs vond dat jij het moest weten, om de leeuwenjongen te waarschuwen!'

'Godsammeliefhebben!' tierde Sergei. 'Iedereen denkt maar dat ik niets beters te doen heb!'

Maar omdat hij meestal inderdaad niets beters te doen had dan eten, verhitte debatten voeren en zich afvragen waarom het leven zo'n sleur was, was hij de koning te rijk toen hij de bruine kat terugstuurde naar Parijs ('Zorg dat je die menselijken vindt! Verlies ze niet uit het oog!') en zelf op pad ging naar Venetië om Charlie te vertellen dat Rafi onderweg was.

Hij zou het nog leuker hebben gevonden als Aneba en Magdalena bij hem waren geweest.

ACHT

Nadat de vleugels waren opgeborgen, de mannen weg waren en zelfs Edward naar bed was gegaan, zat Charlie nog een hele tijd aan het raam naar de piazza te kijken en over zijn situatie na te denken.

Ze moesten wel naar de doge. Er was geen ontkomen aan. Hij had het gebouw dagenlang grondig doorzocht en er was geen enkele uitweg. Bovendien zaten de leeuwen in een kooi en hield Edward de sleutel angstvallig bij zich. Hij wist dat Charlie en de leeuwen al eens uit het circus waren ontsnapt en hij nam geen enkel risico. En dan waren al die mensen buiten er nog. Charlie keek uit het raam en zag dat zelfs nu, midden in de nacht, een klein aantal nog de wacht hield met kaarsen. Charlie werd er dol van. Zo kreeg hij toch nooit de kans om met Enzo te praten, als hij niet op de vensterbank kon blijven zitten om Enzo te laten merken dat hij wachtte?

Hij hield zijn gezicht in de schaduw, blij dat hij niet wit was. Witte gezichten vingen het maanlicht en werden zichtbare vlekken. Met zijn donkere gezicht kon hij verborgen blijven, nadenken en op Enzo wachten.

De maan zette de piazza in een bleke gloed en Charlie begon in zijn hoofd een lijstje te maken van allerlei vragen en ideeën.

1 Hoe kon hij onopgemerkt weg komen?
2 Per boot naar Afrika…
3 Of toch over land? Nee, te ingewikkeld, te veel mensen. Ze moesten via Italië, maar het circus was in Italië, en ook dan hadden ze aan het andere eind nog een boot nodig… Hoewel, als ze helemaal per boot gingen, konden ze zich verstoppen…
4 Als ze nu eens een boot huurden! Met een bemanning die zwijggeld kreeg.
5 Maar hoe kwamen ze aan geld?
6 Waarom had koning Boris niet teruggeschreven?
7 Eten, voorbereidingen treffen, honderdduizend dingen – navigatie, varen.
8 Boot. Boot. Boot. Ach, alsof híj daar wat aan had. Dat was allemaal voor de leeuwen, niet voor hem.

Hij wist niet waar zijn ouders waren en dus wist hij ook niet waar hij heen moest.

Charlie dacht er de hele nacht en de hele volgende dag over na. Hij dacht erover toen hij naar beneden sloop om naar de leeuwen te gaan, maar hij wilde er niet over praten. Hij kon het natuurlijk wel over de plannen in het algemeen hebben, maar zelfs tegenover de jonge leeuw leek het hem onaardig om over het verlangen naar zijn ouders te beginnen.

Toen begon de jonge leeuw er zelf over.

'Charlie,' mompelde hij. 'Mis je ze niet verschrikkelijk?'

Charlie wist meteen wie hij bedoelde. 'Ja,' zei hij.

'Maar je blijft de hele tijd plannen maken om ons te helpen, in plaats van achter hen aan te gaan... Je bent een trouwe vriend voor ons.'

Charlie lachte. 'We hebben een afspraak gemaakt,' zei hij. 'We helpen elkaar.'

'Het helpen komt steeds op jou neer,' zei de jonge leeuw. 'Dat heb ik heus wel door.'

'Jullie hielpen me van Rafi af te komen en om op tijd de trein te halen... En nou ja, het is geen weegschaaltje...' Charlie voelde zich opgelaten als hij er ronduit over praatte.

'Hm,' zei de jonge leeuw. 'Ik voor mij vind dat we jou veel schuldig zijn. En ik vind dat we ook aan je ouders moeten denken.'

Charlie dacht heel veel aan ze. Die avond in bed lag hij weer te tobben en hij wenste vurig dat Julius op de plank boven hem lag te slapen. Julius wist zoveel; die had hem kunnen helpen. Maar hij had Julius nooit de hele waarheid kunnen vertellen, want hij was een circusjongen die niet zou kunnen begrijpen waarom de leeuwen moesten ontsnappen. Toch miste Charlie hem ontzettend. Hij vroeg zich af of hij Julius ooit nog terug zou zien.

Charlie dacht en dacht toen hij Claudio hoorde zingen, uit het raam hing om naar hem te zwaaien, en toen Claudio terugzwaaide dacht hij nog steeds.

Hij dacht vooral aan zijn ouders als hij bij het achterraam zat, op de plek waar hij Enzo kon verwachten. Maar het werd steeds lastiger om zijn wachtpost in te nemen: op een ochtend arriveerde er een cameraploeg, die van plan was de volgende verschijning van de bruine engel te filmen. 'De medicijnen vallen uit de lucht als manna uit de hemel!' had een klein kind tegen hen gezegd. Ze waren paraat met hun camera's en de lange bontarm waarin gepraat moest worden. Ze droegen zonnebrillen, rookten sigaretten en hadden commentaar op de meisjes die langsliepen. Ze lachten veel. Ze vermaakten zich prima. Ze gingen niet weg.

Eindelijk, tegen de middag, toen de zon hoog stond en het snikheet werd, gingen de tv-mensen weg om een koel café te zoeken waar ze konden eten. Charlies fans schoven hun strandstoelen de schaduw in en begonnen aan hun middagdutjes. Als smeltende boter vloeide de stilte over het plein.

Charlie zat in de schaduw bij het raam af te wachten. En na een tijdje dutte ook hij in.

Hij werd wakker door consternatie op het plein. De dikkere katten, de luiwammesen die de hele dag maar wat lagen te liggen, stonden sissend om iets heen, met hoge ruggen, als een kring woedende, gespannen bogen. Charlie kon hun dreigende geluiden horen en zag ze met uitgestoken scherpe klauwen toeslaan. Ze hadden iets ingesloten en gingen weer in de aanval.

Charlie was verbaasd. De afgelopen dagen waren er bijna geen allergenen in de buurt geweest. Het was alsof die zelf wel doorhadden dat ze hier niet welkom waren en besloten hadden de wijste te zijn.

Charlie was daar niet blij mee. Hij wist van zijn geschiedenislessen dat er tijden en streken waren geweest waarin het zwarte mensen verboden was in cafés en restaurants te komen, op scholen en in bussen, hotels, ziekenhuizen en kerken; ook konden ze geen werk krijgen omdat ze zwart waren. Hij wist dat er nog niet zo lang geleden plaatsen waren geweest waar zijn eigen moeder en hij niet samen zouden zijn toegelaten, omdat ze niet dezelfde huidskleur hadden. Pijn sneed door hem heen als hij daaraan dacht.

Diezelfde pijn in zijn hart zei hem dat de katten het recht

niet hadden allergenen te pesten, geen enkel recht om wie het daar midden in die kring ook was de toegang tot de piazza te verbieden.

Uit het midden van de kring kwam een kreet van kattenleed.

Zonder erbij na te denken, zonder er zelfs maar aan te denken dat hij zich eigenlijk moest verstoppen, verloor Charlie zijn geduld en sprong overeind. Bij de vensterbank zette hij een enorme keel op over het kanaal. Hij schreeuwde in het Kats, maar wel met zijn leeuwenaccent. Hij schreeuwde waarschuwingen en dreigementen naar de pestkatten. Hij brulde dat het zo wel genoeg was geweest en dat hij het niet langer pikte, dat ze moesten maken dat ze wegkwamen, ONMIDDELLIJK, en als ze terugkwamen kregen ze met hem te doen. In de stilte van de Venetiaanse siësta klonk zijn geschreeuw als oorverdovend gebrul.

De pestkatten draaiden zich om en stonden als aan de grond genageld, waarna ze alle kanten uit stoven, als waterdruppels uit een ronddraaiende tuinslang. In een vloek en een zucht waren ze verdwenen, want die brullende menselijke leeuw had hun de stuipen op het lijf gejaagd.

De fans van de bruine engel schrokken wakker uit hun siësta en zagen nog net hoe hun bruine engel als een dolgeworden duivel bij het raam tekeerging. 'E' l'Angelo!' gilde iemand. 'Guardate! L'Angelo!' Kijk, de engel!

Maar voordat ze hun verstand bij elkaar hadden, was de engel al weg. Toen hij al die gezichten naar zich zag staren, herinnerde Charlie zich dat gebrul uit een raam geen echt verstandig en onopvallend gedrag was voor een jongen die wilde dat niemand wist waar hij zat.

Onder de vensterbank dook hij in elkaar, in de koele duisternis bij de muur, en werd woedend op zichzelf omdat hij zich zo had laten gaan.

Op dat moment verscheen er een uitgemergelde, harige kop tussen de oude, zoutige, roestige ijzeren tralies boven hem.

'Hé, hoi,' zei een schorre kattenstem met een sterk noordelijk accent. 'Zullen we het toch nog beleven. Ik heb je overal gezocht en nu kom je nog op het goeie moment te voorschijn ook. Dat was uitzonderlijk goed getimed... waarvoor dank, vriend. Kun jij naaien?'

Charlie keek op. Het was een broodmagere, schurftige zwarte kat, met kale plekken op zijn kont en melkachtige, blauwe ogen. Het soort kat dat je liever niet aaide voor het geval hij vlooien had, of erger. Charlie was zo blij hem te zien dat hij hem bijna omhelsde. Hij hield zichzelf net op tijd in bedwang, in het besef dat Sergei daar vast niet van gediend was. Bovendien zag hij er verre van knuffelbaar uit.

'Sergei!' piepte hij. 'Sergei! Hoe is het met je? Waar zat je al die tijd? Heb je nieuws? Vertel me alles! En hoezo, naaien?'

Sergei maakte zichzelf wonderbaarlijk lang en dun en wurmde zich door de ijzeren tralies.

'Ik bedoel daarmee dat ik één oor al bijna helemaal kwijt ben en het grootste deel van het andere graag zou willen houden, als het jou hetzelfde is. Als jij dus kunt naaien, haal dan even naald en draad en wurm mijn arme gehoororgaan weer op zijn rechtmatige plaats,' zei hij. 'Het ligt daar op de richel. Ik moest het laten vallen om met je te kunnen praten.'

Charlie stond op en tuurde aandachtig naar de stenen richel bij het raam. Hij zag een zielig stukje zwarte vacht, met bloeddruppels aan de rand.

Het zag er allesbehalve groot of sterk genoeg uit om vastgenaaid te worden. Ook wist Charlie dat de bloedvaten weer aan elkaar moesten passen als je een lichaamsdeel op zijn plaats zette, zodat het bloed kon blijven stromen. Als de bloedsomloop werd afgebroken, ging het vlees gewoon dood.

Wat moest hij nou met zo'n sneu stukje oor...

Hij keek naar Sergei.

Sergei keek naar hem. Voor zo'n broodmagere, schurftige oude kat zag hij er erg levendig en hoopvol uit.

Sergei had hem vrijwillig de brief van zijn ouders gebracht en had Charlies antwoord weer naar hen gebracht, al moest hij daarvoor zijn eigen plannen laten varen. Sergei, die weer was komen opduiken, die hem gezocht en gevonden had... Charlie wilde hem echt helpen.

Sergei, die hem ook had verteld dat zijn ouders in Venetië waren terwijl ze daar blijkbaar helemaal niet waren!

'Sergei!' zei hij. 'Zijn mijn ouders wel of niet hier? Jij zei Venetië... De leeuwen zeiden tenminste dat jij het over Venetië had... maar Edward zegt...'

Sergeis ogen werden nog bleker.

Charlie keek weer naar het oor. Dat zag er slecht uit.

'Goed,' zei hij. 'Vertel het me straks maar, als ik dit heb gefikst. Wacht even.' Hij holde naar boven, opnieuw dankbaar voor de stilte van stenen vloeren. Van zijn kamer haalde hij een klein flesje, waarmee hij weer naar beneden vloog.

Twee druppels van zijn moeders allesbetermakende drankje, één op de bloederige rand van het slappe oor en één op het gehavende stompje op de kop van die arme Sergei. Hij drukte de twee stukjes nauwkeurig tegen elkaar aan... zo...

Sergei keek scheel omhoog in een poging de zijkant van zijn kop te zien.

'Stilhouden!' beval Charlie. 'Ik moet het op z'n plek drukken... Wiebel niet zo.'

'Wat doe je toch? Wat is dat?' vroeg Sergei achterdochtig, terwijl hij zijn neus rimpelde. 'Wat smeer je voor spul op me? Is dat lotion? Daar heb ik geen moer aan, je moet het vastnaaien...'

Maar hij had heel wat aan de lotion. Tien seconden later wiebelde Sergei met zijn oor en zei: 'Dit is niet te geloven. Ik bedoel, dit is fysiek onmogelijk. Zoiets kán gewoon niet. Ik snap niet hoe je 'm dat gelapt hebt. Ik snap niet wat dat voor spul is. Een wondermiddel, dat moet wel. Kijk! Ik kan 'm bewegen!' En hij bewoog zijn oor. Daardoor zag Charlie dat het eigenlijk scheef zat, maar hij begon er niet over, want eerlijk gezegd was Sergei toch al zo'n misbaksel dat het niet opviel.

'Maar goed,' zei Sergei, 'mijn *apologias* dat ik niet eerder ben gekomen. Ik trachtte die ellendelingen op het plein te omzeilen. Die lopen daar de bink uit te hangen alsof de hele wereld van hen is en een ander er niet langs mag,' zei Sergei. 'Verachtelijk tuig. Nou, ze bekijken het maar. Ik ben er nu eindelijk. Dus.'

Hij keek Charlie strak aan met zijn blauwe ogen. 'Het komt erop neer dat je ma en pa toch niet hier blijken te zijn. Ik zei van wel, maar het is niet zo en dat spijt me. Ik ben verkeerd geïnformeerd. Weet je hoe het echt zit... Vanuit Parijs zijn ze naar Vence in Zuid-Frankrijk gebracht.'

'Naar Zuid-Frankrijk!' gilde Charlie.

'Het gaat goed met ze,' vervolgde Sergei. 'Ze hebben veel weerstand en in zekere zin zaten ze er wel veilig. Maar er was een zorgwekkende hoeveelheid heropvoeding gaande, die toch effect begon te krijgen, hoe taai ze ook zijn... Enfin, daar zijn ze inmiddels dus ook niet meer.'

'Waar zijn ze nu dan?' vroeg Charlie.

'Onderweg naar Parijs in een gestolen benzineauto.'

Charlies mond viel open. Hij voelde het zelf. Snel deed hij hem weer dicht.

Naar Parijs? In een gestolen auto?

'Hebben ze mijn brief gekregen?'

'Zeker,' zei Sergei. 'En ik heb ze ook een krantenartikel laten lezen en... eh... ik was van plan ze hierheen te vergezellen om ze in hoogsteigen persoon bij hun zeer gewaardeerde kind af te leveren. Maar zij... tja... ze peerden 'm naar Parijs.'

'Dan moet ik dus ook naar Parijs terug,' zei Charlie.

'Als je dat maar uit je harses laat!' krijste Sergei. 'Parijs stikt van de circusmensen, politie en noem maar op! En... je zult wel willen weten, ik bedoel je wilt het niet weten maar je moet het weten... dat die ellendige buurtmakker van je zichzelf uit het ziekenhuis heeft ontslagen en deze kant op komt, met de bedoeling weer eens flink lastig te worden, natuurlijk...'

Dit was te veel informatie om in één keer te verwerken. Charlie knipperde een paar keer met zijn ogen.

'Maar het gaat dus goed met ze?' vroeg hij kleintjes.

'Met je ouders? Voorzover ik weet gaat het steeds beter met ze. Zo goed dat ze een auto hebben gejat.'

Charlie schudde zijn hoofd. Zijn ouders... jatten!

Hij wilde niets liever dan naar ze toe. De plaats waar zij waren trok aan hem als een magneet.

'En hoe is het hier zoal?' vroeg Sergei. Charlie lichtte hem snel in – en onder het vertellen, besefte hij dat het inderdaad onmogelijk was om te vertrekken en terug te gaan naar Parijs. Hij kon niet eens het gebouw uit. En bovendien kon hij de leeuwen niet in de steek laten.

Ook niet voor zijn ouders?

Nee. Hij zou net zomin zijn ouders in de steek laten voor de leeuwen als de leeuwen voor zijn ouders.

Sergei luisterde aandachtig en toen zaten ze een poosje zwijgend na te denken.

'En wat ga je nu doen?' vroeg Sergei.

'Morgen worden we met ons allen naar het paleis van de doge gebracht. Het enige voordeel is dat Rafi ons daar met geen mogelijkheid te pakken kan krijgen. Maar verder weet ik het ook allemaal niet. We zullen moeten ontsnappen.'

Ontsnappen. Het woord was eruit. Het hoge woord.

'Je bent geweldig voor de leeuwen,' zei Sergei. 'En het is ook geweldig dat je voor de smilodon zorgt. Hoe is het met hem? Gaat het?'

'Het gaat goed met hem,' zei Charlie. 'Hij is somber, maar gezond.'

'Ja. Zo is ie nou eenmaal. Enfin, iedereen is dolblij dat jullie nu bij elkaar zijn, want weet je, we hebben gehoord wat er gebeurd is en iedereen vond het een ramp en was over z'n toeren. Niemand had gedacht dat hij het zou overleven, maar toch is dat zo, en het is voor ons allemaal een stuk beter dat hij is ontvlucht en bij jou terechtgekomen...'

'Ho even,' zei Charlie. 'Heb je het nu over de smilodon?'

'Het is geweldig dat hij bij jou is en dat het goed met hem gaat, snap je,' zei Sergei.

'Ja, maar hoezo had iedereen gehoord wat er gebeurd is? Wat is er dan gebeurd? En dat overleven, wat zou hij volgens jullie dan niet overleven?'

Sergei keek Charlie eens ernstig aan.

'Je weet toch wel wie hij is?' vroeg de kat.

'Ja. Hij is een smilodon fatalis. De oudste leeuw noemt hem Primo,' zei Charlie.

'Maar je weet toch waar hij vandaan komt?'

'Weet jij dat dan?' vroeg Charlie, opeens een en al gretigheid. 'Waar komt hij vandaan? We hebben hem in Parijs bij het natuurhistorisch museum gevonden, en hij heeft ons alles verteld wat hij zich kon herinneren, maar...' Charlie zweeg bij de herinnering aan het verdrietige verhaal van de smilodon.

'Weet hij het niet?' vroeg Sergei geschrokken.

'Nee,' zei Charlie.

Sergei keek naar zijn voeten en begon toen zijn oren te wassen.

'Nou?' zei Charlie.

Sergei sloeg met zijn staart, naar links, naar rechts, naar links.

Charlie bleef hem vragend aankijken.

Sergei keek op.

'Ken je die oude film,' begon Sergei peinzend, 'waar ze stukjes oude DNA van dinosaurussen gebruikten...' Zijn stem stierf weg.

'Om uitgestorven dieren mee na te maken. Een soort klonen,' zei Charlie.

'Juust,' zei Sergei.

Charlie dacht even zwijgend na.

'Is Primo zo...' Charlie wist niet hoe hij het noemen moest. Zo geboren? Zo gemaakt?

'Juust,' zei Sergei.

'O,' zei Charlie. De wereld leek opeens onmetelijk groot.

Nu bleven ze allebei weer een tijdje stil.

'Het is verachtelijk, dat gekloon,' zei Sergei, 'en het is ook nog eens verboden. Een stel bollebozen lukt het om iets te maken, maar dan gaat het fout, en voor de dieren is het een lijdensweg tot ze doodgaan. In het natuurhistorisch museum was er een pokkenwetenschapper die de kolder kreeg en besloot dat hij God wilde spelen...'

'Waarom?' vroeg Charlie. Hij hoefde niet te vragen waarom het verboden was – dat was hem zo wel duidelijk. Het was veel te onnatuurlijk en het leidde tot ziekte, eenzaamheid, een leven zonder familie, zonder achtergond – zoals Primo. Het was wreed om wezens te maken. Levende wezens moesten geboren worden.

'Hij was nieuwsgierig of hij het kon,' zei Sergei.

Arme, arme Primo. Geen wonder dat hij het gevoel had dat hij niet bestond, of... of al die andere verwarrende dingen die hij gezegd had. Die arme, prachtige Primo.

En morgen moest hij met namaakvleugels opgedoft worden om aan de doge gepresenteerd te worden.

'Weet Edward wie hij is? Hoe hij... hoe hij ontstaan is?' vroeg Charlie opeens.

'NEE!' krijste Sergei. 'En het is van levensbelang dat hij het nooit te weten komt, hij niet en niemand niet! De katten zijn volledig op de hoogte van de hele santenkraam, maar de menselijken weten van niets. Wat Primo nodig heeft, is een geheime locatie waar hij veilig kan wonen, beschermd door goede, taaie katten. Anders willen de menselijken alleen maar experimenten met hem doen, steeds opnieuw, voor eeuwig en altijd! Menselijken kunnen nooit iets met rust laten. Dat zit niet in hun aard.'

Charlie haalde diep adem.

Moest hij proberen te voorkomen dat Primo naar de doge werd gebracht? Moesten ze vannacht nog zien te ontsnappen?

Maar hoe dan? Dat was toch onmogelijk?

Hij zuchtte. Wat een ellende.

Er zat hem nog iets dwars.

'Sergei,' vroeg Charlie. 'Wie heeft mijn ouders laten ontvoeren? Ik heb uitgedokterd dat het misschien de makers van de astmamedicijnen waren. Klopt dat?'

Sergei keek hem aan. Hoeveel moest hij Charlie vertellen?

'Want ik dacht zo... over die makers van de medicijnen... dat ze misschien wilden dat mijn ouders voor ze gingen werken, van alles voor ze zouden uitvinden... Ik weet niet of het zo is, maar ik dacht zo... dat die makers van astmamedicijnen misschien ook wel de allergenen hebben bedacht. En in dat geval...'

Op dat moment kreeg Charlie een ingeving. Natuurlijk! Dat hij daar niet veel eerder opgekomen was!

'Sergei!' riep hij uit. 'Jij bent zelf ook een allergeen, hè?'

Sergei staarde hem aan en verstijfde. Zijn melkachtige ogen werden hard en zijn scheve oor wiebelde heen en weer.

'En wat dan nog?' spuwde hij. 'Wat dan nog?' herhaalde hij krijsend. 'Wat kan jou dat schelen? Jij moest toch beter weten!'

Sergei keek vuil: hij was woedend en gekwetst. En opeens was hij weg – het raam uit, een goot langs, de muur over, ineengedoken onder de brug van het diepe, donkere kanaal door.

'Sergei!' schreeuwde Charlie hem na en hij sprong overeind. 'Sergei! Ik bedoelde helemaal niet... kom terug, Sergei! Kom terug!'

Maar de kat was en bleef weg.

Charlie greep de ijzeren tralies vast. Hij was met stomheid geslagen. Hij kon wel door de grond gaan. Hij had Sergei helemaal niet willen kwetsen. Het was geen moment bij hem opgekomen dat Sergei het zo zou opvatten. Allemachtig...

'Sergei!' brulde hij nog een keer naar het kanaal onder hem. Allemachtig... Nee, hè! Dat niet!

Het was zo heerlijk geweest dat die vriendelijke kop onverwachts was opgedoken en informatie en de kans op hulp had gebracht. Het was bijna onverdraaglijk dat hij even onverwachts, om zo'n dom misverstand, weer was verdwenen.

Charlie lag bijna de hele nacht wakker, woelde en dacht na, en de volgende ochtend vroeg had hij een besluit genomen.

De leeuwen en hij konden niet langer zo doorgaan, gelaten wachtend op de dingen die hen aangedaan zouden worden. Zij – hij – moesten in actie komen voor ze weggevoerd werden en opgesloten in een nog luxueuzere kooi. Ze hadden een bondgenoot nodig. En dat betekende dat ze risico's moesten nemen.

Iemand die naar het gebouw keek, had kunnen zien hoe Charlie zat te wachten bij het ijzeren rooster voor een benedenraam. Je zou denken dat hij daar maar wat rondhing, zoals hij zo vaak deed, en het leek niets bijzonders dat hij de ongeschoren jonge gondelier groette die langs het raam voer, want die deed dat ook bijna elke ochtend, onder het zingen van zijn mooie gondellied.

'Claudio,' riep Charlie. 'Hallo daar!'

Claudio keek zijn kant op. Hij scheen te merken dat Charlies groet vandaag anders was, en hij stuurde zijn boot dichter naar het palazzo. 'Hoe gaat het?' riep hij.

Charlie wachtte tot hij vlakbij was. Het was nu of nooit. Vertrouwde hij Claudio? Hij moest wel.

Hij beet op zijn lip en keek Claudio recht aan.

'Niet goed,' riep hij gedempt.

'Hoezo, niet goed?' antwoordde Claudio, ook zacht.

Charlie maakte een snel gebaar en de glanzende zwarte gondel gleed pal langs de muur van het palazzo. Claudio liep naar de boeg om dicht bij Charlie te komen, rommelde met de meertouwen alsof hij daar iets moest doen.

'Heb je mijn brief aan koning Boris gepost?' siste Charlie.

'Natuurlijk,' zei Claudio gedempt. 'Heb je nog geen antwoord gehad? De post is vaak langzaam...'

'Ik kan niet langer wachten!' flapte Charlie eruit. 'Koning Boris heeft beloofd dat hij me zou helpen de leeuwen naar Afrika te brengen en nu zegt Edward dat we in het paleis van de doge moeten logeren, en...'

'In het paleis van de doge!' herhaalde Claudio luidkeels en snel dempte hij zijn stem weer. 'Waarom?'

'Dat weet ik niet,' zei Charlie. 'Dat is nou net het probleem... wij willen gewoon verder reizen, maar Edward heeft vleugels laten maken en ik denk dat hij...'

'Vleugels!' zei Claudio.

'Voor de leeuwen... voor Primo. Hij wil Primo in de leeuw van Marcus veranderen en hem zo naar de doge brengen... Hij wil het wonder nadoen, het wonder waarover je ons hebt verteld...'

Claudio was onthutst. 'Geeft hij de Leeuw van San Marco aan die stomme, hebzuchtige, slechte...' Opeens herinnerde hij zich waar ze waren en hij keek over zijn schouder of er niemand in de buurt was. 'Charlie,' zei hij, 'dat is een ramp.'

'Maar Primo is de leeuw van Marcus niet...' zei Charlie.

'Daar gaat het niet om,' zei Claudio. 'Luister.' Hij begon heel zacht en snel te praten. 'De doge is een slecht mens – hij is zó gewichtig en voornaam dat hij zich veel te goed voelt om behoorlijk zijn werk te doen. Hij hoort de stad goed te besturen voor de mensen, maar hij ziet de mensen niet staan. Hij geeft het geld aan zichzelf uit, terwijl het ziekenhuis kapotgaat. Hij verandert de wet als hij er zin in heeft en als de bevolking protesteert, stuurt hij zijn politie erop af om ze te arresteren. De kranten en tv-stations zijn van hem en die hebben maar te zeggen hoe geweldig hij is. Hij heeft zelfs een wet gemaakt die het verbiedt om je vinger op te steken naar zijn boot, want telkens als hij met zijn boot onderweg was, stak wel iemand zijn vinger naar hem op. Iedereen haat hem. Iedereen. Laatst nog…' Claudio hield zich in. Zijn gezicht stond hard.

'O,' zei Charlie. Nu wilde hij al helemaal niet meer opgesloten zitten in het paleis van die kerel.

'Als hij de leeuwen in handen krijgt,' mompelde Claudio hoofdschuddend, 'loopt het niet goed af. Niet met de leeuwen en ook niet met Venetië.'

'Dan wil je ons zeker wel helpen?' vroeg Charlie.

Claudio kneep zijn lippen op elkaar en dacht na. Ten slotte zei hij: 'Jij kunt ons ook helpen, leeuwenjongen. Ik heb een idee.' Hij haalde diep adem en Charlie had het gevoel dat Claudio ook een belangrijke beslissing nam.

Claudio keek Charlie ernstig aan. 'Ben je moedig, Charlie?'

Charlie rechtte zijn rug. Hij wist zo langzamerhand wel dat hij moedig was.

'Jep,' zei hij, laconiek.

'Dan praten we later vandaag verder,' zei Claudio. 'Het is zover. Mooi. Ja. We hebben het er nog over.' En weg was hij, met een fikse slag van de roeispaan en een draaikolk onder de boot.

Jemig, dacht Charlie. Wat had hij zich nu weer op de hals gehaald?

Ver weg, in een klein stadje aan de Barbarijnse kust van Marokko, keek ook iemand naar een boot. Op het overschaduwde terras van een café aan een plein bij de haven zat een man, gekleed in een djellaba, met de capuchon af, want het was een mooie dag. Hij had wel iets van een monnik die een vrije dag heeft, maar zijn gedachten waren verre van goddelijk. Hij dronk een klein kopje verrukkelijke koffie, waar een glas water naast stond met een klein extra scheutje erin.

Ze komen vast en zeker met de boot, dacht hij.

Hij had een slaperige uitdrukking op zijn gezicht.

'Ze komen per boot aan en dan heb ik ze.'

Hij zat dit al dagenlang te denken.

Na een paar uur kwam er een andere man bij hem zitten, bruin en verweerd, zo te zien een plattelander, die op zijn rug een leren tas had waarin onaangename gereedschappen zaten: een lange vork met twee tanden waarmee je iets bij de nek kon grijpen; een klein grijs pistool waarmee je pijltjes kon afschieten; de pijltjes zelf, lang en akelig met een verdovend middel dat, zodra de pijltjes de huid raken, slaap opwekt; touwen; kettingen en een grote zweep.

De twee mannen zaten glimlachend te praten en spraken iets af. De slaperige man – ja, dat was Maccomo – gaf de plattelander wat geld.

Ten slotte schudden ze elkaar de hand en legden elk een hand op het hart van de ander. Ze bevestigden hun afspraak.

Achter hen, op een doorbuigende tak van een boompje dat het terras schaduw gaf, zat een kameleon, die met draaiende ogen naar de man keek die op zijn beurt naar de boot keek, en naar de man met de akelige tas. Hij was zo groen als de bladeren waarin hij verborgen zat, zo stil als de tak waaraan hij zich met zijn viertenige poten vasthield, zo geheimzinnig als de mannen die hij in de gaten hield. Hij liet zijn ogen draaien, de een naar het oosten, de ander naar het westen.

Hij heette Ninu. Hij zag alles, en niemand zag hem.

NEGEN

Claudio wist waar hij het over had toen hij opmerkte dat de doge erg gewichtig deed. Later legde hij Charlie uit hoe gewichtig wel niet.

'Al eeuwenlang,' vertelde hij, 'vaart ieder jaar een doge uit met de Bucintoro, zijn grote gouden sloep, om met de zee te trouwen. Hij gooit een gouden ring in het water en dan belooft de zee hem en Venetië lief te hebben, te respecteren en gehoorzamen. De doge en Venetië heersten over de zee zoals in vroegere tijden een echtgenoot over zijn vrouw heerste. Maar je hebt zelf gezien wat de zee Venetië nu aandoet: hoe het water de fundamenten aantast en de stad stukje bij beetje ten onder laat gaan. Daardoor is de doge ook bang geworden. Zijn vrouw heeft zich tegen hem gekeerd. Hij is bang voor de zee.'

Claudio wist niet dat een paar jaar voordat Charlie geboren werd, er een schip van koning Boris, de Anna Maria, vergaan was in de Golf van Venetië. Tot grote ergernis van de doge was het koning Boris niet gelukt om het wrak meteen te laten wegslepen – zijn berger trouwde in diezelfde week en koning Boris wilde hem niet lastigvallen. Het gevolg was dat een aantal Venetiaanse schepen op het Bulgaarse scheepswrak liep. De doge vond het een schande dat het gevaarlijke wrak daar maar bleef liggen. Koning Boris vond dat de Venetiaanse kapiteins beter uit hun doppen moesten kijken. De doge zei dat koning Boris het wrak OP STAANDE VOET moest laten bergen. Koning Boris zei dat dat maanden ging duren, omdat de scheepslading uit buitengewoon breekbaar en kostbaar kristal bestond. De doge zei: 'Nee toch?' en kondigde de dag daarna aan dat het schip vanzelfsprekend van hem was, omdat het in de Venetiaanse wateren lag. Koning Boris zei dat de doge een grijpgrage oude zeerover was. De doge zei dat koning Boris die woorden moest terugnemen, zette zijn eigen bergers aan het werk, liet duikers met gewatteerde manden naar het wrak duiken om voorzichtig, één voor één, met een mand vol kostbare kristallen borden en schalen boven water te komen. Koning Boris zei dat de bevolking toch al zo de pest had aan de doge dat de mensen echt niet van de ene op de andere dag wél van hem gingen houden wanneer hij een Bulgaarse schat inpikte. De doge zei dat koning Boris wel een erg grote bek had voor iemand die zo bang was voor huurmoordenaars. Koning Boris zei dat er meer nodig was dan een grijpgrage oude zeerover van een droge doge om hem te laten vermoorden.

De avond waarop hij dat zei, stak er een storm op die de Venetiaanse bergingsschepen van anker sloeg, waarbij zes bemanningsleden verdronken en de Anna Maria met haar lading duimen dieper in de modder wegzonk. Koning Boris zei: 'Jeetje, je vrouw is echt kwaad op je, hè?' (Achteraf had hij daar spijt van, vooral vanwege de omgekomen bemanning. Zij konden er tenslotte niks aan doen.)

Maar goed, de doge en koning Boris konden het dus niet met elkaar vinden.

Edward vond eigenlijk dat ze maar eens vriendjes moesten worden. Al dat geharrewar is zo uitputtend. Je wordt maar somber van al die vijandelijkheden. Een land heeft veel meer aan goede vrienden en bondgenoten, op wie je kunt rekenen, dan aan vijanden die je dwarszitten – zoals de doge, zodra hij zijn kans schoon zag.

Toen Edward, als afgezant van koning Boris, om audiëntie bij de doge verzocht, was de doge dan ook nieuwsgierig. Vooral toen Edward zei dat hij een geschenk voor de doge had.

Dat zal tijd worden, dacht de doge. Koning Boris gaat zijn verontschuldigingen aanbieden, en ik krijg een cadeau. Dat mag dan wel een heel mooi cadeau zijn.

Edward liet laat op de avond Charlie naar de cortile komen en droeg hem op Primo te tooien met zijn namaakvleugels.

'En hiermee,' voegde Edward eraan toe. Hij gaf hem een stapel leer en kettingen. Charlies hart sloeg over van woede toen hij zag wat het waren – halsbanden en looppriemen. In de trein had hij de circuskettingen van de leeuwen weggegooid. En nu dit!

'Dat moet wel,' zei Edward minzaam. 'Zijne hoogheid zou maar schrikken als we hem loslopende leeuwen brachten. Voel je alsjeblieft niet beledigd. Ik weet ook wel dat je ze wonderbaarlijk onder controle hebt.' En hij glimlachte.

Charlie lachte terug – een beetje dunnetjes. De leeuwen flitsten met hun ogen naar hem en hij begreep de boodschap donders goed: 'Meer van die onzin flik je ons niet!' zeiden ze. 'We dragen ze nu wel even, maar dit hele avontuur draait om ontsnapping en vrijheid!'

Terwijl Charlie de halsbanden – van karmozijnrood leer, met prachtige sterke zilveren kettingen – om de harige nek van zijn vrienden deed, mompelde hij woorden van uitleg en spijt.

'Het duurt niet lang,' zei hij. 'We hebben een plan. Maak je geen zorgen. We zijn hier snel weg.'

'Daar hou ik je aan,' pruttelde de jonge leeuw.

De riemen waren toch al een stom idee; als de leeuwen zouden besluiten ervandoor te gaan, waren ze geen enkele belemmering. Ze konden die dingen kapotbijten, aan stukken scheuren of er gewoon mee op de loop gaan. Maar waar moesten de leeuwen heen als ze ervandoor gingen? Majoor Tib had in heel Europa de politie gealarmeerd, Rafi was hen weer op het spoor, de hemel mocht weten waar Maccomo uithing – en ieder ander keek ook naar ze uit, vanwege de vette beloning. Ze zouden achtervolgd worden, opgejaagd, in het nauw gedreven, of erger... Charlie wist dat alleen een echt slim plan hen nog kon helpen.

'Ik denk dat het verband niet erg is,' zei Charlie op een gezellig gesprekstoontje toen Edward en hij de leeuwen bekeken. 'Daar zie je aan dat de leeuw gewond is. Net als Venetië zelf. Terwijl de leeuw geneest, geneest Venetië ook. Het is een mooi voorteken. De mensen zullen het prachtig vinden.'

Edward keek hem oplettend aan.

'Denk je ook niet?' zei Charlie. 'En hoe langer we het verband laten zitten, hoe beter zijn kaak geneest. We kunnen het altijd later nog af doen.'

Edward, die maar al te goed wist dat niemand anders dan Charlie het verband af kon doen, besloot dat hij beter kon instemmen.

Charlie voelde zich ijskoud worden toen hij en de leeuwen door de achterdeur naar de gondel werden geleid, die in het nauwe kanaal langs het Palazzo Bulgaria lag te wachten. Toen de leeuwen door de deur de diepte van de boot in stroomden, zorgde Charlie ervoor dat hij Claudio groette alsof hij de gondelier amper kende.

Het was donker en stil in het kanaal, maar hoog boven hen raasden wolkenflarden langs de hemel en achter hen verscheen en verdween de afnemende maan. Charlie en de leeuwen kikkerden meteen op. Ze waren buiten!

In de stille nacht was er bijna geen plonsje te horen toen Claudio hen rustig naar het Canal Grande roeide en in oostelijke richting ging. Charlie bewonderde de grote witte koepel van een kerk die de Salute heette, die ondersteund werd door een groot ijzerwerk van krullende spiralen, maar toen daarna de ruïne van San Giorgio Maggiori in zicht kwam, keek hij de andere kant uit. Hij verbaasde zich over het uitzicht op Venetië, waarvan hij niet veel anders had gezien dan wat er te zien viel uit de ramen van zijn paleislijke gevangenis. Zodra de maan te voorschijn kwam, glansde de hele beroemde, prachtige stad, met al die koepels en zuilengangen die in het bleke lichtschijnsel iets spookachtigs hadden. De gondel gleed stil verder en de kille, duistere geur van het kanaal sloeg hem tegemoet in de duisternis. Het was laat en in de stad brandden weinig lichten. De grote klok van de San Marco, de Marangona, sloeg. Het klonk griezelig in de nachtlucht. Eén uur.

Charlie rilde. Vanaf de bodem van de boot keken de leeuwen naar hem op. Alleen Edward leek op zijn gemak. Hij stak een sigaartje op; het zachte gesis en geknetter van de tabak voegde zich bij de zachte geluiden van de nacht. Ze gleden door het zwarte water langs de bleke palazzi aan het Canal Grande.

Toen ze bij het paleis van de doge kwamen, herkende Charlie de twee hoge pilaren, met op een van hen het bronzen standbeeld van de leeuw van Marcus, met de agaatkleurige ogen. Claudio zei niets terwijl hij aanmeerde, maar Charlie merkte dat hij eerst naar de leeuw en toen naar Primo keek, en hij zag aan Claudio's ogen dat hij de situatie doorhad.

Weer stond de zwarte, overdekte wagen te wachten, met de vier mannen – van wie Charlie aannam dat ze voor Edward werkten – die hem voorttrokken. De jonge leeuw sloeg hard met zijn staart tegen Charlies benen toen hij de wagen in ging, als om Charlie eraan te herinneren dat zijn geduld niet oneindig was. Elsina keek Charlie nog even wanhopig aan voordat ze uit het zicht gleed, en weer voelde hij die felle steek: ze zijn afhankelijk van me. Ik heb ze een belofte gedaan.

Het zwarte voertuig leek op een lijkwagen die naar een begrafenis op weg was.

Charlie keek om naar Claudio.

Bijna onzichtbaar, met zijn blonde haar glanzend in het maanlicht, gaf Claudio hem een knipoog met een van zijn zeeblauwe ogen. Charlie voelde zich een stukje beter.

Edward liep statig voorop. Een man met een pak aan, vergezeld van vier mannen in uniform, kwam hem tegemoet. Achter hen stond het paleis van de doge, een groot roze gebouw met talloze bogen, balkons en rijen pilaren.

Edward begroette de man, negeerde de soldaten en ging snel linksaf, onder de boog door. De wagen, die hij geen moment uit het oog verloor, volgde op zijn aanwijzingen. Toen Charlie de hoek om ging, keek hij op naar de pilaren en zag dat ze stuk voor stuk versierd waren met gebeeldhouwde bladeren of wijnranken of dieren of koppen; de leeuwenkoppen waren in de meerderheid. Charlie liep snel, om de volwassenen bij te houden. Hij haalde Edward in, die hem stevig bij de arm pakte en vanuit de hoogte naar hem glimlachte.

'Kom maar,' zei Edward, alsof hij een oom was die met neefje Charlie naar de kermis ging.

Charlie deed zijn best om terug te lachen.

Links van hen lag de enorme piazza die ze gezien hadden

toen ze van het station kwamen. Aan de rand van het plein, vlak bij hen, stond de gigantische klokkentoren, de Marangona, die door een schijnwerper ergens hoog boven hen in het licht werd gezet, met daaronder een gevleugelde leeuw die het beroemde boek vasthad. Ze kwamen langs een massieve, houten vlaggenmast, die door een manestraal werd verlicht, zodat Charlie aan de voet van de mast een volgende gevleugelde leeuw kon zien. Op de felblauwe gevel van de klokkentoren voor hen glom een gouden leeuw, met trotse vleugels en het boek. Aan zijn voeten lagen twee brullende leeuwen van rood marmer. Rechts van hen was een grote poort, waar Charlie en de leeuwen doorheen moesten: ook daarboven zagen ze de beroemde grote, stenen leeuw met het boek weer.

Bij de poort zag Charlie iets wat hem een vreemd gevoel vanbinnen gaf. Op de hoek van het gebouw voor hen – een zijmuur van de San Marco-kathedraal, met een ingelegd patroon van marmer – stonden twee mannen, die elkaar omarmden. Hij zag meteen dat het heel oude standbeelden waren, gemaakt van een donkere, gepolijste steen. Ze stonden dicht tegen de muur – maar hij besefte dat hun donkere kleur niet alleen door de steen kwam. Ze waren zwart. Vooral het rechterbeeld viel hem op: de verweerde neus was opvallend breed – een Afrikaanse neus. Ook de lippen waren vol, met de lijnen van een Afrikaanse mond. Ja, en ook het beeld links was dat van een zwarte.

Charlie glimlachte. Die twee stenen zwarten, oude strijders in hun oude wapenrusting van gebeeldhouwde steen, gaven hem moed. Ze gaven hem het idee dat hij een man was, die omarmd werd door zijn vader. Daardoor voelde hij zich moedig en trots, en met dat gevoel in zijn hart ging hij op de enorme poort af.

De poort was beslagen met leeuwenkoppen – het waren er wel vijftig, zestig, of nog meer. Elk hoofd droeg een net iets andere uitdrukking. Het was dezelfde leeuw, maar toch telkens anders. Charlie zag waar hij maar keek de gevleugelde leeuw. Alles wat Claudio hem had verteld over de liefde van de Venetianen voor leeuwen, zag je in dit gebouw terug. Charlie hoopte maar dat ze niet alleen genoeg, maar ook op de goede manier van leeuwen hielden, want anders zouden de leeuwen en hij dit gebouw nooit meer uit komen.

De zware, houten deur in de poort voor hen kraakte open en ging dicht zodra ze binnen stonden. Charlie keek om naar de dikke, metalen tralies en klinknagels van de deur, de zware grendels, de massieve zwarte sloten die groter waren dan de knuisten van zijn vader.

Toen draaide hij zich om, want hij wilde zien waar hij was.

Rechts van hem lag een grote, brede, bleke binnenhof met bogen, vaag verlicht door gaslampen en maneschijn. In de lantaarnpalen waren leeuwen uitgehouwen. De muren waren een kunststuk van beeldhouwwerk: figuren op siertorentjes tegen de blauwe schemering van de nacht, leeuwenkop na leeuwenkop, ronde ramen versierd met maaswerk, rij na rij spitse, gotische bogen. Tegenover hen was een gigantische trap. Aan weerskanten van de deur boven aan de trap stonden twee reusachtige beelden doodstil in het maanlicht: twee grote, halfnaakte mannen van steen, tien meter hoog, sterk en onbewogen als goden. Boven de ingang was een zware stenen leeuw, natuurlijk met vleugels en het boek.

Charlie regelde zijn ademhaling naar het speciale krijg-nu-geen-astma-aanval-ritme. Hij was bang; hij kon het niet ontkennen, hij was als de dood. Dit oord straalde een dreiging uit van weelde en macht, en verbonden met dat alles was het beeld van de leeuw.

Blijkbaar moesten ze die trap op. Edward stond te redetwisten; Charlie kon merken dat hij de leeuwen nog niet uit de wagen wilde laten, maar de man met het pak hield voet bij stuk. Charlie nam aan dat de doge niet van plan was naar deze cortile te komen, net zomin als hij bereid was naar andermans palazzo te gaan. Die kerel zat natuurlijk dag en nacht op zijn troon om zich te laten vereren... Mafkees, dacht Charlie, en bij die gedachte keerde zijn moed weer terug.

Edward en de pakkenman werden het eens. De pakkenman zei iets tegen de mannen in uniform, Edward gaf hun een donkere sjaal en ze bonden elkaar de sjaal om als blinddoek.

'*Anche Lei*,' zei Edward tegen de man met het pak. U ook.

De man protesteerde.

Edward stak nog een sigaartje op en keek hem zwijgend aan.

Het was een vreemd tafereel. Het tipje van de sigaar gloeide feloranje op wanneer Edward een trekje nam. Verder was alles zilver en wit. De hoge wind had de wolken verdreven.

De hof lag er betoverend bij.

De man met het pak vloekte. Edward bood hem een donkere sjaal aan en hielp hem het ding om te binden, met een stevige knoop. Toen nam hij de man bij de arm.

'Laat ze eruit, Charlie,' zei Edward.

Charlie keek naar Claudio en samen openden ze de zijkant van de wagen. De leeuwen gleden naar buiten, een soepele stroom van gouden vachten in het zilverige maanlicht, lenig, lang en zo fraai dat zelfs Charlie, die hen zo goed kende, zijn adem inhield. De leeuwen omringden hem als een draaikolk van spierkracht en bont. De geblinddoekte mannen stonden er nerveus en onzeker bij. Een van hen zei iets, vroeg iets, maar Edward, met een blik van gefascineerde angst op zijn gezicht, legde hem het zwijgen op.

Zacht mompelend verontschuldigde Charlie zich tegen de leeuwen toen hij hun riemen pakte. Er waren te veel riemen om in zijn eentje vast te houden. De leeuwen zouden over elkaar gestruikeld zijn.

Charlie bood Claudio de leeuwinnen en Elsina aan. En Claudio, met een gezicht vol verbijstering, verwondering en blijdschap, nam in elke hand twee riemen. De leeuwinnen keken naar hem op. De bronzen leeuwin liet een miauwgeluidje horen, om kenbaar te maken dat ze er vrede mee had. De geblinddoekte mannen begonnen ongemakkelijk te schuifelen bij dat geluid. Claudio hield de riemen vast met een air alsof het – nou ja, alsof het zilveren riemen waren met leeuwinnen eraan.

Edward keek geamuseerd naar hem. 'Het is even wennen,' mompelde hij.

'Ja, meneer,' zei Claudio. Maar toen Edward zijn aandacht weer op de trap richtte, keerde Claudio zich naar Charlie om en knipoogde. Elsina trok aan haar riem en hij keek naar haar. Ze klapte met haar oren naar hem. Claudio hield zijn adem in. Charlie had durven zweren dat Elsina lachte.

En zo ging het vreemde gezelschap de enorme, brede trap op, onder de ogen van de reusachtige stenen goden en de alom aanwezige, roerloze leeuwen van steen. De leeuwen leidden de bruine jongen en de lange, blonde Venetiaanse veerman. Dan kwam Edward, bleek en waakzaam, gevolgd door de geblinddoekte knechten die om zich heen tastten, de leuning vastgrepen, struikelden en bibberden van de zenuwen om datgene wat ze niet zien mochten. Ze wilden liever helemaal niet weten wat het was, of wat het zijn kon, dat op zachte poten liep, ademde en brommerige miauwgeluidjes maakte.

Zelfs de traptreden waren versierd met een ingelegd patroon van wijnranken en bladeren. Toen hij omkeek, zag Charlie de vele koepels van de San Marco tegen de nachtelijke hemel afgetekend als een tentenkamp in de woestijn, of als grote dikke kevers. De figuren op de siertorentjes leken op hem neer te kijken toen hij achter Edward en de man met het pak aan de poort door ging en over een breed, met bogen overdekt balkon liep dat uitzicht bood op de binnenhof.

Aan het einde van het balkon zag hij een volgend balkon, dat langs de voorgevel van het palazzo liep. Daarachter, door de donkere silhouetten van de bogen, over het trottoir en het water, kon hij nog net de verlichte ruïnes van San Giorgio zien.

Jemig, dacht hij, het is vlakbij. Hij vroeg zich af waar de doge was geweest toen de stormvloed kwam en het naburige eiland meesleurde. Had hij hier zitten kijken naar de zee die rond het fundament van zijn paleis woedde en zich afgevraagd of hij ook ten onder zou gaan?

Opeens moest Charlie aan de huizen op palen thuis in de Theems denken; wat had hij die leuk gevonden toen hij de rivier af voer met de boot van de waterpolitie. Dat leek wel honderd jaar geleden.

Nu gingen ze linksaf, een deur door en een volgende trap op. Het plafond was belegd met goud ('Zuiver goud,' fluisterde Claudio toen hij Charlie zag staren) en versierd met schilderingen en beelden. En vervolgens werden ze van de ene indrukwekkende naar de volgende prachtige zaal geleid, bij vage verlichting, waardoor de hoeken van de vertrekken in schaduw gehuld bleven.

'Dit zijn de privé-vertrekken van de doge,' mompelde Claudio.

'Hoe zien zijn publieke vertrekken er dan wel niet uit?' piepte Charlie, toen ze door een langwerpige zaal liepen waarvan de wanden beschilderd waren met landkaarten. Midden in de kamer stonden twee zware globes, zo groot dat ze boven Charlie uittorenden; daarboven hingen twee reusachtige, maar tere kroonluchters, knisperend en wit als suiker.

De volgende zaal was behangen met gele zijde en er was een grote open haard van steen. Op de schouw stonden een gevleugelde leeuw en een babyengel die op een dolfijn reed. Het vuur weerkaatste flakkerend en glimmend op de wanden. Daarna kwam een zaal met een grote, donkere wandschildering, waarop een zwarte jongen met een maillot van turkoois iets aanbood aan een heel stel oude, blanke mannen die op rode stoelen om een tafel zaten. Ook hier stond op de schouw het beeld van de leeuw.

Nog meer weelderig versierde gangen.

Nog meer imponerende zalen.

En toen kwamen ze eindelijk bij het vertrek waar de doge hen opwachtte. Edward, de man met het pak en de helft van de lakeien gingen het eerst naar binnen. De man met het pak trok zijn blinddoek af, want nu maakte het niet meer uit of Edward het wel of niet goedvond. Maar hij draaide zich niet om. Hij is echt bang, dacht Charlie. Zijn angst is groter dan zijn nieuwsgierigheid.

Charlie tuurde door de kier van de deur. Daarbinnen, op een troon van goud en rood fluweel, zat een oude, vermoeide man in een donkerrood gewaad met een klein mutsje op, geflankeerd door al even oude raadsheren, ook in het rood gekleed. Zijn gezicht was gerimpeld en zijn mond stond zuinig. Dus zo zag een doge eruit...

Edward begon een voorbereidend praatje: 'Hoogheid, wij brengen u iets buitengewoons, iets luisterrijks en, als ik het zeggen mag, iets wat van groot politiek belang is,' zei hij. 'Wij

hebben u iets te bieden waarmee u de gunst van Venetië te-
rugwint. Uw volk – vergeef me mijn openheid – houdt niet
van u. Dat is geen nieuws voor u. Door dit geschenk zullen de
mensen weer van u gaan houden. Het zal een bewijs voor hen
zijn dat de vloek op Venetië is opgeheven. De pech en tegen-
spoed verdwijnen. Iedereen zal u steunen en op u stemmen,
omdat ú de vloek heeft weggenomen. Wie dan nog tegen u
durft te zijn, keert zich in feite tegen de grote zegen die u het
volk brengt. Voortaan zult u zich alles kunnen veroorloven
wat u wilt.'

'Wat is het dan?' vroeg de doge ongeduldig, met een stem
als krakend crêpepapier. Het klonk alsof er nogal wat voor nodig was om hem te imponeren.

'En al doende,' zei Edward, 'zal de heilige Marcus, in het
Boek der Openbaring gesymboliseerd door een leeuw, terug-
keren in de lagune en hier altijd blijven.' Dat klonk als een ci-
taat. De doge herkende de woorden kennelijk.

'San Marco?' zei hij. 'Wat is dit voor mallepraat?'

'Machtige mallepraat,' zei Edward en zijn ogen straalden.
'Charlie! Claudio! Kom binnen!'

De leeuwen keken elkaar met een grijns aan. En Claudio en
Charlie deden hetzelfde. Het was een afspraak zonder woorden – en de jongens lieten de leren riemen los. Vrij, onver-
vaard en vooral ontzagwekkend sprongen de leeuwen het vertrek van de doge binnen.

TIEN

De kleine auto zoefde verder.

'Op de heenweg gingen we naar het zuiden, dus als we nu naar het noorden rijden tot we een bord zien, gaan we in ieder geval in de goede richting,' zei Aneba.

Ze waren allebei uit hun doen. Magdalena was blij dat ze weer in de buitenlucht was, waar haar longen gevuld werden met gewone, alledaagse vervuiling in plaats van de zoete, koele vergiftigende lucht van de corporatieve gemeenschap, of de stank van de vuilnisbelt.

Aneba was opgelucht dat hij haar terug had, met hersens die weer werkten. Maar ze hadden de afgelopen weken een grote hoeveelheid drugs te verstouwen gekregen, aangevuld met veel verrukkelijk, maar bewerkt en onnatuurlijk eten, vol vreemde suikers en merkwaardige vetten. Daarnaast was hun een lading stompzinnige ideeën toegediend. Hun lichaam was van slag en hun hersens waren moe. Het was een heksentoer geweest om weerstand te bieden aan de motivatiemanager, de medische deskundigen en al die anderen. Nu, voor het eerst in weken, moesten ze weer voor zichzelf denken en hun eigen beslissingen nemen. Ze waren niet vergeten hoe dat moest, maar ze waren het niet meer gewend.

'Geld,' zei Aneba. 'We hebben geld nodig.'

Toen ze bij een kleine stad kwamen, moesten ze besluiten of het veilig was om de geldautomaat te gebruiken, of dat het risico gezien te worden te groot was.

'Als een van ons gaat, zijn we minder herkenbaar,' vond Magdalena. Aneba parkeerde in een stil straatje, weg van de veiligheidscamera's in het centrum. Magdalena liep de binnenstad in, blij dat ze op vrije voeten over een gewoon wegdek liep. Ze had nog nooit zo sterk beseft hoeveel ze van de gewone wereld hield. Ze merkte dat ze liep te glimlachen.

In de hoofdstraat vond ze een geldautomaat, zoals ze al verwacht had. Ze hield haar hand bij het raampje om haar vingerafdrukken te laten lezen en nam alle dirhams op die ze krijgen kon. 'Je weet maar nooit,' mompelde ze. Bovendien zou het raampje registreren dat ze hier was geweest, en als er naar hen gezocht werd zouden de banklijsten misschien nagekeken worden... Hoe minder ze zich bij zo'n raampje vertoonde, hoe beter het was.

De prop geld in haar zak voelde bemoedigend aan. Ze was half en half bang geweest dat de automaat het haar zou weigeren.

'Benzine,' zei Aneba. Dat was moeilijker. Overal waren opladingspunten voor elektrowagens, zelfs in de rimboe, maar benzine kon je niet zomaar kopen – daar had je een vergunning en een leverancier voor nodig. Er waren benzineverkopers op de zwarte markt, maar die moest je wel kennen. Het was een riskante onderneming, voor zowel de kopers als verkopers.

'Is het dat waard?' zei Magdalena.

Ze besloten de auto aan zijn lot over te laten. Toen veranderden ze van gedachte. Hoe moesten ze dan reizen? Ze vielen zo op – die enorme, zwarte man en de witte vrouw met rood haar. Als de Corporatie iemand achter hen aan stuurde – en dat zouden ze zeker doen, want ze hadden hen al eerder ontvoerd – waren ze op slag herkenbaar. En nu waren ze ook nog eens schurken die een auto hadden gestolen. De politie kon hen oppakken.

Weer veranderden ze van gedachte. Een gestolen auto was ook makkelijk op te sporen. Aneba schreef een briefje met: 'Sorry, we moesten wel' en liet het met wat geld op de voorbank achter. 'Dan weten ze dat we het niet kwaad bedoelden,' zci hij.

Ze besloten met de trein te gaan. Maar weer bedachten ze zich: te opvallend. Ze besloten dan maar te gaan lopen. Voor de zoveelste keer veranderden ze van gedachte: zinloos. Het was veel te ver, zo kwamen ze er nooit en opvallend bleven ze ook nog.

Een andere auto stelen? Of een elektrobusje, of een fiets? Nee! Daar waren ze allebei tegen.

Er een kopen, misschien…

Een vermomming aanschaffen…

En welke kant was Parijs eigenlijk op? Waar waren ze?

Het begon op een hopeloze missie te lijken.

'Eerst maar eens een stevige maaltijd,' zei Aneba. Ze gingen terug naar een opladingspunt, dat ze gepasseerd waren toen ze de stad in kwamen. In het bijbehorende café konden ze zich op de wc's een beetje opknappen – de theebladeren uit hun haar plukken en het ergste vuil wegwassen. Ze klopten en veegden hun kleren zo goed mogelijk schoon. Ze zagen er nu wel beter uit en voelden zich ook beter, maar lekker ruiken was er niet bij.

Ze gingen aan een plastic tafeltje zitten en aten gekruide, rode worstjes met rijst en sla. Aan de tafel naast hen zat een groepje Noord-Afrikaanse vrachtwagenchauffeurs, die ook gestopt waren voor een warme hap. Ze raakten met elkaar in gesprek. Een aantal chauffeurs was op weg naar Parijs. Ze waren allemaal bereid dit goedgemanierde echtpaar een lift te geven. Een van hen had een vrachtwagen met een slaapcabine achter de voorbank.

'Ik slaap de hele dag, zodat ik 's nachts kan rijden,' zei hij. 'Ik hou van 's nachts rijden – bijna geen verkeer, en ik ben verliefd op de sterren. Stap maar in en doe een dutje als je wilt.'

Er waren gordijntjes om de cabine mee af te sluiten, flessen water onder het keurige hoofdkussentje, en een Hand van Fatima om de vrachtwagen te zegenen. Er was ook een mobiele telefoon.

'Ik wou dat we Charlie konden bellen,' zei Magdalena, maar Aneba's telefoon lag op de zeebodem.

'Gebruik de mijne gerust, hoor,' zei de vrachtwagenchauffeur, en Magdalena toetste met bonkend hart Charlies nummer in. Ze kreeg geen gehoor. Tja. Dat zou ook wel een wonder zijn geweest. Ze beet op haar lip.

De slaapbank achter de gordijntjes was knus en schoon. Magdalena viel meteen in slaap en had nare dromen door de laatste restanten van de verdovende middelen in haar lijf. Aneba zat nog een uurtje met de chauffeur over politiek te praten en intussen sjeesden ze door Frankrijk, op weg naar Parijs en naar nieuws over hun zoon.

Rafi volgde precies het spoor dat Charlie had afgelegd. De Oriënt-Expres was nog altijd de snelste route van Parijs naar Venetië. Onderweg zat Rafi in de restauratiewagen en hij trakteerde een van de conducteurs op drankjes, waardoor de man hem op verhalen over die malle oude koning Boris trakteerde en erbij zei waar zijn palazzo in Venetië precies stond. Ook wilde hij wel kwijt dat hij bijna zeker wist dat die geheimzinnige leeuwen, waar iedereen over praatte, tijdens de grote sneeuwstorm toch echt in de trein waren geweest, want de schoonmaker had rare, harde, goudkleurige haren gevonden in het badkamertje van de koning, die op zijn beurt twaalf keer meer had gegeten dan anders, en vooral veel grote biefstukken...

(Aan diezelfde conducteur rook Troys scherpe neus een week later de geur van Rafi. Rafi's geur had Troy naar het station geleid en hem daar in de steek gelaten; zonder het te weten leidde de conducteur de hond naar de juiste trein, en de trein bracht hem ten slotte naar Venetië, want het trouwe beest bleef zijn valse baas hardnekkig volgen.)

Rafi zat zich net top te voelen met zijn ontdekkingen, toen hij gebeld werd.

'Sadler, je spreekt met de president-directeur van de corporatieve gemeenschap,' zei de stem.

Rafi's grijns verdween.

'De goederen die je hier bezorgd hebt, zijn verdwenen,' ging de stem verder. 'Ze hebben zichzelf zoekgemaakt.'

Rafi moest bliksemsnel nadenken. Verdwenen! Hoe?

'Wat erg,' zei hij. 'En ik heb er nog zo voor gezorgd dat ik ze in puike conditie bij u afleverde, precies volgens de instructies. Wat vreselijk dat u ze nu kwijt bent.' Hij wilde wel graag duidelijk maken dat het zijn schuld niet was. Dat was het toch ook niet! Als zij Aneba en Magdalena kwijt waren nadat hij ze had afgeleverd, had het niets met hem te maken.

'Een waar woord,' zei de president-directeur minzaam. 'Al

is het wel zo dat wij in een betere onderhandelingspositie zouden zijn om de verloren goederen terug te krijgen, wanneer jij ons de volledige bestelling had geleverd. We zitten nog steeds op de tweede bezorging te wachten, weet je...'

Rafi wist dat maar al te goed. Hij had ook geen moment gedacht dat de corporatiebonzen het zouden vergeten. Ze maakten zich natuurlijk niet druk om Charlie zolang ze zijn ouders hadden, maar nu die verdwenen waren – als ze ontsnapt waren, was dat behoorlijk slim van ze! – hadden Rafi's opdrachtgevers Charlie hard nodig als chantagemiddel.

'Dus breng dat pakket nog even langs, wil je?' zei de president-directeur.

Geen haar op Rafi's hoofd piekerde erover toe te geven dat hij Charlie kwijt was. Dan zouden ze hem nooit meer een opdracht geven. Ze hadden hem vet betaald voor deze klus en het was niet te hopen dat ze hun geld terugeisten. Bovendien zouden zijn naam en reputatie naar de maan zijn. Iedereen zou hem een hopeloze sukkel vinden, een stomme kluns die je niet om een boodschap kon sturen...

'Doe ik,' zei Rafi. Vlug, verzin een smoesje om tijd te winnen... 'Ik heb het pakket veilig ergens opgeborgen, dus heb ik een paar dagen nodig om het te halen, maar ik kom zo snel mogelijk naar u toe. Fijn dat u me op de hoogte hebt gebracht van de situatie. Dank u wel. Ik bel u binnenkort om te zeggen wanneer ik kom. Dag.' Ja, dat klonk prima. Efficiënt, betrouwbaar, volwassen.

Nu hoefde hij alleen nog maar dat pokkenjong op te halen.

Bij de leeuwen op te halen...

Rafi's moed zonk hem in de schoenen. Nadat zijn halve arm eraf gebeten was, had hij het niet zo op leeuwen.

Het vertrek had wanden van rode en gouden zijde; over het hele plafond waren rozetten van goud en turkoois aangebracht. Vergeleken met de zalen waar Charlie en de leeuwen doorheen waren gekomen, was dit vertrek klein, maar toch nog stukken groter dan de meeste kamers die Charlie ooit van zijn leven had gezien voordat hij in Venetië was beland. Maar Charlie en de leeuwen hadden bij hun binnenkomst geen oog voor al die pracht en praal. Ze hadden nauwelijks oog voor de doge zelf, die lijkwit en stokoud op zijn troon zat. Wat ze wel zagen, was dat aan elke wand een reusachtig, in goud omlijst schilderij hing van een bijna levensechte leeuw.

Van dé leeuw.

Op elk schilderij hield hij zijn boek vast, en zijn vleugels stegen sierlijk van zijn schouders op. Op elk schilderij keek hij naar links, wat een effect gaf alsof hij in serie de kamer omcirkelde. Op elk schilderij had hij een stralenkrans en hij stond met zijn voorpoten op het land en met zijn achterpoten in zee. Het leek alsof hij aan de rand van de Giudecca stond, tegenover San Giorgio Maggiore; op een plek die tegenwoordig onder water lag. Alles wat Charlie tot nu toe in dit paleis had gezien leek protserig – een en al machtsvertoon dat moest verbeelden hoe ver de geweldige Venetianen wel gereisd hadden, maar hierdoor vielen ze van hun voetstuk. Hun ook al zo geweldige leeuw stond op een stuk land dat ze hadden moeten afstaan aan de zee. Achter de leeuw was een rozenstruik te zien, waardoor het geheel nog treuriger werd.

En tussen die geschilderde leeuwen en de echte leeuwen, die zich zwaar ademend en kronkelend aan Charlies voeten neerlegden, zat de verbijsterde doge.

Hij keek zijn ogen uit. Hij staarde naar de hele verzameling leeuwen en bekeek ze daarna stuk voor stuk. Toen keek hij naar Charlie en Claudio en daarna langdurig naar Primo, die in het midden lag, met aan zijn linkerzij de leeuwinnen en de andere rechts van hem; Primo met zijn roomkleurige vleugels zacht over zijn zware rug geplooid.

De doge zei niets. Edward wachtte af.

De doge zuchtte.

Toen keek Primo naar Charlie en hij kwam langzaam en loom overeind. Hij draaide zich zijwaarts naar de doge om en keek hem strak en ernstig aan. Toen Primo een poot optilde, drukte Charlie op het knopje van de kleine afstandsbediening die hij op zak had. De schitterende vleugels kwamen omhoog en de veren ruisten zacht.

Primo was de vijfde van de oude leeuwen op de schilderijen. En hij leefde.

De oude man deed zijn ogen dicht en zuchtte diep.

'Ah,' zei hij. 'Mijn god, mijn god.' En toen keek hij op en vroeg: 'Wat is er met zijn kop?'

'Een gewonde kaak,' zei Edward. 'Die zal snel genezen zijn.'

De doge knikte.

'En wat wil je hiervoor in ruil, Edward?'

'Wij willen niets anders dan weer vrienden zijn,' zei Edward. 'Sluit u alstublieft weer vriendschap met koning Boris, met Bulgarije en de Bulgaarse Veiligheidsdienst.'

De doge grinnikte; het was een akelig gezicht.

'Ach zo,' zei hij.

'De jongemannen blijven hier,' zei Edward. 'Zij zorgen voor de leeuwen.'

Charlie vond het leuk dat hij een jongeman werd genoemd, al was het dan door zo'n verraderlijke slang als Edward.

'Ach zo,' zei de doge weer. 'Foscarini, hoe lang duurt het om een parade voor te bereiden?'

'Een paar dagen, hoogheid,' zei een raadsheer.

'Begin er meteen aan,' zei de doge. 'We zullen de Leeuw van San Marco teruggeven aan het volk van Venetië. Het wordt een wonder. Iedereen zal me eeuwig dankbaar zijn en nooit meer durven klagen. Is zijn hoofd even mooi als de rest?'

'Ja, hoogheid,' zei Charlie, die het Italiaans snel oppikte. Edward keek hem met gefronste wenkbrauwen aan.

'Zal zijn hoofd... te zien zijn, na morgen?'

'Ja hoor,' zei Charlie koelbloedig. Geen van die mensen hier kende Primo's geheim. Alleen hij en de leeuwen wisten ervan.

Ze werden ondergebracht in een enorme kamer op de eerste verdieping, met een gouden plafond dat zo overdadig versierd was dat het de zoveelste laag glazuur op een fraaie taart leek. Er waren afbeeldingen van goden die eer betuigden aan Venetië: geweldige, behaarde zeegoden met een grote drietand en groene baarden; prachtige godinnen met tere nachtponnen en smalle, gouden kroontjes. Op elke plaat was Venetië de mooiste dame van allemaal, met gouden haar en een lang gezicht dat aan signora Battistuta deed denken. Half gekleed lag de godin maar wat lui te liggen, met een enorme opgekrulde gouden leeuw aan haar voeten, soms met haar hand op zijn kop; en een enkele keer zat ze op de rug van de leeuw.

Deze kamer lag naast het met bogen overdekte balkon met uitzicht op de piazza waar de twee pilaren stonden. Charlie ging het balkon op, kon de leeuw met de witte ogen boven op zijn pilaar heel duidelijk zien en dacht dat het beest in het maanlicht naar hem grinnikte. Ze waren hier op gelijke hoogte. Hij riep de leeuwen erbij en ze grinnikten terug naar hun bronzen broeder.

Charlie dacht: Sergei weet dat ik hier ben. Het is een makkie voor hem om op dit balkon te komen. Als ik hier blijf rondhangen, vindt Enzo me misschien en dan kan ik hem een boodschap aan Sergei laten brengen om uit te leggen dat ik het niet kwaad bedoelde... Hij keek uit over de piazza San Marco en zond in stilte berichten naar Sergei, smeekte hem terug te komen. Van ver op het plein kwamen de vrolijke klanken van een prachtige melodie. Charlie herkende het liedje over Elena, dat Claudio onder het punteren zong, nu gespeeld door een klein orkest buiten het mooiste café op de piazza. Het klonk verlangend en danserig tegelijk, en Charlie voelde de klanken tot in zijn botten.

Paradelied

Charlie had veel over zijn verantwoordelijkheden nagedacht. En over wat Sergei had gezegd. Hij was tot de conclusie gekomen dat zijn ouders, als ze vrij waren en zich goed voelden, hem waarschijnlijk na reisden naar Venetië. In dat geval was het een slecht idee om naar Marokko te vertrekken, of in ieder geval, om nú naar Marokko te gaan. Misschien moest hij... tja, misschien moest hij nog maar blijven.

Maar de leeuwen dan? Hoe konden ze zonder hem wegkomen?

Kon hij het ze vragen? Zouden ze zich in de steek gelaten voelen?

Hij kon bijna niet meer slapen van dit gepieker.

Toen ze weer naar binnen gingen, nam Claudio hem apart. Hij was ongerust. In zijn gewone doen was hij ontspannen, zelfverzekerd en kalm, maar nu was hij zenuwachtig. Hij plukte aan zijn vingers.

'Hoe werkt het?' vroeg Claudio uiteindelijk.

'Hoe werkt wat?' vroeg Charlie bezorgd.

Claudio staarde hem aan.

'Hoe doe je dat toch, vriend?' barstte hij uit. 'Ik moet het weten – als ik hier bij die wilde dieren moet blijven, in het vertrouwen dat ze niet wild genoeg zijn om me op te vreten... Hoe lukt jou dat?'

Charlie wikte en woog. Hij vond het wel een redelijke vraag van Claudio. En hij vroeg het tenminste op de man af. En hij wilde hen helpen. Hij hielp hen al. Zonder hem zouden ze hier voor eeuwig en altijd vastzitten. En Charlie en de leeuwen wilden hier toch echt niet eeuwig blijven, ook al had het zo z'n voordelen – vooral nu een late lekkernij was gebracht, rundvlees voor de leeuwen en voor de jongens giandutto, een verrukkelijk soort chocola dat overladen was met slagroom.

'Praat je met ze?' vroeg Claudio. 'Je hoeft alleen maar ja of nee te zeggen. Ik heb op je gelet – en het is net alsof je met ze kunt praten. Zeg eens eerlijk. Ik zal het nooit, nooit, nooit van mijn leven tegen iemand zeggen. Helemaal nooit. Tegen niemand.'

Charlie kon niet goed liegen. Hij kon niet eens goed bedriegen.

'Ja,' zei hij.

Claudio's lichte ogen werden twee keer zo groot. Toen begon hij van enthousiasme de grote gouden kamer rond te dansen. Hij maakte een radslag waar signor Lucidi trots op had kunnen zijn. Hij sloeg zijn armen om Charlie heen, sloeg zijn armen om zichzelf heen en hij sloeg bijna – maar nog net niet – zijn armen om de leeuwen heen.

Toen ging hij op zijn knieën voor Elsina zitten en zei tegen haar, heel langzaam: 'Hallo, mooie meisjesleeuw, gaat het goed met je? Ik vind je erg leuk.'

Charlie schoot in de lach. De leeuwen wiebelden met hun oren en de zilveren leeuwin moest hoesten. De oudste leeuw legde zijn poot tegen zijn neus.

Elsina gaf al even langzaam antwoord: 'Het gaat heel goed met me, dank je, mooie gondelier. En hoe gaat het met jou?'

Toen Charlie dit voor Claudio vertaalde, was Claudio zo gelukkig dat je zou denken dat hij verliefd was. En misschien was hij dat ook wel.

De jonge leeuw proestte van het lachen. Heel even had Charlie, die bij de leeuwen zat, het gevoel dat hij ook een leeuw was en Claudio de enige mens in de kamer. Het werd een vrolijke boel.

Alleen Primo deed er niet aan mee.

De jonge leeuw merkte het en stootte Charlie aan.

Claudio merkte het ook.

'Wat is er, Primo?' vroeg Charlie.

'Ik ben moe,' zei Primo. 'Gewoon moe.'

Er waren bedden voor de jongens neergezet – grote smeed-ijzeren ledikanten, met dikke matrassen, grove linnen lakens en engelen aan het hoofdeind – en er lagen vloerkleden en balen vers geurende stro voor de leeuwen. Claudio trok het stro van een baal los en spreidde het uit om het Primo gemakkelijk te maken. Toen Primo ging liggen, met een dankbaar knikje, bleef Claudio even bij hem staan en bekeek hem aandachtig.

'Fraai, vreemd dier,' prevelde hij.

Het werd tijd dat de leeuwen gingen slapen. Voor Charlie was het ook tijd, maar hij en Claudio hadden nog veel te bespreken om een plan te maken.

Het was een rare gewaarwording om op het balkon van de doge een plan uit te broeden waarmee ze de heerser ten val konden brengen. De maan keek op hen neer, maar Charlie had het gevoel dat zelfs de maan aan hun kant stond en hen niet zou verraden.

'Het zit dus zo,' zei Claudio zacht en dringend, 'de doge deugt niet. Bijna iedereen wil van hem af. Veel mensen hebben plannen beraamd die niet doorgingen, veel mensen wachten op een leider, op het goede moment, op iemand die zegt: NU! Hier, en nu, is het moment aangebroken. Als wij, het botenvolk, de *gondolieri*, tegen de mensen zeggen dat de leeuw van Venetië terug is en dat de doge hem heeft opgesloten, zullen de Venetianen voor de leeuw opkomen en dan is het: arriverderci, doge. Wij kunnen hetzelfde doen wat de doge van plan is. Wij kunnen het symbool van het geluk gebruiken.'

'Dat is linke soep,' fluisterde Charlie.

'De Venetianen deugen wél! En we kennen elkaar door en door. Als wij zorgen dat het nieuws bekend wordt, zal iedereen meewerken. En jij, Charlie, bent er natuurlijk ook nog – de *famoso* bruine engel van de zieke kinderen...'

'Ik wil niet beroemd zijn,' zei Charlie.

'Help ons,' fluisterde Claudio, 'en dan helpen wij jou. We kunnen alle voorbereidingen voor je ontsnapping treffen. Je wilt toch naar Afrika? Van ons kun je een boot en proviand voor onderweg krijgen... en als je wilt, ga ik zelf mee!'

'En Primo dan?'

'Die gaat ook mee! Als hij eenmaal de zegen over Venetië heeft uitgeroepen en we de doge en zijn mensen in de gevangenis hebben gegooid, kan hij mee naar Afrika. Dat zal niemand erg vinden. Een wonder hoeft niet eeuwig te duren.'

Een boot, dacht Charlie. Eten en drinken voor onderweg. En een schipper! Nu zit er eindelijk schot in.

ELF

Na hun nachtelijke gesprek glipte Claudio nog voor zonsopgang het balkon op, gleed langs een pilaar naar de piazza en
ging naar een bar waar de gondeliers samenkwamen om sterke koffie te drinken voordat ze aan hun dagtaak begonnen.
Daar praatte hij met zijn vrienden.

Binnen een uur wisten alle gondeliers en de helft van de andere schippers van Venetië en de omringende eilanden dat die
stomme ouwe doge, die hun stad had laten verwoesten en
geen haar beter was dan de fascisten, op wonderbaarlijke wij-
ze in zijn palazzo de Leeuw van San Marco had opgesloten en
hem met zijn leeuwenvrienden en hun jonge bruine verzorger
gevangen hield. Ze wisten ook dat de doge van plan was heel
Venetië te imponeren door de leeuw tijdens een parade aan de
stad te presenteren, maar dat de leeuw zelf alleen de stad wilde zegenen en dan doorreizen naar – tja, dat laatste stukje
moest Claudio nog uitwerken. Maar de schippers begrepen
de strekking. Met de beste bedoelingen was de wonderleeuw,
in het gezelschap van zijn broeders en zusters, na al die jaren
weer op bezoek in zijn geliefde Venetië om de banvloek op te

heffen en de stad in deze barre tijd geluk te brengen, maar de doge had het hele gezelschap opgesloten.

'Wát heeft-ie gedaan?' riep Claudio's neef Gabriele uit.

'Die slang!' siste Vittorio, de broer van Gabrieles vriendin.

'Dat gaat zomaar niet!' barstte Vittorio's oom Leon uit.

'Met welk recht eist de doge de glorie van de leeuw voor zichzelf op?' tierde Leons broer Franco.

'De leeuw is van Venetië, niet van de doge!' riep Franco's nichtje Carlotta (ja, er zijn ook vrouwelijke gondeliers). 'Onze leeuw moet vrij zijn!'

'En als je het zo bekijkt,' zei Claudio, 'waarom is Venetië eigenlijk niet vrij? Waarom klagen we steen en been over die ellendige doge en doen we er niets tegen?'

'Die *porco di un* doge!' mopperde Carlotta's vriend Alessandro. 'Genoeg is genoeg!'

De anderen stemden daarmee in.

Claudio neuriede zijn liedje terwijl het protest aanzwol. Toen zei hij: 'Luister. Dit is het plan...'

Alessandro had zijn telefoontje thuisgelaten. Het was zijn werk om de lampen van de elektrische verlichting in de bakens rond de lagune aan te steken. Zijn moeder, die wist dat hij altijd met zijn vriendin belde terwijl hij in zijn bootje rondscheurde, bracht hem zijn telefoon na, want ze wist ook dat hij voor het werk koffiedronk in de bar. Onderweg kwam ze een vriendin tegen – de moeder van Gabriele – die op weg was naar de markt. In de bar luisterden de twee moeders geboeid naar het gesprek. Ze waren hevig geïnteresseerd in Caudio's verhaal over de bruine jongen, die samen met de leeuwen in het Palazzo Bulgaria was geweest.

'*L'Angelo!*' riepen ze uit. 'De bruine engel van de kinderen met astma is de vriend van de Leeuw van San Marco!' De moeders waren verwonderd en opgetogen.

Het verbaasde de schippers veel minder te horen dat de menselijke metgezel van de Leeuw een engel was – wie stond daar nou van te kijken? Natuurlijk was de Leeuw van San Marco naar Venetië teruggekomen met een engel, die wonderen verrichtte, om de noodlijdende bevolking van zijn stad geluk te brengen en korte metten te maken met die egoïstische, hebberige, fantasicloze, nutteloze, corrupte, oude doge... Dat sprak toch vanzelf!

Claudio en Alessandro hadden er een hele kluif aan om de moeders ervan te weerhouden regelrecht naar het paleis van de doge te gaan en zich daar met kaarsen, bloemen en strandstoelen te installeren.

'Nog niet,' zeiden ze. 'Nog niet. We hebben een plan.'

'Wat dan?' vroegen de moeders van de schippers.

Toen het plan hun werd uitgelegd, zeiden de moeders: 'Dat zal tijd worden!'

Daarna gingen ze als een haas naar de Rialto, naar de markt, naar de kerk en naar de piazza achter Palazzo Bulgaria om het plan rond te bazuinen. Het duurde niet lang of heel Venetië was op de hoogte van de grote parade van de doge, waarbij de mensen eindelijk de kans zouden krijgen om hem in te peperen wat ze van hem vonden. Iedereen in Venetië besefte dat er een revolutie op handen was.

Dat gold ook voor een kaalkontige, lichtogige, scheeforige kat, die op de vismarkt tussen het visafval scharrelde.

Zo zo, dacht hij, en al kauwend dacht hij er verder over na.

En het gold ook voor een knappe jongeman met een genezende arm die er moe uitzag. Hij was even tevoren met de Oriënt-Expres aangekomen en zat koffie te drinken in een café bij het station. Een meisje uit het Imperium, die 's middags terug zou gaan naar de Thuislanden, zat half in het Engels en half in het Italiaans tegen haar Venetiaanse vriendje te vertellen dat ze veel liever hier wilde blijven, nu het erom ging spannen met die leeuwen en zo. Het vriendje moedigde haar gretig aan om te blijven. 'We schrijven geschiedenis!' zei hij. 'Met de leeuwen en de bruine engel is het lot Venetië goedgezind! We krijgen onze grote kans! Blijf erbij! Je kunt de leeuwen en ons helpen Venetië te bevrijden!'

'*Questi Leoni*,' zei de serveerster. '*E l'Angelo, credi sia possibile, che è vero, e che abbiamo ancora il nostra Santo qui a Venezia?*' Het hele café bemoeide zich ermee. Leeuwen, bruine engel, paleis van de doge, grote parade…

Rafi kon het aardig volgen. Charlie en de leeuwen waren hier beroemd, iedereen had van ze gehoord en was dol op ze, en ze zaten opgesloten in het paleis van de heerser.

Dan moest hij een wel bijzonder uitgekookt plan bedenken om dat aanbeden joch onder al die Venetiaanse neuzen weg te kapen. Geweld zou niet helpen. Superslimheid was het enige wat hem redden kon.

Maar ze zouden in ieder geval dat paleis uit moeten voor die parade.

Rafi dronk zijn koffie op en ging op weg naar het paleis. Hij moest die luxueuze gevangenis eerst maar eens bekijken en dan bedenken wat hij het beste kon doen…

Toen hij buitenkwam, keek hij eventjes om zich heen of hij Troy ook zag. Eventjes voelde hij zich treurig toen hij zich herinnerde dat zijn hond hem in de steek had gelaten. Toen haalde hij verachtelijk zijn schouders op. In mijn eentje kan ik toch beter opschieten, dacht hij.

Even na zonsopgang kwamen Magdalena en Aneba in Parijs aan. De vrachtwagenchauffeur zette hen af in de buurt van de Bastille.

'Maakt me niet uit,' zei hij. 'Mijn broer woont hier verder-op aan de rivier en ik moest toch deze kant op om hem oud ijzer te brengen. Het circus ligt daar.' Hij wees over de reling van de brug. 'Zie je dat grote karmozijnrode schip? Dat is het circus van monsieur Thibaudet. Succes ermee!'

Magdalena en Aneba stonden op de brug en keken neer op de Circe, het verbluffende circusschip. Midden op het dek stond de grote tent, waarvan de hardroze en witte strepen zacht glansden in de vroege ochtendnevel. Het grote, prachti-ge boegbeeld was te zien, met haar goudrode haar en onge-naakbare glimlach. In haar ogen scheen een vaag licht, dat uit het vreemdvormige hutje kwam waar de tweeling Lara en Tara op dat moment net uit bed kwamen. De hoge schoorstenen stonden trots in de lucht en in de getouwen was beweging: Charlie had zijn ouders kunnen vertellen dat signor Lucidi en zijn hele familie daar hun acrobatiekoefeningen deden, zoals altijd bij het ochtendgloren. Straks zou het hele schip een en al bruisende activiteit zijn, wanneer iedereen wakker werd, een douche nam, ging ontbijten, collega's ging begroeten, de die-renkooien ging schoonmaken en aan hun training en andere dagtaken ging beginnen.

Aneba wilde niets liever dan er meteen op af, het hele circus wakker maken en een hoop trammelant schoppen. Magdalena hield hem tegen.

'Laten we nou maar eerst een hotelkamer zoeken, ons was-sen, ontbijten, schone kleren kopen en op een fatsoenlijk tijd-stip een beetje goed voor de dag komen,' zei ze. Met tegenzin stemde Aneba toe. Om vijf uur 's ochtends uitgehongerd en

smerig aan komen zetten was waarschijnlijk niet de beste be-
nadering om zijn zin te krijgen. Maar nu ze niet meer in de
klauwen van de Corporatie waren, wilde hij zijn zoon terug.
Hij wilde heel, heel erg graag zijn zoon terug.

'Ik ook,' zei Magdalena. 'Daarom moeten we zorgvuldig te
werk gaan. Denk er wel aan dat Charlie er met hun leeuwen
vandoor is. Zo blij zullen ze niet met hem zijn.'

Drie uur later liepen Aneba en Magdalena naar de loopplank
van de Circe. Aneba droeg een schoon, wit overhemd en een
chic zwart pak; ze waren vijf winkels af geweest voordat ze
zijn maat konden krijgen. Hij had zijn kin en schedel geschoren. Zijn gouden tand glom. Hij zag er knap en indrukwekkend uit, een man die niet met zich liet sollen. Magdalena
had een wit T-shirt gekocht, een spijkerbroek en nieuwe
laarzen.

Ze liepen naar het dek. De toegang was met een ketting afgesloten.

'Het loket is nog dicht,' zei een mooie dame, met een krullende zwarte baard, in het Frans. 'U kunt na twaalf uur terecht
voor kaartjes.'

'We komen niet voor kaartjes,' zei Aneba minzaam. 'We komen voor majoor Thibaudet.'

De baarddame keek hem aan. Toen keek ze naar Magdalena.

'Bent u Engels?' vroeg ze beleefd.

'Ja,' zei Magdalena. Dat was makkelijker dan uit te moeten
leggen dat Aneba Ghanees was maar in Engeland woonde.

De baarddame keek peinzend.

'Kom,' zei ze. 'Ik zal u bij hem brengen.'

Toen ze voor hen uit over het dek liep, kwam er een jongen
met sproeten en krulhaar op hen afgerend.

'Hoi, madame,' zei hij. 'Eh...' En hij bekeek Aneba en Magdalena met grote interesse en vuurde toen een vragende blik op de baarddame af.

Aneba en Magdalena keken elkaar ook vragend aan. Wat speelde zich hier af?

'Pardon,' zei de baarddame, die Magdalena's arm greep en haar snel een nis tussen twee hutten in trok. Aneba, aangespoord door de jongen met sproeten, ging bliksemsnel achter hen aan.

'Bent u wie ik denk dat u bent?' fluisterde ze. De jongen met de sproeten staarde hen nieuwsgierig aan.

'Wie denkt u dan dat wij zijn?' vroeg Aneba, op zijn hoede.

'We denken dat jullie de ouders van Charlie zijn!' zei de sproetenjongen. 'De ouders die verdwenen waren, enne...' De baarddame legde hem met één blik het zwijgen op.

'Zijn jullie zijn ouders?' fluisterde ze.

'Ja,' zei Aneba. 'Dat zijn we. En wie bent u?'

'Ik ben madame Barbue,' zei de baarddame. 'Dit is Julius. We zijn vrienden van uw zoon. Tenminste, we waren zijn vrienden. Voordat...' Ze wisten allemaal wat ze bedoelde. Voordat Charlie met de leeuwen op de loop was gegaan.

'En nu?' vroeg Magdalena. 'Wilt u nu niet meer met hem bevriend zijn?' Ze vroeg zich af of ze boos op hem waren omdat hij ervandoor was met de leeuwen, of omdat hij zijn vrienden niets verteld had.

'Dat ligt wat moeilijk,' zei madame Barbue. 'We horen niets meer van hem, we weten niet wat we ervan denken moeten...'

'Alsof we iets van hem kunnen horen!' riep Julius uit. Het klonk alsof ze deze discussie al veel vaker hadden gevoerd. 'Hij weet dat Maccomo en majoor Tib razend op hem zijn, dat er een beloning op zijn hoofd staat, dat de politie en iedereen hem zoekt... Hoe kan hij het dan riskeren om contact op te nemen? Daarom kon hij ons ook niet vertellen wat hij doen ging...'

'Hij had het ons best kunnen vertellen,' mopperde madame Barbue. 'We zouden hem gesteund hebben. Wij hebben begrip voor de dieren...'

'Dat kon hij niet weten,' zei Julius. 'Hij kon dat risico niet lopen. Hoe kon hij nou weten dat we hém zouden steunen, in plaats van majoor Tib?'

'Ja, maar toch had hij ons moeten vertrouwen,' zei madame Barbue. Plotseling keek ze zijn ouders strak aan. 'Ach, hier hebben we al zo vaak over geruzied. Maar wat komt u doen? Hem zoeken? U weet toch dat hij hier niet is.'

'We moeten erachter komen waar hij wél is,' zei Aneba. 'We dachten dat majoor Tib misschien...'

'Ga maar liever niet met hem praten,' zei Julius. 'Zodra hij Charlies naam hoort, loopt hij paars aan en begint met cognacflessen te smijten. Hij is razend, vooral omdat Maccomo ook verdwenen is. Het blijkt dat Maccomo de leeuwen een verdovend middel gaf en majoor Tib is woest omdat dat streng verboden is en hij er een hoop gelazer mee kan krijgen. De sfeer hier is om te snijden... Dus jullie weten niet waar Charlie is?'

'Nee,' zeiden Magdalena en Aneba tegelijk. 'Jullie wel?'

'Nee,' zei madame Barbue.

'Nee,' zei Julius.

Ze stonden elkaar ongelukkig aan te kijken.

'Enig idee?' vroeg Aneba.

Ze stonden zwijgend bij elkaar.

'Nou...' zei Julius toen.

Iedereen keek hem vol verwachting aan.

'Ik weet wel bijna zeker,' zei hij, 'dat de leeuwen naar huis terug willen.'

'Natuurlijk!' riep Magdalena uit. 'Waar komen ze vandaan?'

'Dat weet ik niet,' zei Julius ongelukkig. 'Maccomo weet het vast wel, maar...'

Daar hadden ze niets aan. Maccomo was er niet.

'Mabel weet het misschien,' zei madame Barbue.

'Mabel?' herhaalde Aneba. 'Wie is dat?'

Op de dag van de parade voeren de leeuwen, Charlie, Claudio en de doge in de staatsiegondel om de eilanden naar de Arsenale, de scheepswerf waar de Bucintoro lag. Charlie had al gehoord dat de Bucintoro een prachtschip was, maar toen hij hem zag liggen in de brede, gladde baai van de werf, keek hij zijn ogen uit.

Het was een lange sloep, opgebouwd als een huis – en van top tot teen bedekt met goud. Ook deze overdadige goudlaag had veel van het glazuur op een prachttaart, zoals Charlie het al van de Venetiaanse plafonds kende. De randen waren getooid met beelden van gevleugelde vrouwen, weelderige wijnranken en sfinxen. Op het achterdek stonden twee gouden leeuwen en op de voorsteven Vrouwe Justitia, meer dan levensgroot, met haar weegschaal en wetboek onder een gouden parasol. Natuurlijk was er ook een grote gouden troon voor de doge – en op de boegspriet, voor het schip uit alsof hij het geheel leidde, stond een fraaie, glimmende, gouden leeuw.

De vloeren waren van glanzend gewreven hout, de banken en wanden van rood fluweel. Het schip was drieënveertig meter lang en achtenhalve meter hoog, werd voortgeroeid door vierenveertig mannen, vier aan elke roeispaan, en over de lange, glimmende bladen van de roeispanen liepen rode strepen. Om de versiering te vervolmaken waren er overal gouden vazen vastgeklonken, vol lelies, die hun zoete geur aan de lucht afgaven. Een reusachtige lap van karmozijnrood brokaat viel wijd vanaf het hoge, gebeeldhouwde, vergulde baldakijn op de achtersteven naar beneden in zee, met op de randen grote kurken om de sleep drijvend te houden.

Met dit schip maakte de doge zijn jaarlijkse rondvaart om met de zee te trouwen; met dit schip ging hij nu op weg om de smilodon Primo te presenteren als de Leeuw van San Marco.

De andere schepen, gondels, vissersboten, watertaxi's en elk ander denkbaar varend voertuig dat deel zou nemen aan de parade, lagen langs de route te wachten om zich bij de vloot te voegen. Een deel verzamelde zich al in de Bacino van San Marco – wat niet alleen waterbekken betekent, maar ook klein kusje. De Bacino, aan het einde van het Canal Grande tegenover het paleis van de doge, was de Dam, het Piccadilly Circus, de Piazza Navona van de Venetiaanse waterwegen. Het bruisend centrum van de stad.

Terwijl de roeispanen ritmisch op en neer gingen, voer de Bucintoro langzaam naar de kade waar het gezelschap van de doge wachtte om aan boord te gaan. Een grote trommel gaf de maat aan voor de roeiers; het bom-bom-bom was een sussend geluid. Water sijpelde van de bladen van de roeispanen wanneer ze boven aan de slag even stilhielden. Toen de boot langszij lag, sprongen de leeuwen blij aan boord. De doge wankelde de boot op, geholpen door een aantal mannen in middeleeuwse kostuums die afstamden van families waarvan altijd wel iemand een doge had geassisteerd bij het aan boord gaan van de Bucintoro. Traag stommelde de doge naar de boeg en ging hijgend op zijn gouden troon zitten.

Charlie, die uitgedost was als de jongen op het schilderij, met een dichtgeregen wambuis, dat een ouderwets shirt was, en een fluwelen maillot waarvan één been rood was en het andere goud, moest aan de voeten van de doge komen zitten. Kennelijk was dit een grote eer, maar Charlie vond het balen, omdat hij veel liever op dat fantastische schip op onderzoek was uitgegaan. Hij had op de rug van de leeuwen willen klimmen, over de reling willen hangen om voorbijgangers toe te schreeuwen en van alles in het water te gooien. Maar geen van zijn wensen stond op de agenda; hij moest aan de voeten van de doge zitten, als een engel op een van die schilderijen waarop de macht van Venetië werd uitgebeeld, en net als op die schilderijen moesten de leeuwen om de troon liggen, met hun scharlakenrode halsbanden en kettingen van zilver.

Alleen Primo moest rechtop blijven staan, op het kleine podium vlak boven de parasol van Vrouwe Justitia, zodat iedereen hem goed zou kunnen zien. In zijn poten moest hij een groot boek houden dat de doge te voorschijn had getoverd.

'En bij welke pagina ligt het boek open, denk je?' zei Claudio zachtjes. 'Bij: "Vrijheid en gerechtigheid voor iedereen"? Of bij: "Geef me al je geld en waag het niet te klagen"?'

Charlie herinnerde zich dat Napoleon de woorden op het boek veranderd had om het volk van Venetië op andere gedachten te brengen. Wat zou hij zelf schrijven, als hij met zijn geschrijf de gedachten van een volk kon veranderen?

Primo had zijn verband nog om.

'Doe dat af,' zei de doge.

'Straks,' zei Charlie.

De doge keek kwaad, maar hij zei alleen: 'Voordat we bij het Canal Grande zijn.'

Charlie glimlachte beleefd.

De roeiers zaten op hun plaats in het benedendek van de grote staatsiesloep. Het waren scheepsbouwers van de Arsenale. Claudio kende het merendeel en ging een praatje maken. Ze grinnikten naar elkaar en sloegen veelvuldig de handen in elkaar. Charlie, die onrustig wiebelend aan de voeten van de doge zat, kon net in het roeiersgedeelte kijken. Hij was jaloers.

Claudio floot zijn liedje toen hij weer bovendeks kwam en ging naast hem zitten. De doge had liever niet zo'n ordinaire gondelier aan zijn voeten gehad, maar Charlie had erop aangedrongen, en de doge had snel door dat hij aardig voor Charlie moest zijn als hij wilde dat de leeuwen zich zouden gedragen (en dat wilde hij erg graag). Ook had de doge opgemerkt dat de leeuwenriemen erg dun waren en het was niet zo'n gek idee om een sterke jonge kerel in de buurt te hebben, voor alle zekerheid. Er stond natuurlijk ook een rij deftig geklede en zwaarbewapende bewakers achter hem, maar eerlijk gezegd zag geen van hen eruit alsof ze ook maar het flauwste benul hadden wat ze moesten doen als er een leeuw losbrak. De doge had overwogen om de leeuwen in een kooi te stoppen, maar het effect van de Leeuw van San Marco in een kooi was lang niet zo mooi als het effect van de Leeuw van San Marco die vrij, fraai en vrijwillig boven op de Bucintoro stond, zonder de doge op te vreten. Nee, hij moest wel aardig blijven voor die bruine jongen en zijn blonde kameraad.

De Bucintoro ging om het hoofdeiland heen. De lagune, met de verre eilandjes Murano en Burano, strekte zich rechts van hen uit. Charlie vond het heerlijk dat hij zo ver kon kijken, nadat hij zo lang opgesloten was geweest. Het water klotste tegen de zijkanten van het schip, de roeispanen gingen ritmisch op en neer en de Bucintoro gleed sierlijk verder, een groot gouden pronkstuk op het grijsgroene water. Charlie merkte dat hij meeneuriede met het mooie gondellied; vandaag klonk het vrolijk en danserig zonder een spoortje treurigheid.

Toen Rafi bij de Piazza San Marco kwam was het nog vroeg, maar de mensen verzamelden zich al voor de parade. Voorzichtig baande hij zich een weg door de menigte in de richting van het paleis van de doge. Hij had geen tijd om het paleis vanbinnen te doorzoeken, maar in één oogopslag zag hij al dat het hem ook nooit zou zijn gelukt: de zware deuren, de hoge poorten, de rijen bewakers.

Hij liep verder naar de kade van de Bacino, tussen de twee pilaren door, zonder te kunnen weten dat je er nooit ofte nimmer tussendoor mocht lopen omdat het ongeluk bracht, zoals Claudio aan Charlie had verteld.

Rafi staarde naar de ruïnes van San Giorgio Maggiore. Daar ging hij de bolle brug op, draaide zich op het hoogste punt om en zag de Brug der Zuchten, die van het paleis over een smal kanaal naar de cellen aan de overkant liep.

Hij keek naar beneden en zag een mooie, ranke boot op zonne-energie liggen, die door twee jonge kerels werd volgeladen. Ze praatten zacht en ernstig met elkaar.

Rafi was van nature nieuwsgierig. Hij ging de treden af en boog zijn hoofd. 'Leoni', hoorde hij, en ook 'Charlie'. Hij bleef staan. De meeste Venetianen hadden het over 'de bruine engel'. Wie waren die gozers, dat ze Charlie bij naam kenden?

Hij leunde met zijn rug tegen de balustrade, boog zich achterover en deed alsof hij het uitzicht bewonderde. De stemmen waren nu beter te horen, maar het gesprek ging helemaal in het Italiaans. Rafi kon er geen brood van bakken. Hij draaide zich om en boog zich over de leuning alsof hij nu de Brug der Zuchten bewonderde. Achter zijn zonnebril hielden zijn ogen de jongens in de boot in de gaten.

Een van hen legde een leren tas in een kastje: '*Sta più sicuro qui*,' zei hij.

Het kon Rafi niet schelen wat dat betekende. Het was genoeg dat hij de tas herkende. Dat was de tas die Charlie al die weken geleden van huis had meegenomen.

Rafi's hersens maakten overuren.

Hij wilde die tas hebben. Er zaten spullen in waar Charlie waarde aan hechtte. Rafi moest en zou die tas hebben. Maar hoe...?

Hij had geen tijd om er lang over na te denken.

Maar hij had ook niet veel tijd nodig om te struikelen, alsof hij een por kreeg, een geërgerde schreeuw van protest te geven en tegelijkertijd het kleine meisje dat vlak naast hem stond het kanaal in te duwen, net voor de ranke boot. Meteen brak overal chaos uit, terwijl het meisje spartelend en gillend in het water lag en de mensen die bij haar hoorden paniekerig schreeuwend naar de kade renden. Een van de jongens op de boot holde naar de boeg en gooide het kind een reddingsboei toe, en de ander sprong met veel geplons en lawaai in het water om haar te redden. Het kostte Rafi geen enkele moeite te doen alsof hij ook te hulp schoot toen hij de boot op struikelde, terwijl hij in werkelijkheid zijn kans schoon zag om over Charlies tas heen te vallen. Hij graaide naar de riem, want hij wilde de hele tas onder zijn leren jas schuiven en wegwezen, maar in plaats daarvan kreeg hij alleen de opening te pakken. Hij liet zijn hand in de tas glijden.

Hij voelde – ja, wat was het? Een koel, glad, hard ding, en een stukje papier. Terwijl hij zijn bezorgde toneelspel om het kind voortzette, schoof hij de voorwerpen in zijn diepe jaszak en schreeuwde: 'Is alles goed met haar? Grote goden, wie gaf me die duw?'

En nog voordat de rust weerkeerde en iemand hem kon vragen wat hij in vredesnaam aan het doen was, nam hij bliksemsnel de benen.

Charlie keek over de lagune en zijn ogen werden getrokken door het kolkende water rond een lage berg puin, die iets boven het water uitstak. Zacht deinend op het tij lag een drijvend dok bij de puinhoop aangemeerd, met een enorm kruisteken erop, moederziel alleen en verlaten in het verder zo gladde water van de lagune.

Claudio zag Charlie ernaar kijken en sloeg een kruisteken.

'Wat is dat?' vroeg Charlie.

'San Michele,' zei Claudio.

'Ja, en?'

'Ooit een prachtige kerk, met een prachtig *convento...*'

Hm, dacht Charlie.

'En...' Claudio zag eruit alsof hij een beetje misselijk werd. 'Het was het eiland met ons kerkhof.'

Charlie keek naar het woelige water om het verdronken eiland. Op die plek was het water donkerder. Het leek alsof het heldere, vroege ochtendlicht er geen vat op kreeg.

'O,' zei Charlie zacht. Hij dacht aan verdronken skeletten, en herinnerde zich een gedicht dat zijn moeder hem eens had voorgelezen: 'Vijftig vadem diep is het zeemansgraf, van de man die voor ons zijn leven gaf...' of iets in die geest. Maar om nog te verdrinken als je allang begraven was...

Dat arme Venetië! Het liedje in zijn hoofd klonk weer een stuk triester.

Op dat moment streek er een musje neer op het gouden taartglazuur vlak bij Charlies hoofd. Zijn geschubde pootjes grepen zich vast om het oor van een gouden nimf en hij knikte druk met zijn kopje.

Geesten leven verder, dacht Charlie, en hij wist niet waar die gedachte vandaan kwam. Lichamen gaan dood, gebouwen storten in en wereldrijken vergaan, maar geesten leven verder.

Vier kleinere sloepen, die op hun komst hadden gewacht, voeren nu achter de Bucintoro aan als deftige babyeendjes achter hun statige moeder. Op twee boten zaten musici zo luid als ze konden te spelen op de maat die de voerman van het staatsieschip met zijn trommelslag aangaf. Op de twee andere schepen zaten glasblazers, die prachtige leeuwtjes van glas bliezen en ze naar de kinderen op de kade gooiden. Steeds meer bootjes kwamen van alle kanten aangevaren om zich bij de parade te voegen. In vergelijking waren het bijna allemaal haveloze, armetierige bootjes, maar ze waren uitbundig versierd. In het tuig en aan de dollen hingen linten en slingers, er lagen rode en gouden lappen over het houtwerk, en natuurlijk voerden ze de Venetiaanse vlag met de leeuw in goud en rood. Achter sommige schepen dreven, net als bij de Bucintoro, rode slepen.

Toen ze de bocht van het Canal Cannaregio om gingen, kwamen er mooiere schepen bij en op het moment dat ze op het Canal Grande kwamen, werden de boten nog prachtiger. Toen ze langs de palazzi gleden die Charlie op zijn dag van aankomst had gezien, zag hij overal opgewonden, blije mensen. Ze gingen onder de Rialtobrug door en de bevolking strooide rozenblaadjes over hen uit. Op de balkonnetjes onderweg werden ballonnen opgelaten. Rijendik stonden de mensen langs de kade en uit de ramen langs de route hingen nog meer mensen die begonnen te juichen en zingen zodra Primo in zicht kwam. De toeschouwers konden hun verwondering niet op toen ze beseften dat de Leeuw van San Marco echt was.

De leeuw was terug in Venetië! Er rustte weer zegen op hun stad!

Overal langs het Canal Grande zag Charlie figuren in rode en gouden livrei onder het publiek. Ze deelden hapjes en drankjes uit van grote dienbladen. Hij zag kinderen op een grappig soort snoep kauwen. Het leek wel... De boot minderde vaart en Charlie kon het lekkers nu beter zien. Ja, zijn ogen hadden hem niet bedrogen! Het waren roze, groene, gele en blauwe suikerleeuwtjes. Charlie moest erom lachen. Dat wilde hij ook wel eens proeven.

Bij het paleis van de doge werden ze begroet met saluutschoten uit eenentwintig kanonnen. Onder het gedaver vielen er stukjes mozaïek van de voorgevel van de kathedraal. In de stilte tussen de kanonschoten kon je ze rinkelend horen neerkomen. ('Geeft niet,' prevelde de doge. 'Je moet er iets voor over hebben.')

Op de piazza en rond het paleis zag het zwart van de mensen: monniken, priesters en nonnen, de edelen en de burgers van Venetië, toeristen en kinderen, pianisten en vissers, voetballers en leraren, bedelaars en dronkelappen, journalisten en welzijnswerkers, schrijvers en kantoorpersoneel, honden en katten, arbeiders en werklozen, obers en dansers... en een Engelse jongen met een leren jas... Iedereen in Venetië die niet op een boot zat, dromde daar samen. (Behalve dan kleine groepjes gondeliers die op weg waren naar de telefooncentrale, het station, het Arsenale, de tv-studio's en de centrale bank. Al die gebouwen waren ter ere van de parade gesloten.

Fluitend tussen hun tanden en grijnzend naar elkaar braken de gondeliers in, veranderden snel en zorgvuldig de sloten en hackten de computers.)

Ook de katten waren nieuwsgierig. Eén kat in het bijzonder zat heel goed op te letten en zijn kans af te wachten.

De Marangona begon te luiden toen de Bucintoro in zicht kwam en de mensen schreeuwden hun keel schor. Vlaggen wapperden fier tegen de felblauwe lucht – rood met goud, blauw met goud – en de musici op de babyeendjesboten kregen bijval van een orkest op het balkon van de doge. Het orkest viel iets te laat in, maar het geheel klonk toch overweldigend, vooral toen ook alle kerkklokken van Venetië hun steentje begonnen bij te dragen, de Redentore en de Salute, Santa Maria dei Frari en dei Gigli, de Gesuati en de Pieta. Een oude dame in de menigte zei dat zelfs de verdronken kerken van San Michele en San Giorgio Maggiore onder water de klok luidden.

'Venetië zal weer verrijzen!' juichten de Venetianen.

'Venetië zal weer verrijzen!' riepen de schippers.

'Venetië zal weer verrijzen!' riepen de kinderen, toeristen, priesters en dronkelappen.

De doge glimlachte.

De boten voeren ererondjes.

In het gedrom op de kade vielen er mensen in het Bacino. Andere toeschouwers sleurden hen weer op het droge en de kletsnatte drenkelingen maakten druipend de chaos nog groter.

Primo keek naar Charlie. 'Nu,' gebaarde hij.

Charlie sprong op het vergulde platform naast zijn kameraad, die daar hoog en voor de hele stad goed zichtbaar stond.

Snel wikkelde hij het verband los van het enorme, angstaanjagende hoofd.

Primo hief zijn hoofd en schudde zijn glorieuze manen.

Charlie drukte op het knopje van de afstandsbediening en de brede, roomkleurige vleugels kwamen omhoog. Primo liet zijn spieren trillen en de vleugels volgden de beweging en trilden alsof ze echt waren. Hij krulde zijn grote, zwarte lip in een trotse grimas en de lange, sterke, scherpe sabeltanden die over zijn gouden kaak kromden blonken in de zon.

De mensen wisten niet wat ze zagen.

De mensen hielden hun adem in.

Venetië, door de eeuwen heen een stad van ongekende rijkdom en bezienswaardigheden, had nooit eerder zoiets als Primo aanschouwd.

En Primo brulde.

TWAALF

'Wie is Mabel?' vroeg Aneba.

'Mabel Stark,' zei Julius. 'De vriendin van Maccomo. Tof mens.'

'Waarom noem je haar alleen maar de vriendin van Maccomo?' vroeg madame Barbue. 'Ze is toevallig wel even de beste tijgertrainster van de hele wereld. Dat lijkt me toch belangrijker dan wie haar vriendje is...'

'Sorry,' zei Julius.

Magdalena was stil geworden.

'Is ze hier?' vroeg ze nu.

'Ja,' zei Julius. 'Haar tijgers nemen bij de voorstelling de plaats van de leeuwen in.'

'Willen die tijgers dan niet naar hun thuisland terug?' vroeg Aneba.

'Nee. Ze zijn in het circus geboren. Ze zouden zich geen raad weten in de wildernis. Maccomo heeft zijn volwassen leeuwen laten vangen.' Julius keek afkeurend.

'En waar is ze dan?' drong Magdalena aan.

'Mabel? Die is vast... Ik zal haar wel halen,' zei Julius. 'Verbergen jullie je hier.'

'Ik neem ze mee naar mijn hut,' zei madame Barbue. 'Majoor Tib is in de piste aan het oefenen. Hij krijgt ze niet te zien. De kust is veilig.'

Dus zaten Aneba en Magdalena even later in de keurige kleine hut van madame Barbue op de tijgertrainster te wachten, kregen een kopje lindebloesemthee aangeboden en maakten kennis met Pirouette, de vliegende trapezewerkster.

En toen de tijgertemster kwam – sterk en mooi in haar paarsleren trainingspakje, dat onder de tijgerschrammen en tijgertandafdrukken zat, met haar vlammende rode haar achterover gebonden in een strakke vlecht en haar zweep en handdoeken in haar bleke, gespierde hand, die bijna net zo veel littekens had als haar pakje – wierp ze één blik op Magdalena en viel flauw.

Toen ze bijkwam, viel ze bijna meteen weer flauw. 'Jij!' barstte ze uit. 'Jij! Dat joch – die kleine leeuwendief – is jouw zoon!'

'Ja liefie,' zei Magdalena. De anderen staarden haar verbijsterd aan, zoals je wel kunt begrijpen.

'Nou, van mij hoef je geen hulp te verwachten,' zei Mabel. 'Ik help hem niet. Hij heeft Maccomo kapotgemaakt. Hij is... Al zou ik hem kunnen helpen, dan deed ik het nog niet. Hij laat me koud.'

'Mabel?' zei Aneba.

Mabel keek hem aan.

'Ben jij Mabel?' vroeg hij.

'Ja!' schreeuwde ze zo ongeveer.

Julius, madame Barbue en Pirouette zinderden van opwinding.

Aneba wilde het uitleggen, maar Magdalena was hem voor.

'Dat is mijn zus,' zei ze. 'Ze is van huis weggelopen om bij het circus te gaan. We... we hebben elkaar heel lang niet meer gezien.'

De vorige keer dat Primo brulde, had Parijs op zijn grondvesten getrild. Nu hij deze keer brulde, hield Venetië de adem in.

Het trieste, spookachtige geluid rolde over het water, vulde de oren en magen en harten van iedereen die het hoorde – en er was niemand die het niet hoorde.

De doge, die vlakbij stond en duidelijk Primo's tanden kon zien, sloeg gestrekt tegen het dek. Zijn politiemensen probeerden hem nog op te vangen, maar ze waren zo verbouwereerd door het gebrul dat ze niet snel genoeg ingrepen.

De andere leeuwen sprongen overeind en omringden hun prehistorische voorouder.

De mensen op de boten stonden er naar adem snakkend naar te kijken. Sommigen grepen de reling vast, anderen vielen over boord.

De mensen achter in de rijen schreeuwden: 'Wat gebeurt er! Wat gebeurt er!'

De mensen in de voorste rijen zeiden zwakjes: 'De leeuw... het is de leeuw...'

De schippers lachten stralend.

Edward, in de speciale klatergoud-gondola voor de eregasten, werd lijkbleek en greep naar zijn telefoontje.

Rafi prevelde onthutst: 'Díe leeuw herinner ik me niet...'

Claudio sprong naast Primo, rukte een megafoon te voorschijn en toen de laatste brul wegstierf over het water van de lagune, riep hij: 'Volk van Venetië! De leeuw is terug! De Leeuw van San Marco, onze vrome en vereerde beschermheilige, is op tijd bij ons teruggekomen om de vloek over de stad op te heffen en Venetië aan haar bevolking terug te geven! Zie de rampzalige doge trillend gevloerd op het schip van de geschiedenis!' (De doge lag inderdaad te trillen.) 'Zie zijn verraderlijke soldaten huiveren in het aangezicht van hun lot!' (De politieagenten van de doge keken om zich heen. Over wie had die gast het?) 'Kijk hoe de edele leeuw zijn tanden laat zien ter verdediging van de vrijheid, hoor hoe zijn wonderbaarlijke stem brult om democratie en rechtvaardigheid! Doge! De leeuw van de stad Venetië staat hier! U moet buigen voor de wil van het volk!'

De doge was overeind gekomen en zag zo wit als een doek. Met getrokken geweren omringden zijn agenten hem, en tegenover de agenten stond het botenvolk – op dit moment vertegenwoordigd door de roeiers.

'Nooit!' riep de doge met bibberende stem. 'Nooit! De doge buigt niet voor honden!'

'Volk van Venetië, jullie zogenaamde leider noemt ons honden!' schreeuwde Claudio.

Een paar agenten keken zenuwachtig rond en legden hun vinger om de trekker – maar toen kwam de jonge leeuw naar voren. Hij stond fier rechtop voor de groep dogepolitie en staarde hen met een peilloze, onheilspellende blik aan. De andere leeuwen volgden onmiddellijk zijn voorbeeld. Ze begonnen zacht te grommen. De jonge leeuw liet zijn klauwen zien en krabde langzaam over het dek. De muzikanten van de doge hielden op met spelen. Hun muziek stierf weg en het geluid van de krassende klauwen was in de wijde omgeving te horen.

Een dogeagent hief zijn geweer en richtte op de jonge leeuw. Een doodse stilte van afgrijzen viel over de menigte – en net op het moment dat de leeuw zich klaarmaakte voor de sprong, klonk hoog en hard de stem van een kind: 'WAAG HET NIET!'

Het was Lavinia, vooraan in de menigte.

'Waag het niet op die leeuw te schieten!' gilde ze, en achter haar vielen duizenden stemmen haar bij: die van signora Battistuta, van Alessandro's moeder, van Donatella, de oma's, de cameraploegen, de gedrongen man – en van alle anderen in Venetië.

De politieman liet snel zijn geweer zakken. Hij was nog maar achttien. Hij wilde de leeuw helemaal niet neerschieten en hij vond de doge trouwens een akelige, botte oude knakker. In luttele seconden hadden de roeiers het groepje van de doge omringd en schakelden de dogepolitie uit.

Het publiek begon te juichen.

Charlie keek het allemaal stomverbaasd aan.

Primo, die nog steeds trots en voor iedereen zichtbaar op het podium stond, boog opeens zijn kop en riep: 'Charlie! Ik blijf hier!'

'Maar Primo...' zei Charlie.

Primo keek op hem neer en zei: 'Jongetje, ik blijf hier.'

Charlie slikte. Hoe kon iemand als hij tegen de wil in gaan van een prehistorische leeuw met sabeltanden?

De zilveren leeuwin kreeg tranen in de ogen.

'Ben je zo ziek?' vroeg ze.

Primo keek op haar neer en mompelde: 'Ja, zo ziek ben ik. En ze vinden me hier leuk. Deze stad is, net als ik, uit een andere tijd. Ik blijf bij die mensen en zal samen met hen ten onder gaan. Dat zal een troost voor ze zijn.'

Charlie voelde ook tranen achter zijn oogleden prikken. De jonge leeuw sloeg zijn staart om Charlies been.

'Charlie,' siste Claudio. 'Wat zeggen ze?'

'Primo wil hier blijven!'

'*Favoloso!*' riep Claudio.

De menigte maakte steeds meer tumult, stond te dringen en te schreeuwen.

Charlie keek Claudio dof aan.

'Je boot ligt te wachten,' zei Claudio. 'Of blijven jullie ook?'

'Wij gaan,' zei Charlie. 'We...' Hij stond op het punt te zeggen: 'we willen weg' toen hij besefte dat hij helemaal niet weg wilde.. Hij wilde blijven, om zijn ouders te zoeken, om naar huis te gaan, om veilig te zijn.

Maar hoe moest hij dat tegen de leeuwen zeggen?

Claudio zou onderweg natuurlijk goed voor ze zorgen... maar hij en de leeuwen hadden samen zoveel meegemaakt. Hij wilde ze nu niet in de steek laten.

Elsina gaf Primo een kopje. De oudste leeuw stond zacht tegen hem te praten. De menigte jubelde: 'LEONE! MARCIANO! LEONE! VENEZIA!' Ze maakten een kabaal waar alle voetbalsupporters van de hele wereld niet tegenop zouden kunnen.

Claudio sprong weer met zijn megafoon naast Primo op het podium. Er was een nieuwe brul van Primo nodig om het volk tot zwijgen te brengen.

Primo zei: 'Charlie, vraag of je tolk het vertaalt.'

Charlie vertaalde Primo's woorden in het Engels en Claudio vertaalde het in het Venetiaans, en zo sprak Primo tot de burgers van Venetië.

'Ik, Primo, de Leeuw van de heilige Marcus, ben teruggekeerd in Venetië. Ik blijf bij jullie. Jullie, de bevolking van Venetië, zullen mij beschermen. Mijn broers en zusters trekken verder. Mijn menselijke maatje vertrekt ook. Mijn tanden staan volledig tot jullie dienst.' Hier moest Primo om grinniken, waardoor een groot aantal mensen flauwviel.

Het gebrul dat uit de menigte opsteeg was zelfs nog harder dan dat van Primo, en het was vol liefde. Zelfs de doge had het door, terwijl de roeiers hem voorzichtig in zijn eigen roodfluwelen gewaden wikkelden en hem naar het benedendek afvoerden. 'Gaat u maar mee, heer,' zeiden ze. 'Hier bent u niet langer nodig.'

Charlie stond nog over de leeuwen na te denken. Ik kan wel een eindje met ze mee, dacht hij. Dan leg ik ze onderweg wel uit waarom ik terug moet. Dat zullen ze best begrijpen... Ik kan het plan nu niet omgooien...

'Primo!' riep Charlie.

De geweldige leeuw draaide zich naar hem toe.

'Dag,' zei Charlie zachtjes.

Primo bleef hem even aankijken.

'Bedankt voor alles, leeuwenjongen,' zei hij.

En zo namen Charlie en de andere leeuwen snel, maar met tegenzin, afscheid. Snel glipten ze van de achterplecht van de Bucintoro over op het dek van de grote speedboot op zonne-energie, die Claudio en zijn vrienden hadden overgevaren. De boot was beladen met eten, drinken, andere levensmiddelen en geld voor hun reis. Als alles volgens plan was verlopen, zou ook Charlies tas er met de volledige inhoud bij zijn geweest.

'Opschieten, Claudio!' siste Charlie. Een kleine vloot – gondola's, motortaxi's, vaporetti, jachten, een zuivelboot die dagelijks melk van het vasteland kwam brengen en de uitbundig versierde sloep van Claudio's broer die ijs had afgeleverd – onttrok hen aan het gezichtsveld van de toeschouwers aan de andere kant. De boot lag schommelend op de deining die veroorzaakt werd door alle andere boten die op het schouwspel waren afgekomen. Nu moesten ze bliksemsnel in actie komen.

'Charlie – ik ga niet mee,' fluisterde Claudio terug, vanaf het onderdek van de Bucintoro. 'Dat kan nu niet meer. Dat snap je toch wel, hè? Ik moet bij hem blijven. Ik moet voor hem zorgen. Hij is zo prachtig!'

Charlie en de leeuwen keken elkaar aan.

'Tja,' zei de oudste leeuw.

'Eerlijk is eerlijk,' zei de gele leeuwin.

'Maar...!' schreeuwde Charlie. Zijn gezicht was een en al ontzetting. Als Claudio hier bleef, hoe moest hij, Charlie, dan ooit wegkomen? De leeuwen konden het niet alleen af – zij konden geen boot besturen! Hoe kon hij de leeuwen in de steek laten om zijn ouders te gaan zoeken? Tegen de tijd dat hij de leeuwen in Marokko had afgeleverd, konden zijn ouders wie weet waar zijn!

Weer sprongen de tranen hem in de ogen en hij moest zijn gezicht afwenden om ze te verbergen. Hij wilde de leeuwen niet van streek maken. Hij moest nu dapper zijn. Hij knipperde met zijn ogen, draaide zich weer om en overhandigde Claudio snel Primo's afstandsbediening. 'Nou, de mazzel dan!' riep hij met onvaste stem.

De menigte juichte Primo toe. Claudio stond te schreeuwen, mooie verheven woorden over vrijheid en verlossing en de glorie van Venetië.

'Charlie?' zei een gedempte stem.

Het was de jonge leeuw. 'Moet je hier blijven?' vroeg hij zachtaardig. 'Als je hier moet blijven, hoef je het maar te zeggen. Je hebt meer dan genoeg voor ons gedaan.'

De anderen stonden achter hem, sterk en groots, met leeuwenogen vol begrip.

Charlie barstte in snikken uit. Hoe kon hij zulke lieve, ruimhartige dieren in de steek laten?

'Nee, ik...' begon hij.

'We redden ons heus wel, hoor,' zei de oudste leeuw.

Een van de leeuwinnen bood hem haar staart aan om zijn tranen af te vegen.

'Maar beslis het snel,' zei een andere leeuwin, die over haar schouder naar de deinende, op elkaar gepakte hoeveelheid boten om hen heen keek.

'Ik...' zei Charlie.

'Smeer jij 'm nou maar,' zei een lage, grove, raspende stem. 'Je pa en ma vinden je wel. Ze zijn nu naar het circus en daar vertelt deze of gene ze wel dat je naar Marokko bent. Ikzelf, als het moet, al ga ik liever met jou mee. Schiet op – wegwezen. Ga met je maten mee. Je kunt hier niet blijven, want er is een beloning voor je uitgeloofd, weet je nog?'

'Sergei!' schreeuwde Charlie. 'Sergei! Het spijt me zo...'

'Zeur niet,' zei Sergei. 'Ik zit allang niet meer hoog op *l'armoire*. Zand erover. We gaan!'

'Ga jij ook mee?' gilde Charlie.

'Juist,' zei Sergei. 'Tenzij jij het in je bol krijgt me naar die pokkenstad Parijs terug te sturen met een epistel voor je weledele mammie en pappie.'

Charlie grinnikte van oor tot oor.

'Vertel mij maar eens waarom ik jou moet vertellen waar ze heen zijn,' zei Mabel.

'Omdat hij mijn zoon en jouw neefje is,' zei Magdalena.

'Hij is een dief en een onruststoker,' zei Mabel. 'Vertel mij maar eens waarom ik niet eigenhandig die leeuwen terug zou halen.'

'Omdat ze vrij willen zijn,' zei Aneba.

Mabel staarde hem aan.

'Wat ben jij sentimenteel,' zei ze met een stralende glimlach. 'Goed, ik zal jullie zeggen hoe we dit aanpakken. We gaan allemaal achter ze aan. Maar ik verdien wel een voorsprong, vind je ook niet? Dan laat ik jullie over een tijdje weten waar jullie heen moeten.'

En ze vertrok.

'Waarom... waarom heeft ze zo'n hekel aan jou?' vroeg Julius zacht.

'Dat is een lang verhaal,' zei Magdalena.

Charlie had nog nooit een speedboot bestuurd, maar het bleek erg makkelijk te zijn. Tegen de tijd dat ze de grote groengrijze lagune over waren, langs het Lido, het laatste eiland van Venetië, en de Adriatische Zee op gingen, had hij het stuurmanschap helemaal onder de knie. Niet veel later ontdekte hij de cruise control met navigatiecomputer en draagbare monitor, die hij in de kajuit en in de stuurhut kon gebruiken.

'Non-stop naar Essaouira,' tikte hij in. Lachend keek hij naar de mededeling die prompt op het beeldscherm verscheen: 'Zuidwaarts Adriatische Zee non-stop Essaouira volgens instructie.'

'Geweldig,' zei hij. Nu hij zijn handen vrij had, kon hij eindelijk die mallotige maillot uittrekken. Maar het hemd vond hij wel leuk. Als hij de veters los liet hangen, stond het cool bij zijn oude linnen broek. Hij merkte dat zijn broekspijpen te kort waren geworden. 'Geen punt,' zei hij en hij rolde ze op. Hij voelde zich een echte piraat.

Sergei lag klaaglijk miauwend aan zijn voeten.

Achter hen konden Charlie en de leeuwen in de verte nog de klokken horen luiden toen ze op weg gingen naar Afrika, en als ze later die avond achterom hadden gekeken, zouden ze gezien hebben dat de hemel boven Venetië een zee van vuurwerk was. Maar ze keken niet achterom. Ze waren vertrokken. Ze waren vrij.

DERTIEN

Op het marmeren plaveisel voor het paleis van de doge worstelde Rafi zich door de uitgelaten mensenmassa aan het kanaal. Hij wilde in westelijke richting naar de open lagune gaan. Hij had zich eerst naar de waterkant moeten vechten om die griezelige reus van een leeuw met de sabeltanden te zien. Hij had Charlie bij dat monster gezien, en een gondelier die een toespraak hield. Hij had ook de andere leeuwen gezien. En opeens zag hij ze geen van alle meer.

De Venetianen hadden het veel te druk met de onttroning van de doge om op die verdwijning te letten, maar Rafi had hier maar één doel – en dat leek opeens van de aardbodem verdwenen. Rafi was niet zo achterlijk dat hij geloofde dat Charlie en de leeuwen zomaar in rook waren opgegaan. Hij wist dat het veel makkelijker is om spoorloos in drukke menigtes te verdwijnen dan in een overzichtelijke omgeving.

Het ene moment zit je prooi nog vlak onder je neus op een boot, het andere moment is hij foetsie. Maar die boot wordt wel omringd door een heleboel andere boten.

Ze waren dus op een andere boot overgestapt. Zo zat dat.

Aha. Rafi herinnerde zich de boot van die ochtend, met Charlies tas aan boord. Ze hadden dus een plan. Ze gingen op een andere boot over en dan ervandoor.

Maar waarheen?

Naar zee waarschijnlijk, of naar een plek ergens aan de kust, of misschien terug over land naar het noorden, of naar een eiland in de lagune, of de zee over naar de Joegoslavenlanden. Het zei geen moer dat ze op een boot zaten – zonder een boot kwam je Venetië niet uit, tenzij je over die ene weg of die ene spoorbaan ging. Boten konden overal naartoe varen.

Overal om hem heen sprongen de mensen als uitzinnige gekken in het rond, omhelsden elkaar opgewonden, schreeuwden en zongen, waren stapelverliefd op de leeuwen en dol van vreugde nu ze van de doge af waren. Op die uitbundige zonnige dag was Rafi het enige boze wezen in Venetië; een wraakzuchtige, snauwerige samenballing van duistere, brandende woede.

Helemaal waar is dat eigenlijk niet: Edward was ook boos. Maar anders dan je misschien denkt. Edward was kwaad op zichzelf.

Edward had zich te midden van al het gedoe snel en redelijk succesvol weten voor te doen als aanhanger van de leeuwen. 'Lang leve de Leeuw van San Marco!' schreeuwde hij.

Claudio keek hem een beetje eigenaardig aan.

'Geweldig, hè?' riep Edward, best overtuigend.

'Wat is er zo geweldig?' vroeg Claudio.

'De leeuwen van zijne majesteit!' schreeuwde Edward. 'Al die vreugde die ze de bevolking van Venetië brengen! Wat zal zijne majesteit blij zijn! Hij houdt van de bevolking van Venetië! Geweldig! *Meraviglioso!*' schreeuwde hij er voor alle zekerheid in het Italiaans achteraan, zodat de Venetianen vooral zouden begrijpen dat hij aan hun kant stond en geen partij koos voor de verschrikkelijke doge.

Claudio keek hem vol afkeer aan en voordat hij door de aanbiddende massa met Primo naar de kathedraal werd gestuwd, siste hij Edward nog toe: 'Als zijne majesteit wist wat je met zijn leeuwenvrienden en zijn jonge vriend Charlie hebt uitgehaald, zou hij wóedend zijn!'

Het was het woord 'vriend' dat Edward tot nadenken stemde.

Hij haastte zich de dolgeworden menigte uit en ging terug naar het palazzo. Zodra hij dacht dat iemand naar hem keek, schreeuwde hij voor alle zekerheid: 'Viva il leone! Lang leve de leeuw!'

De koning zou woedend op hem zijn!

Of zou het meevallen?

Edward had het toch zeker alleen maar gedaan om het de koning naar de zin te maken! Om de koning en de doge weer vriendschap te laten sluiten! Toegegeven, het moment was wat ongelukkig, nu de doge de macht kwijt was, maar Edward had toch ook niet kunnen weten dat het zo zou lopen... Hij wilde alleen maar de koning een plezier doen. Edward had alles voor de koning over. Hij zou nooit iets doen om hem van streek te maken. Hij had de koning alleen niets verteld omdat hij hem met de hernieuwde vriendschapsbanden met de doge wilde verrassen.

Zou de koning écht woedend op hem zijn? Als hij hoorde dat Edward zijn vrienden had opgesloten, ze in de maling had genomen en bijna had weggegeven alsof het voorwerpen waren, in plaats van levende, denkende wezens die ook nog eens de vrienden van koning Boris waren...?

Hm, als je het zo bekeek... vrienden van de koning...

O, goeie goedheid.

Koning Boris zou razend zijn!

Edward was een verstandig mens. Hij probeerde niet de schuld op een ander af te schuiven. Hij was nog niet in het paleis, of hij belde koning Boris.

'Goed dat je belt,' zei de koning, die net een halfuur geleden de brief van Charlie had gekregen en zich suf piekerde hoe hij die toestand moest aanpakken. 'Ik stond op het punt om jou te bellen. Wat is daar in vredesnaam allemaal aan de hand?'

'De doge is afgezet!' zei Edward.

'Mooi zo,' zei koning Boris. 'Die rotvent. Ik heb hem nooit gemogen. Komt er nu een republiek? Dat zou ik hopen. Ik wil zelf ook een republiek... op voorwaarde dat ik dan president kan worden... Enfin, daar gaat het me nu niet om. Hoe is het met Charlie en de prachtbeesten? Zijn ze al vertrokken? Heb je een boot voor ze geregeld? Hebben ze goed te eten? Ik maak me ongerust over de vleesopslag voor de leeuwen, want ze kunnen toch moeilijk de hele tijd aan land gaan om voorraden in te slaan... Welke route nemen ze? Ik zou niet graag zien dat ze worden opgehouden.'

Edward slikte, bloosde en dankte de hemel op zijn blote knieën dat hij naar eer en geweten kon zeggen dat de leeuwen en Charlie waren afgereisd.

'Uitstekend,' zei de koning. 'Goed gedaan.'

'Dank u, majesteit,' zei Edward bleekjes.

'Ere wie ere toekomt, nietwaar?' zei koning Boris.

Er viel een korte stilte voordat Edward even kuchte en antwoordde: 'Eh... ja, majesteit.' Zelfs hij kon niet met uitgestreken gezicht de eer opeisen voor iets wat hij uit alle macht had geprobeerd te dwarsbomen.

'En geen eer voor wie het niet verdient,' zei de koning, op strenge toon.

'Eh... nee, majesteit,' zei Edward.

De koning bleef lang genoeg zwijgen om Edward het idee te geven dat hij over de brug moest komen.

'Het spijt me, majesteit,' zei hij. 'Ik dacht... ik dacht dat ik een beter plan had bedacht... ik dacht dat ik een betere manier wist.'

'Tja, zoiets zou ik maar niet denken als ik jou was, Edward. Niet zolang je voor mij werkt.'

'Nee, majesteit,' zei Edward.

Je begrijpt hieruit wel dat de koning dit probleem liever oploste zonder Edward te moeten beschuldigen of kwaad op hem te worden. Dat heet diplomatie, en het is een heel goede methode om alles precies zo te krijgen als je het hebben wilt.

'Mooi,' zei koning Boris.

De leeuwen waren in de zevende hemel; ze waren dolgelukkig dat ze in de buitenlucht waren, op weg naar huis en hun vrijheid. De oudste leeuw stond op de voorsteven van de boot, zoals de gouden leeuw op de voorsteven van de Bucintoro had gestaan, en tuurde met een dromerige uitdrukking op zijn kop in de richting van Afrika, met achter zich een waaier van opspattend zilt schuim.

Tot Charlies verbazing maakten de leeuwinnen een kring door elkaars staart in de bek te nemen en zo op het voordek een reeks statige rondedansjes te doen, almaar in het rond.

De jonge leeuw strekte zich uit, gooide zich op zijn zij, maakte buitelingen en holde toen van voor naar achter over dek en weer terug, en nog een keer. Elsina rolde zich op tot een bal, stuiterde alle kanten op en liet de anderen struikelen.

Sergei zocht hoofdschuddend een veilig heenkomen in de stuurhut. Wat hem betrof, waren ze allemaal stapelgek geworden.

Charlie lachte. De zon scheen en ze gingen naar het zuiden, zijn ouders waren op vrije voeten, zelf was hij ook vrij en de boot was een droom; hij kon hem besturen, hij kon naar hartelust vaart meerderen en minderen, en door het fantastische computernavigatiesysteem konden ze nergens tegenaan knallen. Hij had 'Esaouira' ingetoetst en nu zou de boot hen daar op eigen houtje heen brengen, allerlei klippen omzeilen en hen onderweg ook nog eens over goede eethuisjes adviseren. Jammer genoeg kon hij niet intikken 'Vermijd alle contact met andere mensen'.

Zo bolderden ze vrolijk voort over de golven, met een grote voorraad zonne-energie en volop eten en drinken.

'Ik breng een toost uit!' riep de oudste leeuw, die zich op zijn voorname plek op de boeg omdraaide. Hij zag er ongewoon speels uit en zijn manen krulden wapperend in de wind. 'Op ons! Op hoe fantastisch we het doel hebben bereikt dat we bereiken wilden! Op onze moed en ons geduld, en dat we die maar altijd mogen behouden! Op onze broeders en zusters en op onze goede vriend Charlie, zonder wie ons dit nooit was gelukt.'

Charlie bloosde.

Sergei snoof.

'En op onze nieuwe vriend Sergei,' zei de oudste leeuw, 'aan wie we natuurlijk ook dank verschuldigd zijn, voor de hulp die hij de ouders van Charlie heeft verleend.'

'Een waar genoegen,' zei Sergei.

De jonge leeuw trok één wenkbrauw op.

Charlie gaf Sergei zachtjes een schop.

Sergei kwam overeind. 'Het genoegen is geheel aan mijn kant,' zei hij. 'Ahum... juust. Het is me een genoegen.' En hij ging weer zitten.

'Ik mis Claudio,' zei Elsina. 'Hij was zo leuk. Primo mis ik eigenlijk niet. Hij was aardig, maar zo... treurig. Ik ben blij dat we weer onder ons zijn. Met ons eigen groepje.' De gele leeuwin gaf Elsina een goedmoedig tikje met haar poot.

'Ik ben alleen maar ontzettend blij dat we weer op reis zijn,' zei de jonge leeuw. 'Echt ontzéttend blij!' Charlie grinnikte naar hem, want hij voelde het precies zo.

'Zeg, Sergei,' zei de oudste leeuw. 'Vertel ons eens wat er allemaal gebeurd is? Alles wat we niet wisten toen we opgesloten zaten in circussen en paleizen.'

Sergei knipperde met zijn ogen en krabde aan zijn kont.

'Niks bijzonders,' zei hij. 'De wereld wordt overspoeld door genetisch gemanipuleerde poezen die kinderen astma bezorgen, zodat de Corporatie een fortuin kan verdienen door hun liefhebbende mama's en papa's medicijnen aan te smeren. De twee professors zijn ontvoerd omdat ze het lef hadden een kuur te bedenken die de kinderen voorgoed geneest, en ze werden naar een van de corporatieve besloten gemeenschappen gebracht om gehersenspoeld te worden. Maar nu zijn ze ontsnapt, wat vooral te danken is aan die leeuwenjongen hier, en aan mezelf natuurlijk, en uiteindelijk komen we allemaal bij elkaar op jullie stek, en eh... dan leven we nog lang en gelukkig. Nou ja, ikzelf helaas niet zozeer, als ellendig depressief genetisch veranderd wangedrocht, maar de rest van jullie wel. Dat was het zo'n beetje.'

'Wat is er met Rafi gebeurd?' vroeg de zilveren leeuwin, met een lachje. Zijn bloed was het eerste verse, levende bloed dat ze in heel lange tijd had geproefd en het had zoet gesmaakt.

'Wie, meneer-de-puberale-pauw bedoel je? Die is uit het ziekenhuis waar uzelve, dame, hem volgens mij in geholpen hebt, en hij zit ons ongetwijfeld op de hielen, zo snel als zijn beentjes hem dragen willen, al weet-ie vast niet waar we heen gaan. Maar... eh, de Corporatie zal je ouders wel terug willen, Charlie, en omdat het de bedoeling was dat Rafi ze ook jou geleverd had, bedenken zij – of hij – misschien dat het makkelijker is om jou te vangen. Een puik lokaas, als je begrijpt wat ik bedoel. Om je ouders terug te krijgen.'

'Wilde Rafi me dan naar dezelfde plek brengen?' zei Charlie. 'Al die tijd heb ik mijn ouders lopen zoeken, maar als ik bij hem was gebleven zou hij me regelrecht bij hen hebben gebracht.'

'Eh... juust,' zei Sergei.

'Wel heb ik...' begon Charlie.

'Ja, maar...' zei Sergei, 'dan had je onder de verdovende middelen gezeten. En je was gehersenspoeld. En je was ook nog eens een gevaar voor je ouders als je bij ze was geweest. Omdat je buiten op avontuur was en overal bekend werd als jonge held, was je juist een uitdaging en inspiratie voor ze. Als jij daar ook had gezeten, zouden ze niet ontsnapt zijn. Maar omdat je er niet was, moesten ze wel ontsnappen.'

Charlie kon daar de logica wel van inzien.

'Luister,' zei Sergei. 'De katten in Parijs weten dat je naar Marokko gaat. Ze vinden wel een manier om je ouders in te lichten. Je ouders zullen je vinden – ze komen je wel op het spoor. Het zijn toch zeker wetenschappelijke bollebozen! Die vinden jou wel!'

'Ja, maar Rafi vindt me misschien eerder,' zei Charlie.

'Maak je over hém niet druk,' zei Sergei. 'Kijk nog eens goed naar die maten van je.'

'Nee, maak je over hém niet druk,' zei de zilveren leeuwin.

Het scheelde niet veel of ze had haar lippen gelikt.

De oudste leeuw gromde waarschuwend. Charlie wist wat het betekende. Het was niet de bedoeling dat leeuwen mensen aten – tenminste niet op mensenterrein.

Aneba volgde Magdalena, die achter Mabel aan liep naar een loket op het station.

'Ga weg,' zei Mabel over haar schouder.

'Mocht je willen,' zei Magdalena.

'Liefje,' zei Aneba. 'Is dit nu echt de beste…'

'Ja,' zei Magdalena. 'Tenzij jij een betere manier weet.'

'Nou… je – eh – zus…'

'Dat leg ik later nog wel uit,' zei Magdalena. 'Nu moeten we eerst uitzoeken waar onze zoon is, of waar hij heen is, en die opstandige vuurtoren brengt ons erheen, of ze wil of niet.'

'Ga wég,' zei Mabel.

'Nee,' zei Magdalena.

Mabel kwam nu bij het loket en begon zo aanstellerig zachtjes te smiespelen dat het wel duidelijk was dat haar zus er geen woord van mocht horen. Magdalena drong schaamteloos voor in de rij en toen Mabel haar kaartje had, liep Magdalena naar het loket en zei: 'Twee dezelfde kaartjes als zij net nam. De plaatsen naast haar,' met een betoverende lach voor de lokettist. Mabel probeerde er op het perron vandoor te gaan, maar Magdalena zat haar pal op de hielen, en Aneba zat Magdalena op de hielen.

'*Ga wég!*' schreeuwde Mabel.

'Ik ben je kleine zusje niet meer, Mabel,' zei Magdalena. 'Je kunt me niet als een snotneus wegsturen.'

Mabel draaide zich om en staarde haar aan.

'Ga weg,' snauwde ze nogmaals.

'Weggaan is toch jouw liefhebberij?' zei Magdalena. 'Gewoon de benen nemen en niemand laten weten waar je bent, négentien jaar lang!'

Even dacht Aneba dat Mabel haar zus een dreun wilde verkopen. Maar ze deed het niet. Ze haalde diep adem en keek hooghartig.

'Ik zal me niet verlagen daar antwoord op te geven,' zei ze.

'Ach, doe toch eens volwassen!' sneerde Magdalena.

'Meisjes, meisjes toch,' protesteerde Aneba. Hij kreeg de neiging te zeggen dat ze naar hun kamer konden vertrekken als ze niet lief samen speelden. 'Toe nou. We reizen samen.'

'Dat had je gedroomd,' zei Mabel. 'Ik reis alleen.'

Mabel was in de war, om een heleboel redenen. In Parijs had ze een luizenleventje geleid, als tijgertrainster van wereldklasse die ook vaak op tournee ging; ze had zich er prima bij gevoeld. Komt opeens haar oude vriendje uit de blauwe hemel vallen, vraagt haar mee uit eten en gedraagt zich dan heel vreemd, wel lief, maar net alsof zij hém uitgenodigd had. Komt-ie ook nog eens op de proppen met een jonge vent – jongens van die leeftijd maakten haar nerveus, en die jongen was geen uitzondering – met wie hij midden onder hun afspraakje zaken gaat zitten doen. Diezelfde avond nog verdwijnen zijn leeuwen – zes leeuwen die spoorloos verdwijnen, terwijl Maccomo juist altijd zo zuinig op zijn leeuwen was, even zuinig als zij op haar geliefde tijgers. Tot overmaat van ramp verdwijnt hij vervolgens zelf; zonder een woord tegen haar te zeggen, ondanks al zijn mooie praatjes onder het eten over hoe gelukkig hij was dat hij haar terug had. En dan... en dan komt Magdalena opdagen. Haar kleine zusje Magdalena. Volwassen, getrouwd, professor, moeder. Toen Mabel van huis wegliep, was Magdalena nog maar dertien, een mollig meisje met haar haar eeuwig in de war. En moest je haar nou zien! En haar zoon was de leeuwenjongen van Maccomo!

Mabel was na haar zeventiende nooit meer thuis geweest, had nooit haar moeder teruggezien, geen van haar vrienden, niemand. Ze had haar jeugd afgesloten alsof ze een boek dichtsloeg.

En nu, haar zusje… en het kind van haar zusje… Mabel voelde een steek in haar maag.

Maccomo had gezegd dat de jongen een goede band had met de dieren, maar hoe kan een kind met zes leeuwen op de loop gaan?

En intussen had majoor Tib haar toevertrouwd dat Maccomo de leeuwen had verdoofd. Er waren sporen van het middel gevonden. Verdoofd!

Als Maccomo in de buurt was geweest, zou Mabel hem met haar zweep van neushoornleer een pak ransel hebben gegeven. Je verdoofde roofdieren niet. Ook geen leeuwen, al waren die natuurlijk niet zo mooi en indrukwekkend als tijgers. Dat had je maar te laten. En Maccomo had ze dagelijks het middel toegediend, god mocht weten hoe lang al.

Het kind wist dat misschien niet. Dan was hij op pad met leeuwen die aan het afkicken waren: die per dag sterker, wilder en onafhankelijker werden, en tegelijkertijd van slag waren door de verandering in zichzelf, misschien wel in paniek raakten omdat ze de drugs nodig hadden waaraan ze verslaafd waren geraakt.

Die arme leeuwen.

En, ja, toch ook… die arme jongen.

Wat bezielde Maccomo toch?

Mabel had er niet van kunnen slapen. Ze piekerde aan één

stuk door waar Maccomo was gebleven. In slapeloze nachten had ze uitgedokterd dat hij nooit verantwoordelijk kon zijn voor de verdwijning van de leeuwen. Hij zou ze dan ook terug willen hebben. En daarom zou hij uitvissen waar ze heen konden zijn en er zelf ook heen gaan.

Maar waarheen dan?

Naar huis, natuurlijk.

Maar waar was dat?

In bed was ze in de lach geschoten en ze had de telefoon gepakt. Mevrouw Chan in Hongkong zou het wel weten. Mevrouw Chan wist waar alle roofdieren in gevangenschap vandaan kwamen. Zij was degene die ze meestal doorverkocht. Ze was de grootste roofdierenhandelaar van de wereld. Mabel had al haar tijgers bij mevrouw Chan gekocht.

Mevrouw Chan wist het niet.

Maar dat gaf niet. Er waren niet veel zelfstandige leveranciers van roofdieren. Dan had Maccomo zijn leeuwen aangeschaft bij don Quiroga in Cochabamba, Bolivia, of bij Sidi Khalil in Casablanca. Het waren geen Zuid-Amerikaanse leeuwen, maar Afrikaanse. Dus belde ze Sidi Khalil en hij vertelde haar dat Maccomo zijn leeuwen had gekocht van Majid, de leeuwenvanger van de Arganiabossen bij Essaouira.

Mabel ging niet graag bij haar tijgers weg. Als het aan haar lag, was ze altijd bij hen. Ze zou dan ook nooit gegaan zijn als ze hen niet in de veilige handen van majoor Tib en haar betrouwbare tijgerhulpje Sophie had kunnen achterlaten. Maar nu was ze erg kwaad op Maccomo. Ze was nog half en half verliefd op hem en een man op wie ze half en half verliefd was liet ze niet zomaar zonder een woord vertrekken of, sterker nog, zijn leeuwen verdoven. Ze wilde een verklaring voor zijn gedrag en die ging ze halen. Als ze daarvoor naar Marokko moest, dan ging ze naar Marokko.

Magdalena, die tegenover Mabel zat in de trein naar het zuiden, wist niets van dit alles. Ze keek naar haar oudere zus, die ze vroeger had aanbeden. Nu was Mabel volwassen, een tijgertrainster, mooi, prachtig, met haar schrikbarende temperament en een vriend die zo akelig klonk – en zonder een greintje bezorgdheid voor haar familie en haar neefje. Magdalena voelde zich vanbinnen weer een klein meisje. Ze was kwaad op Mabel, maar wilde tegelijkertijd wanhopig graag dat ze aardig deed.

Magdalena beet op haar lip en voelde zich weer zes jaar.

Mabel trok een hooghartig gezicht en deed haar ogen dicht.

Om zo snel mogelijk uit de drukte weg te zijn, wrong Rafi zich door de mensenmassa. Hij stopte zijn handen diep in zijn zakken, waardoor zijn leren kraag zo strak om zijn schouders trok dat het zeer deed, duwde mensen opzij, stootte ze expres in hun ribben en trapte op hun tenen. Hij kon iedereen wel sláán. Alles zat hem tegen en hij zat om een meevallertje verlegen. Of om een plan. Of om een bondgenoot.

Hij glipte een steegje door en kwam op een rustig plein, waar een bankje stond. Daar ging hij op zitten, met zijn gezicht in de zon.

Nou, eerst maar eens kijken wat hij van Charlie gejat had.

Hij haalde het perkament uit zijn zak.

'Zo zo,' mompelde hij. 'Wat mag dit voorstellen?'

Hij legde het naast zich op de stenen bank en rolde het open. Het had zo lang opgerold gezeten dat het steeds weer dicht sprong, zodat hij de bovenkant met zijn knie vastklemde. Het perkament lag ondersteboven. Hij draaide het om. Het leek nog steeds op z'n kop te liggen.

Rare bruine kleur inkt.

Rafi fronste zijn wenkbrauwen.

Hoe je het papier ook wendde of keerde, het zag eruit als iets wetenschappelijks.

Dat zette Rafi aan het denken.

Hij wist niet wat het was, maar dat hoefde ook niet. Charlie had het bij zich in een kleine tas waarin maar weinig spullen zaten: het moest belangrijk voor hem zijn.

Rafi vroeg zich af wat Charlie ervoor over zou hebben. Genoeg om hem ermee in de val te lokken? Zoveel dat Rafi hem ermee kon chanteren of omkopen?

Iets wetenschappelijks...

Misschien was het voor Aneba en Magdalena ook heel belangrijk. En voor de Corporatie.

Hij grijnsde.

'Hallo meevallertje, plan, bondgenoot,' prevelde hij.

Een grote, grijze kat met spinnenwebben in zijn snorharen keek vol afkeer naar hem.

Rafi glimlachte voor zich heen en pakte zijn telefoon. Maar hij besloot Charlie niet meteen te bellen en hem te kwellen met de wetenschap dat hij, Rafi, het perkament had. Dat kon wel even wachten.

Hij bekeek het andere ding dat hij gestolen had. Het was een kleine, blauwe bal van steen.

'Wat is dit nou weer?' vroeg hij zich af. 'Wat is hier zo belangrijk aan dat Charlie het altijd en overal bij zich heeft?'

Hij bekeek het. Voelde eraan. Aaide erover. Hield het dicht voor zijn ogen. Rook eraan. Nam zelfs een likje.

Een stenen balletje, blauw, met marmerachtige streepjes.

'Geen idee,' zei hij bij zichzelf. 'Geen idee wat dit mag voorstellen.'

Charlie had Rafi kunnen vertellen dat het balletje niets anders voorstelde dan een souvenir van lapis lazuli, dat zijn moeder van een reis had meegenomen om de doodeenvoudige reden dat ze het leuk vond. Om diezelfde reden had hij het bij zich. Mam vond het leuk. Het balletje deed hem aan haar denken.

Daar zou Rafi al helemaal niets van begrepen hebben.

In het Palazzo Bulgaria ging Edwards telefoon.

'Nee,' zei hij. 'Wie? O, bent u het, meneer Sadler. Nou, nee. Wat? Leeuwen? U hebt het altijd en eeuwig maar over leeuwen... Wie? Charlie Ashanti? Nooit van gehoord. Tja, hoe moet ik nou weten waar ze zijn als ik niet eens weet wie het zijn?'

Hij staarde naar zijn nagels en luisterde aandachtig naar alles wat Rafi zei.

'Ik denk dat u zich in mij vergist, meneer Sadler,' zei Edward.

Rafi's stem aan de telefoon klonk laconiek, maar had ook iets dringends.

'Zijne majesteit?' zei Edward. 'Geen sprake van. We zijn niet in deze onzin geïnteresseerd. Perkament? Nee, dank u, we hebben onze eigen papierleverancier in Venetië. Meneer Sadler... nee, luister even... meneer Sadler, ik heb één inlichting voor u en daar laat ik het bij. Luister goed. Hier komt het.'

Rafi, op het bankje, spitste zijn oren en wachtte gespannen.

'Ik geef nooit inlichtingen. Ze worden míj gegeven. Goedendag.'

Maccomo's telefoon op het lage cafétafeltje voor hem ging over. Ninu's linkeroog zwenkte erheen. Zijn rechteroog bleef Maccomo in de gaten houden. De ogen gingen weer recht staan toen Maccomo opnam.

'Aha,' zei hij, toen hij het nummer las. 'Mijn jonge vriend.'
Toen: 'Hallo, Rafi. Wat kan ik voor je doen?'

'Ik heb nog interesse,' zei Rafi. 'Dat wou ik je even zeggen.
Het gaat om de koopwaar die we in Parijs hebben besproken.
Wat mij betreft is alles nog bij het oude.'

'O ja?' zei Maccomo. 'Goed om te weten. Wat mij betreft is
niets meer bij het oude, weet je. Zo is de prijs bijvoorbeeld gestegen.'

'Dat hoeft geen probleem te zijn,' zei Rafi. Hij was toch niet
van plan om iets te betalen. Nu hij het perkament had, was hij
van plan Charlie ermee te dreigen, om te kopen of te chanteren, zodat het joch uit eigen beweging naar hem toe kwam.
Hij wilde alleen maar uitvissen of Maccomo wist waar Charlie was, of waar hij heen ging.

'Maar dat zul je wel begrijpen,' zei Maccomo. 'Het is nu eenmaal moeilijk om aan die koopwaar te komen.'

'Dat is waar,' zei Rafi beleefd. 'Maar... eh... is het je gelukt?'

'Ik wacht op de leverantie,' zei Maccomo.

Prima! dacht Rafi. Maccomo verwacht hem!

'En waar en wanneer kunnen we de transactie afhandelen?'
vroeg hij poeslief.

Maccomo glimlachte voor zich uit. Er brandde een diepe,
gevaarlijke woede in hem. Hij had nog niet besloten wat hij
met Charlie zou doen als hij hem eenmaal in handen had. Hij
was stinkend jaloers op de jongen die Kats kon spreken –
moest hij Charlie houden en zijn kennis van die taal uit hem
persen? Of moest hij de knul straffen door hem aan Rafi te
verkopen en hem aan een gruwelijk lot over te laten?

Het liet Maccomo koud of Rafi Charlie wel of niet wilde
hebben. Maar Maccomo had geld nodig. Nu hij niet meer bij

het circus was en geen salaris meer kreeg, zou hij binnenkort door zijn geld heen zijn. Rafi's komst betekende geld.

Ook als Maccomo besloot Charlie niet te verkopen, kon hij het geld stelen dat Rafi bij zich had.

Hij grinnikte. Wat een briljant idee!

'Kom maar snel,' zei hij. 'Naar Essaouira, aan de Barbarijnse kust. Ik zal er zijn. Kom maar.' En hij drukte de telefoon uit.

'Yes!' juichte Rafi. Dat was een eitje! Maar waar was de Barbarijnse kust?

'Mmmm,' dagdroomde Maccomo. Dit werd een eitje. Misschien kon hij wel naar een gerieflijker pension verhuizen.

Ninu's ogen zwommen alle kanten uit.

VEERTIEN

De gelukkige dagen op de boot duurden lang genoeg voor Charlie om ze saai te gaan vinden. Het had iets van een lange zomervakantie aan zee, waarin je alle lange dagen aan het strand plezier maakte, maar onwillekeurig toch zin kreeg in het nieuwe schooljaar. Charlie was inmiddels zo thuis op de boot dat hij hem soms voor anker legde, om samen met de jonge leeuw van de voorplecht te duiken, wild in zee rond te spartelen en dan weer aan boord te krabbelen. Dan waren ze buiten adem, slap van het lachen en schudden ze zich droog, tot grote ergernis van de leeuwinnen, die vonden dat een kat droog hoorde te blijven. Er waren hengels aan boord en Charlie leerde er goed mee om te gaan. Hij ving tonijn en zwaardvis, die de leeuwen gretig aan stukken scheurden – behalve Elsina, die haar roze neusje optrok en naar vers vlees smachtte.

De jonge leeuw was ervan overtuigd dat klauwen handiger waren dan vishaakjes, en hij liet zijn grote poten over de rand bungelen om eigenhandig vis uit het water te graaien. Hij en Charlie hielden een goedgemutste wedstrijd wie het meest ving. (Charlie won. Zelfs nadat de jonge leeuw het met een haakje aan de punt van zijn staart had geprobeerd.)

Om de lol erin te houden, probeerde Charlie de leeuwen zeeliedjes te leren. Hun lievelingslied ging zo:

Elsina had een lieve piepstem en de jonge leeuw was een en al enthousiasme. Ze maakten een hels kabaal en Sergei, die nog-al muzikaal was, moest zo ver mogelijk bij hen vandaan zijn poten over zijn oren leggen, terwijl hij verwensingen mom-pelde over onmuzikale, driedubbeldwars overgehaalde, valse jankkatten. Niemand trok zich er iets van aan. Na de lange da-gen en nachten in de trein, in de sneeuw, en in het vochtige Ve-netiaanse palazzo, waren ze dolgelukkig dat ze buiten waren en in de zon in slaap konden vallen. Hun vel en vacht gloeiden van al dat weldadige licht en Charlies krullen stonden stijf van de zilte lucht en het zwemmen.

Op een dag, nadat hij met Elsina een duik had genomen, liep Charlie met een korst van zoutkristallen op zijn lijf naar de watertank om het zout uit zijn mond te spoelen en zag dat het peil gezakt was. Het stond nog niet gevaarlijk laag, maar toch laag genoeg. Ze voeren om de hak van Italië, waarna ze westwaarts zouden koersen voor het tweede deel van hun reis. Het was mooi dat ze zo lang met drinkwater hadden toegekund, maar het werd nu wel tijd om het aan te vullen.

Nadat hij 's avonds een maaltje van pasta, olijfolie en pepertjes had gegeten (de leeuwen aten die dag niet), toetste hij op de boordcomputer de vraag in waar ze aan land konden. Het antwoord lichtte op: ze konden aanleggen bij de grote stad Brindisi of bij een van de vele vissershaventjes langs de kust.

Charlie trok zijn voorhoofd in rimpels. Al waren ze inmiddels ver van Venetië, hij had er niet veel zin in om aan land te gaan. Er konden overal affiches zijn opgehangen met zijn signalement en dat van de leeuwen, er konden agenten naar hen op zoek zijn, of nog vettere beloningen uitgeloofd, waardoor hongerige premiejagers de vluchtelingen maar al te graag zouden willen vinden. Bovendien wist hij dat het vasteland hier in handen was van schurkenfamilies die god noch gebod kenden en elkaar altijd naar het leven stonden; mensen die vroeger boer waren geweest, totdat hun landerijen door chemische middelen en genetische manipulatie om zeep waren geholpen; mensen die op zwart zaad zaten en nergens voor terugdeinsden. Daar durfde hij in zijn eentje geen water te gaan vragen. Ze zouden zijn boot nog stelen.

Niet dat hij ze dat kwalijk kon nemen. Als hij in hun schoenen stond, zou hij ook vast wel een boot hebben gestolen.

Dan kwamen alleen de eilanden in aanmerking. Dat was ook nog riskant, maar risico bleef er altijd, en de eilanden leken Charlie toch veiliger, vooral omdat de bewoners minder honger hadden.

De eilanden rond de voet van Italië zijn ongelooflijk mooi, zo mooi dat de bouwers van de corporatieve gemeenschappen ze langgeleden al hadden opgeëist. De rijken wilden er dolgraag wonen – het was er warm, rustig en schoon, en het had niet eens veel geld gekost om de herders en vissers die er eerst woonden uit te kopen en naar Napels of Brindisi te sturen, waarna er volop ruimte was voor de rijke nieuwkomers.

Charlie toetste de namen van de eilanden in. De computer toonde ze stuk voor stuk en jawel, het waren allemaal nieuwe gemeenschappen. Zijn aandacht werd getrokken door Pantelleria, halverwege Sicilië en Algerije, tussen Europa en Afrika, een kleiner eiland dat ver van de andere lag.

Het was op hun route, het was groot genoeg om veel levensmiddelen in voorraad te hebben, en ver genoeg van de andere eilanden vandaan om niet in het bereik te liggen van een extra politiemacht of buitenlandse kranten. Hij las dat popsterren er graag kwamen; hun namen stonden erbij. Charlie kende die namen wel. Van die sterren die aan meditatie deden en geen vlees aten. Charlie wist wel bijna zeker dat zulke types hem geen vat water zouden weigeren.

'Daar moeten we zijn,' besloot hij.

Toen later die avond de duisternis dieper werd, leek het alsof er lichtjes aangingen in de zee om de boeg. De schittering kwam van kleine spikkels glimmend groen fosfor, die als piepkleine diamantjes in het spookachtig bleke, stuivende water opstegen, om vervolgens op te lossen en te verdwijnen in de nacht.

De leeuwinnen keken er vol verwondering naar. Elsina probeerde de spikkeltjes met haar poten te vangen, tot de oudste leeuw haar aan haar staart achteruit trok. Zelfs Sergei was met stomheid geslagen door de vreemde, onaardse schoonheid van die aanblik.

'Wat is dat?' ademde Charlie.

Niemand wist het. Het was er gewoon. Allemaal voelden ze tot diep in hun vezels hoe ongelooflijk, onnodig mooi de wereld kon zijn.

Maar toen opeens, onhoorbaar opdoemend uit het betoverende donker, kwam een schip de sfeer van vredige magie verstoren. Een groot, duister schip; het voerde geen licht. Bijna onzichtbaar was het genaderd – ze hadden het geen moment zien aankomen. En het was vlakbij.

Charlie rende schreeuwend naar de sirene van hun bootje. De jonge leeuw wilde het op een brullen zetten, maar de leeuwinnen verboden het hem en de sirene begon te krijsen. Het schip veranderde drastisch van koers en hun kleine boot deinde hulpeloos op de hoge golven.

'Kunnen jullie niet uitkijken!' schreeuwde Charlie in de duisternis. 'We hadden wel kunnen verzuipen, stomme zee-olifanten!'

Van het schip, dat nog in de buurt was, kwam het geluid van gekerm. Menselijk gekerm.

Zo lag het daar, schommelend tegen het maanlicht en het fonkelende fosfor.

'Doe je lichten aan!' gilde Charlie.

Niemand hoorde hem natuurlijk.

'Charlie,' zei Sergei waarschuwend.

'Wat is er!' donderde Charlie. Hij was echt razend. Hoe durfde die stomme boot hen midden op zee, zonder licht of geluid, zomaar bijna omver te varen – hij voerde toch zeker ook verlichting? Aan bak- en stuurboord, voor- en achterplecht, net zoals Julius hem aan boord van de Circe had geleerd...

'Stil, Charlie,' zei Sergei.

Iets in de klank van zijn stem legde Charlie het zwijgen op. Heel even was het doodstil. Je hoorde alleen het diepe ruizen van de zee en het geklots van de golven tegen de zijkanten van de twee boten. En het gekerm.

Toen verscheen er een gedaante aan dek van het vreemde schip.

De gedaante riep iets, in een taal die Charlie nooit eerder had gehoord, terwijl hij toch nogal wat talen kende. Het klonk verschrikkelijk treurig.

'Wat heeft-ie?' fluisterde Charlie.

Sergei staarde naar de boot, zijn snorharen strak, zijn ronde kopje met de gehavende oren roerloos.

'Geef gas, Charlie,' zei hij. 'We moeten hier weg.'

'Waarom?' zei Charlie, altijd in voor een goede discussie, maar Sergei draaide zich om en beet hem toe: 'Schiet op! Wegwezen!'

Charlie schrok van de plotselinge felheid en woede in zijn stem. Snel ging hij doen wat hem gezegd werd.

Toen hun boot bij het donkere schip vandaan voer, leek het alsof het gekerm eerder harder dan zachter werd, een koor van protest en treurnis, dat verlangend en erg eenzaam klonk. Charlie keek achterom en zag nog meer silhouetten aan dek, nog meer mensen die de eerste gestalte gezelschap kwamen houden. Ze staken hun armen uit en hun stemmen klonken zielig.

'Wie zijn dat, Sergei?' fluisterde hij. 'Wat hebben ze? Moeten we ze niet helpen?'

Sergie bleef even stil.

'Het is een schip met dwazen, Charlie,' zei hij uiteindelijk. 'Dat zijn de Arme Dwazen.'

Charlie begreep er niets van.

'Maar wie zijn dat dan? Waar komen ze vandaan?' vroeg hij.

'Het zijn mensen die nergens vandaan komen,' zei Sergei.

'Maar niemand kan nergens vandaan komen,' begon Charlie tegen te sputteren.

Sergei onderbrak hem.

'Ze kunnen nergens wonen omdat ze weg zijn gegaan waar ze eerst waren, op zoek naar iets beters,' zei hij.

Daar wist Charlie wel iets van af. Het waren vluchtelingen. Op zekere momenten werden hordes mensen gedwongen vluchteling te worden: ze moesten hun land verlaten, of werden eruit gegooid, moesten ergens anders opnieuw beginnen, maar meestal wilde niemand hen hebben... Hij dankte de hemel dat Londen een stad was waar vluchtelingen naartoe kwamen, geen oord van waaruit mensen moesten vluchten.

'Waarom zijn ze dan niet op de plaats waar ze heen wilden?' vroeg hij. 'Of in een kamp, of zo?'

'Er is geen plaats voor ze,' zei Sergei.

Daar kon Charlie ook nog wel inkomen. Soms werd het ergens te vol.

'Waarom gaan ze dan niet terug naar hun thuisland? Is het daar te gevaarlijk voor ze?'

Sergei trok een bittere grijns. 'Voor de meesten wel, ja, want die worden daar dan vermoord of in de gevangenis gegooid. Maar voor de Dwazen ligt het anders.'

'Hoe anders?' vroeg Charlie.

'Hun thuisland bestaat niet meer,' zei Sergei.

'Hè?' zei Charlie. 'Hoezo niet?'

'Hun land bestaat niet meer,' zei Sergei nogmaals. 'Het is bij de wet verboden, of door oorlog verwoest, of vergiftigd en vernietigd en in zee gezonken. Die lui riepen in het Oekraïens. Oekraïne bestaat al vijftig jaar niet meer.'

Charlie staarde hem aan.

'Moeten we ze niet helpen?' vroeg hij kleintjes.

'Katten helpen geen mensen,' zei Sergei koud.

'Jij helpt mij toch,' zei Charlie.

Sergei zei niets.

'De menselijken hadden hen vijftig jaar geleden moeten helpen,' zei hij ten slotte.

Charlie keek om, zag de donkere omtrek van het schip met Dwazen in de duisternis achter hen verdwijnen. Het was niet eerlijk. Het was niet goed.

Charlie was die nacht erg verdrietig.

Rafi was daarentegen erg gelukkig. Hij was naar het grote elektropark bij het station in Venetië gegaan en had er een te gekke elektromotor gestolen; een donkergrijs met zilveren Triumph met seismische vering en een accu van 12.000 volt. Het ding kon sneller dan elk ander voertuig op de weg – en Rafi zorgde er wel voor dat dat gebeurde ook. Met opgeslagen kraag, een motorbril op en schuinhangend in de bochten scheurde hij uit Veroni weg. Hij reed naar het westen in de avondzon. Hij wilde dwars door de kop van Italië, ten westen van de Alpen Frankrijk in, binnen zesendertig uur in Spanje zijn en twee dagen later in Marokko.

Ver achter hem, in het elektropark, hief een grote grijze hond zijn kop en jankte. Weer werd zijn instinct gedwarsboomd. Weer was de geur die hij kende en waarnaar hij verlangde hem ontsnapt. Na een dagenlange speurtocht kriskras door die natte, stinkende stad, gehinderd door allerlei rare onbekende luchtjes, had hij Rafi's spoor opgepikt. En nu was zijn baas alweer spoorloos verdwenen – opgelost in de schone, metaalachtige geur van elektromotoren. Er zweefde nog een vleugje van die geur op de wind...

Troy wist zichzelf te redden. Zijn neus was sterker dan zijn hersens, dan zijn poten, dan elk ander zintuig dat hij had. Hij boog zijn kop en ging achter de elektrogeur van de motorfiets aan.

Rafi was niet van plan veel te rusten of te eten. Hij had een missie, waarbij hij op een brandstof van sterke zwarte koffie en pure woede draaide.

Maar ook een man met een missie, die op sterke zwarte koffie en pure woede draait, moet af en toe plassen. Toen Rafi dan ook op een parkeerplaats even buiten Milaan stopte, met een lijf dat naschokte van de hoge snelheid en benen die bijna op hun plaats vastgeschroefd leken door het krampachtig omklemmen van de motor, merkte hij dat het telefoontje in zijn zak piepte. Hij had een bericht.

Het was van de president-directeur. Eerst wilde Rafi het niet horen. Hij kon wel raden wat er was ingesproken.

Toen luisterde hij toch, want misschien ging het wel om iets anders.

Het ging om wat hij al verwacht had. Om zaken die hij niet wilde horen, zoals: 'Waar zit je?' en 'Waar blijft dat joch?' en 'Waar ben je mee bezig?' en: 'Komt er nog wat van?' O, en ook nog: 'We willen wel graag op je kunnen rekenen, Rafi,' op een ontzettend beledigende, neerbuigende toon.

Rafi schopte tegen een boom. Hij had er een gloeiende hekel aan als hij neerbuigend werd behandeld. Die hufters van een grote jongens op school toen hij nog klein was... Ja, maar nu was hij niet klein meer.

En zijn arm deed pijn.

Woedend toetste hij Charlies nummer in.

Charlie zat aan dek met naast zich Elsina, die met haar snorharen zijn voeten kietelde. Hij pakte zijn telefoontje op.

'Hé, die Charlie,' zei Rafi. 'Hoi! Alles kits? Springlevend en zo? Vast wel. Ik wil wedden dat je denkt dat je het dik voor elkaar hebt, hè, zo op avontuur met je roofdiervriendjes...'

Charlie bevroor toen hij de stem herkende. Maar hij herstelde zich onmiddellijk.

'Ach, hou toch je kop, Rafi,' zei hij. 'Dat eeuwige gezeur van jou. Ik heb het helemaal gehad met jou en je stomme telefoontjes. Wat moet je nou weer, heeft iemand je soms weer op je kop gegeven omdat je zo stom doet? Moet je je weer afreageren op iemand die kleiner is? En hoe klein moet die wel niet zijn? Het bewijst alleen maar dat je een minkukel bent, hè, etterbak.'

Rafi snauwde: 'Ik steek met kop en schouders boven je uit, Charlie! En ik ben slimmer.'

'Ja vast,' zei Charlie. 'Tuurlijk, Rafi. Daarom kon ik ontsnappen, bedenken wat je volgende stap zou zijn en je voorblijven. Nou, laat jij maar zien wat je kunt, Rafi. Laat maar eens zien hoe geweldig je bent. Zie me eerst maar eens te vinden, en dan zullen we eens zien wie...'

'Hé, slimpo!' zong Rafi op een irritante sliep-uit-toon. 'Hé slimpo, je moet wel even weten dat ik groot genoeg ben om iets bij me te hebben wat van jou is... Weet je wat, kijk even in je *damestasje* om te zien wat er ontbreekt. Toe dan! Ik zal je niet ophouden... Ik bel je later nog wel om verder te babbelen.'

Rafi legde neer. Hij voelde zich stukken beter nu hij Charlie vernederd had.

Charlie sprong op, duwde Elsina van zich af en rende naar zijn tas.

Het perkament – de formule van zijn ouders, geschreven met het bloed van zijn moeder – was weg.

Voor de tweede keer in zijn leven vloekte hij hartgrondig.

VIJFTIEN

Magdalena zat in de trein de krant te lezen. In het katern buitenland stond een artikel over de recente, wonderlijke gebeurtenissen in Venetië, waar de doge van de troon was gestoten door de komst van de Leeuw van San Marco, die de leiding had genomen in een vreedzame revolutie van de gondeliers, gesteund door een leger leeuwen en een kleine bruine heilige, die een hemels medicijn had uitgereikt aan de astmatische kinderen van de stad...

Magdalena dacht diep na.

Aneba lag tegen haar schouder te dutten. Ze streelde zijn knie. Als hij wakker werd, zou ze hem het verhaal laten zien.

Mabel, die tegenover hen zat, sliep ook. Magdalena keek naar haar zus en wilde, meer dan bijna wat ook ter wereld, dat ze weer vriendinnen konden zijn. Maar ze was zo kwaad op haar.

'Daar ligt Pantelleria!' riep Charlie uit. Hij had de naam van het eiland in de bootcomputer geprogrammeerd en ze koersten op de haven af. Het eiland was laag en rotsachtig, heet en

246

schilderachtig. Charlie popelde om aan land te gaan en een heel eind te rennen. Dan hoefde hij niet de hele tijd over de formule te tobben, die Rafi nu in bezit had. Hij had geen idee hoe hij de formule terug moest krijgen en voorlopig kon hij er niets aan doen.

Hij wilde ook dolgraag onder de douche. Het laagje zout op zijn vel leek zo langzamerhand wel een winterjas.

Toen ze het mooie eiland naderden, gebeurde er iets vreselijks.

Voor hen rees een hek uit zee op. Het doemde zomaar op, zoals de muur van de sluis in Parijs. Maar dit was geen muur waar je iets aan had. Het was een hoog, metalen hek met punten op de tralies – vlijmscherpe punten. Het leek een hek van speren, die met dik prikkeldraad aan elkaar waren vastgemaakt. Ongastvrijer kon het niet.

Water stroomde van het hek. Het metaal glom en schitterde. Het versperde hun de weg.

'Nee hè,' zei Charlie.

De leeuwen gromden. Sergei keek alsof het hem allemaal niets verbaasde.

Uit het niets kwam een stem over het water. Een minzame vrouwenstem.

'Wie ben je?' vroeg de stem in het Engels, Frans, Italiaans, Arabisch, Grieks en Spaans.

Charlie dacht snel na – of deed zijn best om snel na te denken. Moest hij liegen?

Hij kon het niet verdragen steeds te moeten liegen. Hij had er een hekel aan.

'Charlie Ashanti!' riep hij, niet zeker wetend of de stem hem wel kon horen.

'Kennen we jou?' vroeg de stem na een korte stilte.

'Nee,' zei hij, 'maar…'

'Ga dan maar weg,' zei de minzame stem.

'We komen alleen maar water halen…'

'Ga weg.'

Het hek steeg een meter hoger. De speren glinsterden een stukje dichter bij elkaar. Misschien verbeeldde Charlie het zich, maar het leek alsof ze naar hem overhelden.

'Dat is nergens voor nodig,' zei hij, zachter nu. 'We komen alleen om water.'

Zover het oog reikte, omheinde het hek nu het hele eiland.

'Dat is nergens voor nodig…'

De leeuwen, in elkaar gedoken, waakzaam en wakker, gromden zacht.

'Geef ons water, alstublieft!' schreeuwde Charlie.

Het hek boog nog verder naar hem toe, als een leger speren in staat van paraatheid.

Charlie gooide met bonkend hart het roer om en stuurde de boot in volle vaart bij het eiland weg.

'Wat nu?' zei hij tegen Sergei.

'Kijk eens achter je,' zei de kat.

Het hek was weer onder water verdwenen.

Heel even keek Charlie hoopvol.

'Als je dat maar uit je harses laat,' zei Sergei.

'Hij heeft gelijk,' zei de jonge leeuw. 'Niet teruggaan.'

'Maar wat moeten we dan?' zei Charlie. 'Ons water is bijna op en…'

'We varen door,' zei de oudste leeuw. 'Snel, en dorstig.'

Charlie zoog zijn wangen in en beet op de binnenkant om speeksel te maken. Hij wist dat de dieren gelijk hadden.

'Het is nog maar een paar honderd mijl naar Tanger,' zei hij opgewekt. 'Daar kunnen we wel water halen. Of we gaan ge-

woon over land.' Zijn lippen waren droog toen hij de boot op-
voerde: op topsnelheid naar de Straat van Gibraltar. Vanbinnen voelde hij zich ook hard en droog – hoe konden mensen
zo rot doen?

Charlie werd vroeg wakker toen ze de Straat van Gibraltar naderden. Er was nog net genoeg water voor het ontbijt, maar
toch voelde hij zich blij. Ze hadden snel gevaren en waren er
ruim voor zonsopgang. Ze wilden niet bij daglicht aan land
gaan en het risico lopen dat de leeuwen gezien werden. Voor
het licht werd, hadden ze nog een uur om op een stille plek
aan land te gaan en water te zoeken.

'Mooi,' zei Charlie, die opkeek van het beeldscherm waarop
hij hun route had bestudeerd. Buiten zag hij het enorme
knooppunt van aquaducten, boven en onder en door elkaar,
die het continentale veiligheidssysteem in de Straat van Gibraltar vormde. Zelfs op dit uur was het in de smalle zeestraat
een komen en gaan van boten in soorten en maten die in de
goede vaargeul op het juiste waterniveau probeerden te komen om van Spanje naar Portugal of Marokko te gaan. Of
noordelijk de Atlantische Oceaan op naar de Golf van Cadiz,
naar het zuiden of westen, of terug naar de Middellandse Zee,
naar het noorden of oosten. Het was bomvol in de bovenste
vaargeulen en Gibraltar was onbereikbaar in de opstopping.
Op de gunstigste tijdstippen was het nog een nachtmerrie om
door het stelsel heen te komen.

Charlie tikte geconcentreerd op het toetsenbord, met het
puntje van zijn tong uit de mond. Hij wist wel bijna zeker dat
het zo goed kwam. De computer had de kaarten berekend en
een plek gevonden waar ze aan land konden, aan de noordkust
van Marokko, in de buurt van Tétouan, en zodra Charlie de

opdracht gaf zouden ze er regelrecht naartoe varen.

Hij gaapte. Hij had weinig geslapen. Toen drukte hij de toetsen in om het navigatiesysteem op gang te brengen. De leeuwen lagen soezend om hem heen.

De boot veranderde van koers en meerderde vaart toen de instructies werden doorgevoerd.

Pas na tien minuten kreeg Charlie in de gaten dat er iets mis was. Ze waren helemaal niet op weg naar een veilige, rustige aanlegplaats. Ze waren niet eens op weg naar de kust. Ze koersten onherroepelijk op een van de hoge vaargeulen af, en ze gingen snel – veel te snel.

Even voelde Charlie paniek opkomen – maar hij liet zich er niet door meesleuren. Woedend draaide hij zich om naar het beeldscherm. Wat was er fout gegaan? In een poging kalm te blijven (wat hem moeite kostte terwijl ze omhoog voeren in de donkere nacht) vroeg hij de computer waar de boot mee bezig was.

Tik tik tik op het toetsenbord.

Het antwoord kwam bijna meteen in beeld. 'Non-stop volgens instructies naar de Atlantische Barbarijnse kust, Essaouira' stond er. Het programma was weer teruggeschakeld op de allereerste opdracht, die Charlie in de Golf van Venetië had gegeven.

Charlie probeerde zijn hersens bij elkaar te houden. Hij keek op om te zien waar ze waren. Ze waren op een hoge vaargeul met eenrichtingsverkeer, werden meegevoerd in de stoet andere boten.

Had het zin de computer te vragen ze terug te brengen naar Tétouan of Tanger? Hij keek uit over de wirwar van watergeulen en scheepskanalen om zich heen, naar al het komende en gaande waterverkeer, waarvan het merendeel ook door boordcomputers werd bestuurd. Ze bevonden zich in het brandpunt van een enorm netwerk, waar alles voortdurend in beweging was.

Tétouan lag inmiddels ver achter hen. Tanger lag verderop aan bakboord. De stroom boten die er in een diepere vaargeul op afkoerste, was goed te zien, op een veel lager niveau dan waar zij waren. Het zou een wereldwonder wezen als je wist hoe je moest keren en in die vaart terechtkomen. Ook was het onberekenbaar hoe ver ze nog door moesten varen om ergens te kunnen keren.

Charlie besloot dat ze door moesten varen. Toen moest hij om zichzelf lachen, want het was stom om te doen alsof dat een beslissing was. Hij had domweg geen keus. Ze moesten de Atlantische Oceaan op in een bootje dat ontworpen was voor de lagune van Venetië, non-stop op koers naar Essaouira.

'Wat gebeurt er?' vroeg Sergei vanuit de vaag verlichte kajuit. Hij sprong op dek en rekte zich uit. 'Is er iets mis?'

'Nee,' zei Charlie kortaf. Hij had geen zin om het uit te leggen en eerlijk gezegd wist hij niet eens of hij zelf een stomme fout had begaan, of dat de computer in de war was. En hij had ook geen zin om dat uit te zoeken, want de boot ging zo snel dat hij amper zijn evenwicht kon bewaren, laat staan uitdokteren wat er gebeurd was.

Sergei wierp hem een snelle blik toe. Hij had de situatie door. Hij rolde zich in elkaar in een hoekje en begon zijn poot te likken. Hij moest zich er niet mee bemoeien.

De vaargeul splitste zich. Het meeste verkeer leek naar het noorden te gaan, de Golf van Cadiz door naar de Portugese kust. Het zonnebootje stormde de bakboordgeul in, richting zuiden. Het veranderde van koers, week uit en koos op het laatste nippertje positie. Charlie staarde naar het beeldscherm. Hij kon alleen maar hopen dat de boot wist wat hij deed.

Ze gingen nu weer omlaag. De hoge vaargeul glooide af naar zeeniveau en kwam uit in de oceaan. Charlie keek op: daar, aan stuurboord, strekte de Atlantische Oceaan zich uit, wijd en zilverig in de eerste stralen daglicht, diep en oneindig, zo ver als naar de Thuislanden van het Imperium. De oceaan... die er niet al te goedgehumeurd bij lag.

Misschien kwam het door de wind die opstak toen de zon opkwam. Misschien door het getij. Misschien was het een aanzwellende golfstroom. Misschien was het ook wel een combinatie van die drie. Wat de oorzaak ook was, de golven werden huizenhoog. Dat was zonneklaar. Veel onduidelijker was de windrichting, want de wind joeg alle kanten op. Het bootje, dat vastbesloten in zuidelijke richting ging – non-stop naar Essaouira! – werd door elkaar gehusseld. Het werd voortgestuwd, jakkerde wel in de goede richting, maar met een veel te hoge snelheid. De golven gooiden het heen en weer. Het was een ruwe zee.

Charlie controleerde de veters van zijn reddingsvest. God mocht weten hoe de leeuwen hierdoorheen konden slapen. Hij was er wel blij om. Hij had geen zin om te moeten zeggen: 'Ja, we zitten in de nesten.' Maar hij wist dat het zo was. Hij kon het voelen.

Hij wilde de computer om het weerbericht vragen. Hij wilde de computer vragen wat hij uitspookte, of ie daar onmiddellijk mee wilde ophouden en bij de eerste de beste veilige plek aanleggen. Hij kon de computer wel slaan. Hij rukte het beeldscherm naar zich toe, boog zich eroverheen en begon op het toetsenbord te rammen.

Geen reactie. De computer was vastgelopen.

Een hoge golf sloeg over de boeg op het dek. Aan stuurboord kwam de zon op boven Afrika.

Een enorme vallei van hellend water opende zich voor hen. Charlie kon niets beginnen.

Sergei kwam achter Charlie aan toen hij de kajuittrap af ging. Een volgende hoge golf tilde de boot op en Charlie wankelde op de treetjes. Hij deed het luik stevig dicht; het leek hem beter om een tijdje binnen te blijven. Hij ging op de rand van een brits zitten, nadat hij met moeite een plekje tussen twee leeuwinnen had gevonden. Zeewater donderde tegen de patrijspoorten en de boot hotste en botste op volle kracht voort in een verkrampte drang om door die woeste zee het zuiden te bereiken. Zo stormden ze tollend verder, werden weer omhoog gegooid, over een hoge golf heen. Hoger hoger hoger – een korte pauze – en eroverheen. Charlie was zich akelig bewust van het diepe, donkere, koude water pal onder zich, en van zijn vurige wens dat het aan de andere kant van de vloer zou blijven.

Sergei likte zijn poot en veegde ermee langs zijn neus.

'Het is maar het beste om de boot z'n gang te laten gaan,' zei hij zachtzinnig. 'We komen heelhuids aan, of niet.'

Charlie moest hem met tegenzin gelijk geven. In een zeilboot hadden ze misschien nog iets kunnen doen, maar hier stonden ze machteloos.

Zo stormden ze urenlang angstig verder. De boot was onbeheersbaar geworden en de oceaan reageerde al even onbeheersbaar. Charlie zat in zijn reddingsvest, met zijn tas eraan vastgebonden, te fantaseren hoe hij de leeuwen een reddingsvest aan kon trekken... Op een bepaald moment ontgrendelde hij het luik, sloot het onmiddellijk weer af en schoof toen de grendels weer los. Wat was beter? Hij liet het luik dicht, maar vergrendelde het niet. Hij speelde het zelfs klaar een slaapje te doen – een gespannen, uitgeput, woest schommelend slaapje. Hij wist niet wanneer de leeuwen wakker waren geworden – misschien waren ze al urenlang wakker. Een van de leeuwinnen was zeeziek geworden en af en toe kermde Elsina zacht.

'Charlie,' klonk de stem van de jonge leeuw door het geklots en gebrul van de golven. 'Jij kunt er niets aan doen.' Verder werd er geen woord gewisseld. Urenlang zaten ze in de kajuit, zo gespannen dat hun spieren pijn gingen doen. Ze deden schietgebedjes en klampten zich vast om niet door elkaar gerammeld te worden.

Elsina's gekerm ging over in klaaglijk gemiauw. Charlie hoorde het boven het donderend geweld van de zee uit.

ZESTIEN

Achteraf kon Charlie nooit goed beschrijven hoe het gebeurd was of wat er precies gebeurd was.

De totale gekte brak los. Het licht ging uit, de boot sloeg om, water stroomde de kajuit binnen. De leeuwen dreven als donkere schaduwen om hem heen in het water, worstelden, snakten naar adem, in een warreling van luchtbellen, zware lijven en trage, rondmaaiende ledematen. Charlie wist nog dat hij het luik had opengeduwd. Aan de andere kant was nog veel meer water. Hij wist nog dat hij hoestte en proestte en dat het licht in het water hem deed denken aan het bevroren licht door de ramen van de Oriënt-Expres. Toen lag hij opeens in open water, met grote golven die over hem heen sloegen, tegen hem aan beukten, die hem wilden verdrinken. Hij wist nog dat hij dacht: De zon kan toch niet nog steeds aan het opkomen zijn. Toen zag hij heel even de gloeiende bal, geel en verschroeiend, boven de horizon. Daarna besefte hij: nee, de zon gaat juist onder. Dat betekende dat achter hem land was. Hij herinnerde zich dat hij naar de leeuwen had gezocht en niets anders zag dan water. Hij herinnerde zich dat hij zijn benen uitsloeg, wild schoppend, om zich in de richting te vechten waar hij land vermoedde – en dat het uren had geduurd, of leek dat maar zo? Hij wist het niet. Hij herinnerde zich slokken zout, en eindelijk, als een wonder, het gevoel van ruw zand onder zijn gezicht, warm vergeleken bij de koude branding die nog aan zijn benen trok. Hij herinnerde zich dat hij dacht: we hebben die hele afstand afgelegd en net toen ze bijna thuis waren, heb ik ze allemaal laten verzuipen. En hij wist nog dat zijn tranen zoeter smaakten dan de zee.

Het was Sergei die als eerste bij zijn positieven kwam, om zich heen keek en verre van blij was met wat hij zag. Een lang, halvemaanvormig strand, breed en glad, bezaaid met stukken wrakhout en flarden eeuwenoud plastic: dat was het ergste niet. Het ergste waren de vier doorweekte bergen vacht, en verderop aan het strand de vorm van een jong iemand, die op hen toekwam en iets bij zich droeg.

Sergei nieste, kromp ineen en rilde. Het laatste zonlicht voelde nog warm. Hij rekte zich ongemakkelijk uit, sprong toen op en rende van de ene doorweekte berg naar de andere. Twee leeuwinnen, de oudste en de jongste leeuw. Ze ademden allemaal nog. Waar was Charlie? Waar was de zilveren leeuwin? Waar was Elsina?

Sergei werd snel warmer in de ondergaande zon. Er moest hulp komen.

Hij sjeesde het strand over naar de naderende gestalte.

Tussen hem en die figuur lag een kleiner bergje.

Sergei sprong erop af. Ja!

Hij controleerde Charlies ademhaling. Gelukkig! Hij likte zijn gezicht.

Word wakker, joh!

Zacht snuivend haalde Sergei snel en doelgericht naar Charlie uit. De schok kwam hard aan.

'Word wakker,' fluisterde Sergei. 'Slapen kan altijd nog. Verstop je! Daarginds liggen vier leeuwen. Verstop ze! Er komt iemand aan!'

Charlie was zo verdwaasd dat hij niet eens overeind kon komen. Hij was ijskoud. Hij klampte zijn tas vast en hoorde maar half wat Sergei zei.

'Jezusmina nog aan toe...' zei Sergei. Hij siste kwaadaardig naar Charlie en draaide zich met een ruk om. Hij moest de plaatselijke katten erbij halen en die rotzon moest nú ondergaan, zodat de duisternis hen kon verbergen.

Hij rende als een bezetene over het strand. Verderop was een stadje. Hij kon de toppen van iets zien – van ouderwetse torens, of zo. Langzaam maar onherroepelijk kwam de gedaante hun richting uit. Hij – het was een hij – had een emmer bij zich. Hij raapte zeker schaaldieren, of zoiets, dacht Sergei.

Nou, dan moest het maar.

Sergei vloog op de figuur af, krabde woest langs zijn blote been en vloog verder. De jongeman gaf een schreeuw van pijn en verbazing en ging met een klap zitten.

'Sorry, niet persoonlijk bedoeld,' mompelde Sergei terwijl hij verder sjeesde. Die kerel was tenminste afgeremd.

Op hetzelfde moment ving Sergei een geur op. De stank van vis!

Hij krulde grijnzend zijn snorharen. Waar vis is, zijn katten.

Ze waren maar een paar honderd meter verderop op het strand, onder aan een hoge muur die de stad van de zee scheidde, rommelden door een hoop visafval dat daar blijkbaar was gedumpt na sluiting van de markt.

Sergei slenterde de kring binnen.

Alle katten keken op. Er was veel voedsel, maar er waren ook veel katten. Zat dat scharminkel achter hun eten aan? (Ze wisten niet dat hij een allergeen was – hier in de Arme Wereld konden zo weinig mensen zich medicijnen veroorloven dat niemand de moeite had genomen hier allergenen uit te zetten.)

'Er zijn vier half verdronken leeuwen en een Katssprekende jongen op het strand aangespoeld,' kondigde Sergei aan. 'Twee leeuwen worden nog vermist. Ze lijden kou, honger en dorst en zijn op de vlucht voor het circus. Ze lopen gevaar.'

De katten keken hem aan. Ze keken elkaar aan. Ze keken vooral ook een grote, amberkleurige kat met lichtgroene ogen aan.

'Waar?' zei de amberkleurige kat.

'Volg me,' zei Sergei.

Vijftien katten stoven over het strand om de zilveren leeuwin en Elsina te zoeken. Vijfenveertig katten volgden Sergei langs de jongeman die zijn opengekrabde been zat te verzorgen (hij wierp één blik op de bende katten, schrok zich dood en rende als een haas naar de stad terug). De hele kattenzwerm ging naar de plek waar Charlie en de andere leeuwen waren. Ze ademden tegen hun lijven, gaven kopjes en klopjes en maakten hen warm. De katten maakten hen wakker en beloofden dat alles goed kwam als ze meteen in beweging kwamen. Toen de laatste zonnestralen door de diepdonkerblauwe lucht filterden, moedigden ze de leeuwen en Charlie aan overeind te komen en met hen mee te gaan, langs de vloedlijn in de richting van de stad, naar een wanordelijke hoop rotsblokken aan het einde van de enorme, dikke stadsmuur.

Er was een opening in de muur, een oude poort met puin ervoor. Daarachter lag een soort vertrek, een vochtige ruimte met wanden waar het pleisterwerk afbladderde. Verder naar binnen was nog een vertrek, zo te zien uit de rots gehouwen, met een hoog rond plafond, stenen bankjes in de muren en in het midden iets wat op een ingestorte fontein leek.

'Het is een oude hamam,' zei de amberkleurige kat, die Omar heette. 'Een badhuis. In de vestingmuren van de stad, die gebouwd zijn om de zee tegen te houden. Heel sterk, heel rustig. Er komen allang geen mensen meer.'

Charlie kon de zee tegen de buitenmuur horen beuken. Het laatste wat hij wilde was bij zee zijn. Hij wilde bij een branddende haard zitten, vers zoet water drinken, een enorme kebab eten. Maar hij was allang blij dat hij op deze klamme, veilige, rustige plek was. Hij zat op een stenen bankje en voelde de kou door zijn lijf kruipen. Hij rilde. De leeuwen drukten zich dicht tegen hem aan, hun ogen groot van de schok. Hij sloeg zijn arm om de nek van de jonge leeuw en begroef zijn hoofd in de vacht. Die rook anders. Ziltig, koud, vochtig. Hoe had hij zijn vrienden aan deze ellende bloot kunnen stellen?

Op de kop van de jonge leeuw zat bloed – hij was kennelijk onderweg gewond geraakt.

De andere katten waren weer op zoek gegaan.

'Jammer dat we geen vuur hebben,' zei Omar. 'Maar water hebben we wel.' Hij gebaarde naar de fontein. 'Schuif de steen weg, dan krijg je zoet water.'

Charlie verschoof het rotsblok dat het gat van de waterbuis afsloot. Helder, schoon water gutste hun tegemoet. Rillend van blije verwachting bogen ze hun hoofd om te drinken.

'Getver!' gilde Charlie, spugend en kokhalzend. De leeuwen stompten met hun grote poten tegen hun mond, trokken hun lippen op, rimpelden hun snoeten van afschuw.

Het was zout water.

Omar was van streek. 'Ik snap niet hoe er zeewater in gekomen is!' riep hij uit. 'Mijn verontschuldigingen, vrienden. Ik snap het niet... We moeten zoet water voor jullie vinden.'

Charlie, nog spugend, deed zijn tas open en gaf elk van zijn vrienden een druppel van het allesbetermakende drankje. Het loste de zoutsmaak op en in deze toestand konden ze het bovendien goed gebruiken. Toen waste hij met zout water de wond van de jonge leeuw schoon. 'Fijn dat we ons hier kunnen verbergen,' zei hij. '*Shukran*. Bedankt.'

De amberkleurige kat glimlachte. 'Een Katsspreker,' zei hij. 'Een echte Katssprekende jongen. Ik ben zeer vereerd. Welkom in Essaouira.'

Essaouira! Charlies hart sprong op en even vergat hij zijn dorst.

'Jongens, we zijn in Essaouira!' riep hij uit.

De oudste leeuw keek hem aan en zuchtte. 'Niet helemaal volgens reisplan, maar we zijn er,' prevelde hij. 'Tenminste, de meeste van ons...'

Charlie was dolblij dat hij de oudste leeuw weer hoorde praten. Hij holde op hem af en voordat hij het wist had hij zijn armen al om de trotse nek geslagen. Hij wreef de klamme manen droog, omhelsde hem en zei: 'Het spijt me zo, meneer, het spijt me zo vreselijk dat ik u op de trein bijna liet bevriezen en nu weer bijna heb laten verdrinken.'

De oudste leeuw keek hem stomverbaasd aan. 'Integendeel,' zei hij. 'Je hebt ons eerst van de bevriezingsdood gered en toen van de verdrinkingsdood. Zo heb je ons naar ons land van herkomst gebracht. Waar zou jij spijt van moeten hebben? En daar is niet eens tijd voor ook – we moeten onze vrienden vinden, en water...'

'Kan niet, meneer,' zei Omar. 'Jammer, maar het is niet veilig. De katten zullen de leeuwen vinden en bij hun familie terugbrengen.'

Even keek de oudste leeuw alsof hij bezwaar ging maken, trots als een gewonde koning.

Sergei kwam tussenbeide. 'Ik geef hem geen ongelijk, hoor,' zei hij. 'Blijven jullie nou maar mooi met z'n allen hier. Voor zolang het duurt.'

'De katten van Essaouira weten waar de storm spullen neerlegt,' zei Omar. 'De katten weten waar de wind de spullen laat. De katten vinden hen wel.'

'En ik ga water halen,' zei Charlie. 'Zo meteen.'

De oudste leeuw wist dat ze gelijk hadden.

Omar glimlachte opnieuw.

Charlie zat nog te rillen.

Omar keek naar Charlie toen hij zich uit zijn natte plunje worstelde en alles meteen weer aantrok, om erachter te komen wat het warmst was.

'Ga mee,' zei hij en Charlie ging mee. 'Jullie ook,' riep de kat naar de leeuwen. Ze gingen achter hem aan over een wenteltrap langs de zijmuur, traag, omdat ze stram waren van de kou.

Door een boog kwamen ze op het platte dak. Hier klonk het geruis van de golven veel harder. De zee was vlakbij. Om het hele dak liep een laag muurtje. Charlie keek over de rand en zag de ommuurde stad voor zich, het strand achter zich, en de minaretten en koepels van de moskeeën.

'De stenen zijn warm na een hele dag zon,' zei de amberkleurige kat hoffelijk. 'Blijven de hele nacht warm ook. Ga liggen, als op een verwarmde vloer. Daar knap je van op.'

Stram gingen de leeuwen liggen. Charlie deed hetzelfde.

Sergei kroop opgerold tegen hem aan, op een verrassend hartelijke manier. De zon had de hele dag genadeloos boven de stenen staan gloeien en nu, in de avond, lagen de stenen er warm doorstoofd en uitnodigend bij. Charlie en de leeuwen strekten zich uit, draaiden zich om en schoven heen en weer om elke vezel van hun hele vochtige, toegetakelde, verkleumde lijf van de warmte te laten genieten. Hoog boven hen was de avondhemel met een lage maan, als een schijf die op zijn rug lag, als een wieg. Charlie was graag in de wieg van maneschijn gaan liggen om een week lang te slapen. In plaats daarvan dacht hij aan Elsina, aan de zilveren leeuwin en aan zijn dorst. Hij kwam weer overeind.

'Waar zijn de katten gaan zoeken?' vroeg hij aan Omar, terwijl hij zijn stijve nek strekte en allang blij was met dat korte moment van warmte. 'Kun je me erheen brengen? Ik moet ze het drankje geven. En ik moet ze eigenlijk ook eten en drinken brengen.'

'Spreekt vanzelf,' zei de amberkleurige kat.

'Ik ga ook mee,' zei Sergei.

De jonge leeuw keek op. Charlie merkte wel dat hij ook dolgraag mee wilde om te helpen.

'Blijf jij hier,' zei Charlie. 'Je mag niet gezien worden. En je bent gewond.'

'Weet ik,' zei de jonge leeuw. 'Maar jij doet al zoveel voor ons, Charlie. Wat doen we eigenlijk voor jou?'

'Je hebt toch met de dogepolitie afgerekend?' zei Charlie. 'En met Rafi, toen het er echt op aankwam!'

Toch zat het de jonge leeuw niet lekker. Het was niet dat hij jaloers was op Sergei, maar... jee, wat had ie een koppijn.

Charlie en Sergei keken even uit over de stad voordat ze vertrokken. De amberkleurige kat wees de markt aan (waar de stalletjes nu dicht waren) en de medina (de oude stad), met de hoofdstraat vol cafés. Hij wees naar de rotsblokken verderop aan het strand, waar de katten heen waren gegaan om Elsina en de zilveren leeuwin te zoeken.

'Voorwaarts mars,' zei Sergei. '*Per ardua ad astra. Nil illigitimi carburandum. Rien ne va plus*. Kom mee, joh.'

Ze gingen de wenteltrap weer af, door de met puin bezaaide opening de warme avond in, en liepen naar de straten van Essaouira.

Maccomo zat op het terras van een van de cafés die Charlie vanaf het dak van de hamam had gezien. Daar had hij zojuist de schoenmaker tegen de ober horen zeggen dat de jonge Khaled nu toch echt zijn verstand had verloren: hij liep overal te vertellen dat hij op het strand was aangevallen door een leger dolgedraaide katten, en dat er schipbreukelingen lagen, leeuwen nog wel, die de katten probeerden te verstoppen... Die arme Khaled. Die was echt niet goed snik.

Maccomo glimlachte, riep de ober en bestelde een paar grote flessen water. Ze werden gebracht en hij maakte ze open. Voorzichtig, zonder aandacht te trekken, haalde Maccomo een flesje uit zijn zak en deed een flinke scheut in beide waterflessen.

Een kleine jongen was verderop zijn oom aan het helpen bij een drinkstalletje. Maccomo klakte met zijn tong om het jochie bij zich te roepen.

'Straks zal hier een jongen komen,' zei hij. 'Een jongen die er moe en sjofel uitziet, geen Marokkaan. Ik zal hem je aanwijzen. Als je hem deze flessen verkoopt, krijg je vijf dirham van me.' Het jongetje haalde zijn schouders op, pakte de flessen aan en ging zitten wachten tot Maccomo het teken zou geven.

De katten leidden de zilveren leeuwin en Elsina al over het strand toen Charlie en Sergei hen tegenkwamen.

De twee leeuwinnen zagen er vreselijk uit: koud, zwak en rillerig. Maar ze leefden nog. Charlie merkte dat hij van opluchting begon te lachen. Nu drong het pas goed tot hem door hoe hij in angst had gezeten om die twee. Raar was dat toch – als de angst toeslaat, ontken je het, en pas als het ergste achter de rug is, kun je zeggen: 'Dat was me een crisis! Goddank hebben we het overleefd.'

Charlie gaf hun meteen allesbetermakende druppels, en hij tilde Elsina op om haar te dragen. Ze was zwaar en slap en liet haar grote poten bengelen. Charlie gaf haar kusjes en praatte haar moed in. 'Hou je taai, meid,' fluisterde hij onder het lopen. 'Je kunt het. Zet 'm op. Alles is in orde. Alles is nu dik in orde.' Hij had het gevoel dat ze wilde reageren. De zilveren leeuwin was er iets beter aan toe, maar ook zij had de troebele ogen en verdwaasde uitdrukking die bij uitputting horen.

Ze glipten de hamam weer in. Het was een hele klus om Elsina naar boven te krijgen, maar Charlie speelde het klaar. Hij legde haar op de warme stenen. De andere leeuwen, die zelf weer op temperatuur waren, dromden koesterend om het tweetal heen om ze warm te maken. De jonge leeuw ging naast Elsina liggen en fluisterde tegen haar. Omar was er ook bij en stond bezorgd toe te kijken.

Alles was in orde. Het was een wonder. Iedereen leefde nog. Water, dacht Charlie.

Bij het eerste het beste café in de hoofdstraat kwam een jongetje op hem af dat flessen water verkocht. Opgetogen nam Charlie de twee grote flessen aan die het jongetje hem voorhield. Hij rukte de dop van een fles en goot zich vol. Koel, zoet water. Hij kreeg er kippenvel van, zijn lichaam rilde van dankbaarheid. Hij had dagenlang veel te weinig gedronken. Hij keek waar Sergei was, om hem ook te laten drinken, maar de schurftige kat zat al lang en breed achter het café in de vuilnisbakken te scharrelen, waar hij zich te goed deed aan allerlei restjes die we maar beter niet bij naam kunnen noemen.

Op de radio in het café speelde een prachtig liedje, waar Charlie meteen vrolijk van werd. Grinnikend bestelde hij vijftig grote kebabs, waarvan vierentwintig rauw, en ging zitten om een kom soep en warm brood te eten en een groot glas sinaasappelsap te drinken terwijl zijn bestelling werd klaargemaakt. Wat een geluk dat de dirhams van zijn moeder de schipbreuk hadden overleefd. Hij had ze frommelig en vochtig op zak. De hemel zij dank dat hij eten en drinken kon kopen. Opluchting golfde door hem heen.

Drie deuren verderop leunde Maccomo achterover in de schaduw en hield hem in de gaten. Toen Charlie het vlees bij elkaar pakte en terugsjouwde naar de stadswallen, gleed Maccomo stilletjes van zijn stoel en volgde hem. Onzichtbaar glipte hij door de straatjes; geduldig ging hij in een donker hoekje voor de hamam zitten wachten tot het medicijn zijn werk zou doen.

Verderop in de medina stapte een vrouw uit een taxi. Uit de taxi achter haar kwamen een man en een vrouw.

'Je hebt net vijftig dirham verknoeid met je koppige gedoe,' riep Magdalena. 'Wat een stijfkop ben je! We hadden toch minstens een taxi kunnen delen.'

Mabel negeerde haar en liep met grote stappen onder een onbeduidend uitziende boog door, haar tas boos meeslepend.

Binnen hield zelfs Mabel even haar adem in. De boog leidde

naar een schitterende binnenhof. Of was het een hoge, open kamer? Je zag nauwelijks of het binnen of buiten was, een vertrek of een tuin. De vloer was van steen, oud en versleten, maar bedekt met prachtige kleden. Langs de hoge muren liepen brede balkonnen met een overdekte zuilengalerij. Klimrozen en jasmijn groeiden tegen de smalle pilaren en in het midden klaterde een fontein, waarvan de vijver bezaaid was met scharlakenrode en witte rozenblaadjes. Om ronde tafeltjes stonden lage banken en gemakkelijke fauteuils. Hoog boven dat alles glinsterden de sterren tegen de luisterrijke avondhemel.

Mabel, Aneba en Magdalena liepen alledrie naar de balie. Mabel had een kamer geboekt en ze glimlachte toen een piccolo haar tas pakte en haar naar boven bracht. Aneba begon een kamer voor zichzelf en Magdalena te regelen (liefst die naast Mabel, als het kon) terwijl Magdalena achter haar zus aan ging. Ze was niet van plan haar uit het oog te verliezen.

En dat was maar goed ook.

Maccomo zat nog in de schaduw bij de hamam toen de jongen van het hotel hem vond. (Jongens in kleine Marokkaanse stadjes weten altijd iedereen te vinden, zelfs – en eigenlijk vooral – als zo iemand niet gevonden wil worden.)

'Een madame in het Riad el Amira vraagt, wilt u zo goed zijn te komen,' zei de jongen beleefd.

Maccomo keek op, zijn ogen verborgen in de duisternis. Hij wilde niet vragen hoe de jongen hem gevonden had, want dat zou verraden dat hij het niet wist, en hij liet mensen liever in de waan dat hij alles wist.

'Ik ken geen madame,' zei hij kil.

'Buitenlandse madame,' zei de jongen. 'Heel mooi. Haar als vuur.'

Maccomo's ogen flitsten. Zo? En wat kwam ze hier doen? Hoe wist ze dat hij hier was?

Hij glimlachte.

Die slimme Mabel, zijn mooie Mabel was bij hem teruggekomen. Dat kon maar één ding betekenen. Ze wilde zich aan hem geven. Nu zouden ze gaan trouwen, ze zou hem helpen, ze bleven voor altijd bij elkaar.

Hij moest naar haar toe – op stel en sprong!

Maar had hij er tijd voor?

Charlie en de leeuwen zouden binnenkort lam zijn van de drugs en een hele tijd slapen... en voor ze bijkwamen, was Maccomo al terug, met Mabel! En dan konden ze samen Maccomo's wraakplan uitvoeren.

Maccomo ging eerst naar zijn pension, om zich te wassen en andere kleren aan te trekken. Hij moest er piekfijn uitzien als hij zijn geliefde ten huwelijk vroeg. Op weg van zijn kamer naar het Riad had hij geen oog voor de uitgemergelde kat met de gehavende oren, die hem vanaf de hamam was gevolgd, gezien had waar hij woonde, en nu achter hem aankwam terwijl hij zwierig naar het Riad el Amira liep.

Maccomo's pension

Borstwering

Oude hamam

Place
Moulay El Hassan

HAVEN

Essaouira

SCALE: ⊢—from here to here—⊣ ▦▦▦▦▦▦▦▦ = QUITE CLOSE

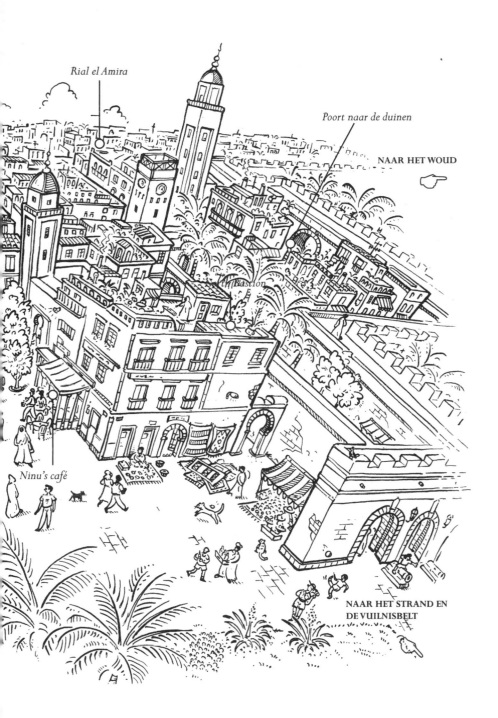

Rial el Amira

Poort naar de duinen

NAAR HET WOUD

Ninu's café

NAAR HET STRAND EN
DE VUILNISBELT

ZEVENTIEN

Na haar lange reis had Mabel een bad genomen en zich om-
gekleed. Nu lag ze lui op een lage divan in een zaal die aan het
binnenhof grensde. In de zaal waren privé-ruimtes gemaakt,
met donkere kamerschermen van prachtig bewerkt, aroma-
tisch hout, waardoor elke divan, gedrapeerd met bloemrijke
kleden, in een afzonderlijk kamertje leek te staan. De nacht
koelde af en aan de overkant gloeide een knetterend houtvuur
in de open haard. Het hout rook verrukkelijk. De zoete munt-
thee – smaragdgroene blaadjes die in glaasjes van scharlaken-
rood en goud op het kleine, gewreven tafeltje voor haar dreven – smaakte ook verrukkelijk. Hoge witte bloemen in een
schemerige hoek gaven een vage, al even verrukkelijke geur af.

Mabel rekte zich uit. Wat een luxe. Als die bal van spanning
niet in haar borst had gezeten omdat ze boos was op Maccomo, in de war door haar zusje, haar neefje en het lot van de
leeuwen, en o ja, als die altijd aanwezige steek in haar buik er
niet was geweest, waar tijger Rajah haar jaren geleden had
opengehaald en een hap genomen… als dat alles er niet geweest was, zou ze zich heerlijk hebben gevoeld.

Ze keek op. Maccomo stond in de kier tussen de kamerschermen.

'Mabel,' zei Maccomo. 'Mijn liefste, hier ben je, je bent naar me toe gekomen.'

Voor ze kon antwoorden stond Maccomo al naast haar en pakte haar hand. 'Mijn liefste,' zei hij. 'Ik hoor dit eigenlijk tegen je vader te zeggen, maar omdat je geen vader hebt, en ook geen broer of oom, zal ik mijn hart rechtstreeks bij jou luchten. Ik wil met je trouwen, ik wil dat je me vereert met je liefde. Ik ben zoals je me kent – een reizend man die weinig anders te bieden heeft dan zijn talenten en zijn hart. Maar voordat je me afwijst omdat ik arm ben, moet je weten dat ik vooruitzichten heb. Iets weet je er al van, maar laat me je de rest uitleggen.'

Mabel was geschokt. Met hem trouwen! Ze was al vier keer getrouwd geweest... Ze voelde er niets meer voor. Maar uitleg – ja, daar kwam ze voor.

'Mijn leeuwen zijn me ontstolen,' zei hij. 'Dat heb je natuurlijk gehoord. Maar daar zit ik niet over in, want ik zal ze weer vangen, bekendmaken dat ze niet deugen en ze aan een goedkope dierentuin verkopen, waar ze hun straf kunnen uitzitten omdat ze zo dom zijn geweest bij me weg te gaan... Ze zullen in kleine kooien leven, oud vlees gevoerd krijgen, weinig en stoffig water te drinken krijgen, en kleine kinderen zullen hen dagelijks door de tralies plagen en kwellen. Nee – het gaat me om mijn leeuwenjongen, Charlie. Herinner je je hem?'

Ja, die herinnerde Mabel zich wel.

'Mijn liefste...' Maccomo's ogen brandden in de hare en hij greep haar elleboog. 'Mijn liefste. Heb je wel eens van Katssprekende mensen gehoord?'

Ja, natuurlijk – dat was een oude legende onder circus- en dierentuinmensen. Klinkklare onzin.

'Charlie spreekt Kats.'

Mabel staarde hem aan, en op hetzelfde moment besefte ze dat het geen klinkklare onzin was.

Maccomo hield haar elleboog zo stevig omklemd dat het pijn deed.

'Het is waar!' zei hij. 'Hij is de enige die het kan, dat staat vast – misschien wel de eerste sinds heel lange tijd. Denk je eens in wat hij waard is!'

Mabel knipperde met haar ogen.

Ze dacht: dan kan hij met mijn tijgers praten. Dan kan hij me vertellen wat ze denken. Dan kan hij... maar waar is hij? Ik wil meteen naar hem toe! Mabel had nog nooit van haar leven zoiets fantastisch gehoord. Haar bloedeigen neefje! Al het andere telde niet meer.

'Dus een vriend van me... Rafi Sadler, die jij ontmoet hebt,' vervolgde Maccomo, 'die handelt in... ach, zo veel dingen. Waaronder bepaalde talenten, om het zo maar te noemen. Mensen met talenten. Weer andere mensen willen die getalenteerden graag in dienst hebben, en ze geven hem grof geld om mensen naar een oord te brengen waar... waar hun talent het meest gewaardeerd wordt. Hij heeft dus aangeboden de Katssprekende leeuwenjongen van me over te nemen. Er is voor de jongen geboden door een zeer goede klant van hem – door steenrijke, machtige lui. Ze zijn in zijn kennis van het Kats geïnteresseerd, in hoe het werkt en waarom hij het kan. En daarom hebben ze een kapitaal voor de jongen over. Misschien ken je ze wel. De Corporatie. Zeer machtig...'

Achter het donkere, houten kamerscherm bij de volgende divans sprong Aneba overeind, met een woedend gezicht en gebalde vuisten. Magdalena sprong ook overeind en nam zijn gezicht in haar handen. 'Ssst,' fluisterde ze, met een gezicht vertrokken van de moeite die het kostte zich in te houden. 'Ssst.'

Aneba haalde heel diep adem en liet de lucht stilletjes en langzaam ontsnappen. Hij deed zijn vuisten open en liet zijn gestrekte handen traag zakken, in een kalmerend gebaar. 'Ik ben woedend, maar ik hou mijn woede in bedwang,' bezwoer hij zichzelf. En nog een keer. En nog een keer.

Het flakkerende houtvuur wierp schaduwen over de hoge, bleekstenen muren.

Mabel staarde Maccomo aan en dwong zich naar hem te lachen, maar intussen raasden de gedachten door haar hoofd. Handel in mensen? Machtig? Een kapitaal voor die jongen over?

Wilde Maccomo haar neefje verkopen? Een jongen verkopen?

Dat was slavernij!

En aan de Corporátie?

Mabel wist donders goed wat de Corporatie was. Ze had een gloeiende hekel aan de Corporatie en hun motto dat je je om te overleven moest aanpassen aan de nieuwe gemeenschappen met hun regels en grenzen. Ze was destijds juist van huis weggelopen en naar het circus gegaan om vrij en onbegrensd te kunnen leven.

Terwijl ze Maccomo met die geforceerde glimlach aan bleef kijken, dacht Mabel snel na. Ze dacht: ik ken die man eigenlijk helemaal niet. Ze dacht: ik zou nooit kunnen houden van iemand die zo slecht is. Ze dacht: maar ik moet doen alsof het wel zo is, en gebruikmaken van zijn vertrouwen in mij.

En dus glimlachte ze nu breed en riep: 'Schat, wat geweldig!' Ze drukte zich tegen Maccomo aan en zijn hart zwol van geluk.

Mabels hart beraamde intussen bedrog. Ze ging met Magdalena praten. Ze gingen het samen weer goedmaken! Samen zouden ze Charlie redden!

Maar Magdalena, achter het scherm, hoorde alleen de woorden die haar zus sprak en wist niets van het plan in haar hart. Ze luisterde vol afgrijzen toe, en nu was het Aneba's beurt om haar tegen te houden.

Charlie voelde zich beroerd. Zijn hoofd was zwaar. Het zakte de hele tijd scheef. Zijn oogleden leken wel gegroeid; ze waren te groot voor zijn ogen. Zijn mond was droog en zijn vel was gekrompen. Hij voelde zich kotsmisselijk. Hij moest liggen. Kijk... daar lagen de leeuwen. Zo te zien al eeuwen. Eeuwen liggen de leeuwen... Dan moest hij ook maar bij de leeuwen gaan liggen geeuwen.

Hij struikelde over de grote poot van de oudste leeuw en viel boven op de gele leeuwin. Ze verroerde geen vin. De oudste leeuw al evenmin. Hun ademhaling was zwaar en ongewoon, maar Charlie merkte het niet. Zijn oren begonnen te suizen. Het leek alsof zijn handen als vloeibare was van zijn armen dropen. Ze voelden loodzwaar. Ik moet me omdraaien, dacht hij. Ik moet kotsen.

Charlie stond op het punt bewusteloos te raken toen een opgewonden Sergei op de vensterbank sprong. Hij was als een duivel teruggestormd om te melden dat hij Maccomo naar het Riad el dinges was gevolgd en dat hij daar een glimp van Charlies ouders had opgevangen – maar hij wierp één blik op de berg bewusteloos leeuwenvlees en de benevelde jongen en slaakte een gil.

Sergei wist wat er aan de hand was. In Londen en Liverpool had hij vaak genoeg zatlappen in de goot zien liggen, mensen die het bewustzijn waren verloren door giftige stoffen in hun bloed. Maar hoe konden de leeuwen zoiets hebben binnengekregen? In gedachten ging hij na wat ze hadden gegeten. Het moest in het eten van het café hebben gezeten, of in het water.

Opeens dacht hij aan het waterjongetje. Alleen hij, Sergei, die zich te goed had gedaan aan een plas water achter het café, had geen druppel flessenwater gehad. Alleen hij, Sergei, was volledig bij zinnen.

Hij had Maccomo gezien in een pension vlak bij de plek waar het jongetje naar hen toe was gekomen.

Hij kende het hele drama van het medicijn dat de leeuwen in het circus was toegediend en hoe Charlie datzelfde middel stiekem aan Maccomo had gevoerd om hem verdwaasd en roezig te maken.

Kreunend rolde Charlie zich om. In een fractie van een seconde stond Sergei naast hem, krijste hem toe, schold hem uit, moedigde hem aan. 'Wakker worden. Wakker worden! WAKKER WORDEN! Niet gaan slapen! Toe nou, grote sufkont, je kunt het best. WAKKER WORDEN!'

Maccomo had een fikse scheut door het water gedaan. Charlie had minder gedronken dan de leeuwen, en hij had bovendien sinaasappelsap en soep gehad waardoor het middel verdund was, maar de invloed was sterk genoeg.

Sergei hield op met springen en schreeuwen. Het haalde niets uit. Maar wat dan?

Hij dacht na. Waarom was Charlie wakkerder dan de leeuwen, al was hij kleiner en daardoor bevattelijker voor het middel?

Soep. Sinaasappelsap.

Spugend en vloekend sprong Sergei weer door het raam en schoot onzichtbaar terug naar de markt.

En ja hoor, in de hoek waar het afval van de marktkramen bij elkaar was geveegd, om later door de vuilniswagens opgehaald te worden, lagen ook een heleboel nog best goede sinaasappelen. Kinderen zochten tussen het vuil naar alles wat nog eetbaar of verkoopbaar was, maar ze vonden het niet erg dat de broodmagere kat de sinaasappelen aan het rollen probeerde te brengen. Ze vonden het juist wel grappig. Ze moesten om hem lachen en een klein meisje met een roze, zijden jurkje besloot hem een handje te helpen. Sergei liet de kinderen meespelen, duwde de sinaasappelen voor zich uit en maakte miauwerige praatgeluidjes.

Het duurde niet lang of een groepje van zes magere kinderen droeg handenvol sinaasappelen naar de oude hamam, waar ze ze door het raam gooiden, omdat de magere kat daar zo'n lol in had. Ze vonden het jammer dat hij achter de sinaasappelen aan sprong en niet meer buiten wilde komen, maar toen kwam er een vader schreeuwend aangehold en wilde weten wat ze zo laat nog buiten deden, en dus renden ze terug naar de markt.

In de hamam pelde Sergei met zijn klauwen de sinaasappelen, duwde ze de leeuwen in hun bek en probeerde hun grote kaken op elkaar te drukken om het sap naar binnen te persen. Hij vond het geen pretje om zijn poten in die grote roze muilen vol tanden te stoppen; het leek hem geen feest als een leeuw wakker werd en per ongeluk zijn poten af beet, maar het leek hem nog minder feestelijk als ze daar machteloos lagen te slapen wanneer Maccomo terugkwam om ze te halen.

Hij pelde, hij perste, hij praatte, hij slijmde zich suf. 'Toe jongens, toe jongens,' mompelde hij. Hij sjouwde zich een ongeluk om Charlie steeds weer water in zijn gezicht te gooien en sinaasappelen in zijn mond te persen. 'Toe nou, joh...'

Twee keer op één dag! dacht hij. Konden die driedubbeldwars overgehaalde mormels nou niet eens halfuur achter elkaar wakker blijven?

Maar intussen maakte hij zich zorgen.

Wat moest hij doen? Net zolang doorgaan tot Charlie weer bijkwam, of moest hij... misschien... toch maar naar het Riad el dinges gaan en proberen de aandacht van Charlies ouders te trekken?

Maar daar was Maccomo ook.

Sergei staarde naar Charlie. Zijn gehavende oren flapperden onrustig en zijn snorharen hingen treurig omlaag.

Opeens sprong hij op Charlies buik, zette zijn nagels in Charlies hemd en begon met trekkende, duwende poten te klauwen en te melken.

'Wakker worden, wakker worden, wakker worden!' jankte hij.

En Charlie werd wakker.

Als hij al verbaasd was dat zijn mond vol velletjes en sinaasappelschilletjes zat, liet hij het niet merken. Hij schudde zich, gaf over en stak toen zijn hoofd onder de pomp.

'Ik voel me zo ziek als een kat,' zei hij.

Toen zag hij de leeuwen en begon zich het een en ander te herinneren.

'Het komt door het water,' zei Sergei. Charlie pakte een fles, rook eraan en trok zijn neus op.

'We moeten wel uitgedroogd zijn geweest dat we dat niet hebben gemerkt,' zei hij. 'Dat is het leeuwenmedicijn.'

'Dacht ik al,' zei Sergei.

'En dat betekent…' zei Charlie, die weer groen werd.

'Precies,' zei Sergei. 'Die rat. Ik heb hem gezien. Hij zat buiten te wachten tot jullie allemaal buiten westen waren, maar ging er toen opeens vandoor met een joch uit de stad. Ik erachteraan, natuurlijk. Hij komt jullie straks halen. Jullie allemaal.'

'Is hij al terug?' riep Charlie uit. 'Sergei, kijk eens of je hem ziet!'

Sergei loerde uit het raam.

'Geen hond te bekennen,' zei hij.

'We moeten de leeuwen meteen wakker zien te maken. We moeten vluchten voor hij terugkomt,' zei Charlie. 'Maar waar is hij heen? Waarom heeft hij al die moeite gedaan en neemt hij toch nog het risico dat we hem te snel af zijn?'

'Zo simpel ligt dat niet,' zei Sergei. 'Charlie…'

'Wat?'

'Ik zag…'

'Wat?' zei Charlie.

'Ik heb… eh… je hooggeachte pa en ma gezien,' zei Sergei. Charlie keek hem met grote ogen aan.

'Hier?' vroeg hij aarzelend.

'Hier,' zei Sergei. 'Hier, en op vrije voeten.'

'Mam en pap…' Charlies gezicht werd rood en hij durfde het niet te geloven. Hier? Nu? Vrij?

'Juust, Charlie, mam en pap, mevrouw de professor, meneer de doctor, Aneba en Magdalena… in hoogsteigen persoon. Je bloedeigen ouders. Ik ken ze namelijk, moet je weten. We hebben samen dierbare momenten op een vuilnisbelt doorgebracht, weet je nog?'

Charlies adem stokte.

'Breng me naar ze toe,' zei hij eenvoudig.

Sergei keek hem met zijn melkachtige ogen meelevend aan. Maar hij verzette geen poot.

En even later zei Charlie: 'O.'

Na weer een tijdje zei hij: 'Natuurlijk.'

Charlie wist dat hij iets aan de leeuwen moest doen voordat hij naar zijn ouders kon. De leeuwen waren in levensgevaar.

Maar zijn ouders dan!

In een flits zag hij voor zich hoe het weerzien zou zijn, hoe hij op ze af holde...

Maar zou dat wel goed voelen als hij er de leeuwen voor had laten barsten? Over niet al te lange tijd werd het dag. Als ze vanavond niet naar huis gingen, kreeg Maccomo nog een hele dag de kans om ze te vangen. En zijn ouders konden vast niet midden in de nacht vertrekken.

Sergei sloeg hem oplettend gade. 'Je hebt ze naar hun land gebracht,' zei hij. 'Je hebt je belofte gehouden. Als je wilt, kun je nu opstappen. Je kunt doen wat je wilt.'

'Jaja,' zei Charlie met een grimas. 'Even zo vrolijk bedankt, maar je weet dat dat niet waar is.'

Sergei schokschouderde. 'Kom op dan,' zei hij.

Charlie keek om naar de bewusteloze leeuwen.

'Eerst moeten we ze wakker krijgen,' zei hij.

Toen ging hem een licht op. 'Sergei,' zei hij. 'Is het ver naar Maccomo's pension?'

Ze boften dat Maccomo nog met Mabel aan het knuffelen was toen ze het balkon bij zijn kamer op klommen. Terwijl ze door het raam klauterden, was Maccomo met haar op weg naar haar hotelkamer; Aneba en Magdalena volgden op veilige afstand, gespannen als een veer en bloedzenuwachtig dat ze betrapt zouden worden. Terwijl Charlie de laatste fles leeuwenmedicijn op zak stak, zat Maccomo tegen Mabel te fluisteren dat de jongen en de leeuwen dicht in de buurt waren en waarschijnlijk al buiten westen door het verdovend middel dat hij ze had toegediend. Magdalena en Aneba stonden wanhopig achter de deur te luisteren naar het doffe gemompel daarbinnen. Terwijl Charlie en Sergei weer naar de grond afdaalden, verklaarde Maccomo opnieuw zijn eeuwige liefde en zaten Charlies ouders radeloos op de gang met hun rug tegen de muur.

Magdalena was bijna in tranen. 'Mijn eigen zus!' zei ze steeds weer, zachtjes.

Aneba vond dat ze naar binnen moesten stormen om Maccomo te dwingen hen bij Charlie te brengen.

'En wat gaat Mabel dan doen?' fluisterde Magdalena. 'Moet ik soms aanzien hoe mijn man mijn zus vermoordt vanwege mijn zoon? Of hoe mijn zus en haar minnaar mijn man vermoorden? We moeten wachten en hem volgen als hij teruggaat!'

Aneba boog zijn hoofd en dacht snel na.

'We moeten ons vermommen,' zei hij kortaf. 'Ik ga spullen halen. Blijf hier.'

'Mij krijg je hier niet weg,' mompelde ze, met een ongelukkig gezicht.

Een kwartier later was Aneba terug met twee grote omslagdoeken die hij beneden uit de hotelwas had gevist, en ze probeerden het zich een beetje makkelijk te maken op hun wachtpost.

Tien minuten later ging Maccomo de kamer van Mabel uit door de andere deur, die uitkwam op een andere gang, die naar de andere kant van het hotel leidde, waar een uitgang was naar een ander straatje.

'Laten we hopen dat ze al wakker zijn,' hijgde Charlie toen ze terugdraafden naar de leeuwen en de hamam.

Dat waren ze niet. Maar ze reageerden wel beter op sinaasappelen, gepor en koud water dan eerst. Tegen de tijd dat Maccomo weer bij de hamam verscheen waren ze op de been, sterk, woedend en klaar voor de ontvangst.

'Maak hem niet dood,' zei Charlie.

De leeuwen keken hem aan met een blik van: waarom niet?

'Dat is onze aard, Charlie,' zei de oudste leeuw. 'Zo zijn we.' Het leek alsof ze steeds wilder werden nu ze bijna thuis waren.

Alleen de jonge leeuw leek het te begrijpen. 'Maar het is niet Charlies aard,' zei hij. 'Charlie kan het niet goedvinden omdat hij een mens is – een goed mens. Goede mensen houden niet van doodmakerij – ook niet als het om hun vijanden gaat.'

De leeuwinnen keken naar de oudste leeuw, die hierover nadacht en ongeduldig met zijn snorharen trilde.

'Je bent onze vriend,' zei de oudste leeuw ten slotte. 'Je had ons in Venetië achter kunnen laten, je zou ons nu kunnen achterlaten om naar je ouders te gaan, maar je bent ons trouw door dik en dun. Daarom zullen we je aard respecteren, al moeten we daarvoor tegen onze eigen aard ingaan. Misschien zal dat verkeerd uitpakken, maar we zien wel wat ervan komt. Zulke vraagstukken spelen altijd een rol als verschillende volken samenwerken. We zullen je respecteren.'

De leeuwinnen verborgen hun teleurstelling in woede en toen Maccomo zijwaarts door de ingang kwam, met touwen op zijn rug en een mes tussen zijn tanden, stonden ze hem op te wachten. Het werd geen machtsstrijd; de man had gedacht dat hij niets anders hoefde te doen dan zijn slapende prooi vast te binden. Hij was geen partij voor zes leeuwen die zijn bloed wel konden drinken, een jongen die woedend was en een grimmig grijnzende zwerfkat.

De leeuwen dreven Maccomo in het nauw en zouden hem aan stukken hebben gescheurd als ze Charlie niet hadden beloofd het te laten. In plaats daarvan lieten ze hem alle hoeken van de hamam zien, gaven hem tikjes als een kat die met een muis speelt, bezorgden hem blauwe plekken en de doodsschrik, en de oudste leeuw drukte hem met een machtige poot met uitgestrekte klauwen tegen de grond terwijl Charlie hem vastbond. Maccomo was verbijsterd. Hij kon niet geloven dat dit echt gebeurde. Charlie was geschokt door de heftigheid van de worsteling, maar hij voelde zich ook trots. De leeuwen toonden hun gevoel niet. Ze deden laconiek wat hun te doen stond.

'Wacht even,' zei Sergei. 'Geef hem dat spul om hem rustig te houden.' Charlie pakte de medicijnfles en zei tegen Maccomo: 'Mond open.'

Maccomo wilde niet. Hij was gekapt met het middel; het was geen erg verslavende drug, maar het was toch een strijd geweest om zich te verzetten tegen de behoefte aan die heerlijke roes. Nu het hem werd voorgehouden, keek hij alsof hij het liefst zou spugen. Maar toen opende de jonge leeuw zijn klauwen en hief zijn kromme, akelige nagels in het schemerige licht. De leeuwentrainer koos eieren voor zijn geld. Hij klokte het middel naar binnen.

Charlie bond hem plat op zijn buik op de rug van de zilveren leeuwin. De leeuwentrainer was slap van de schok, de schrik en het leeuwenmedicijn. Toen klom hij zelf op de rug van de jonge leeuw, rook de warme geur van zijn vacht en voelde weer de soepele, golvende werking van de oersterke spieren.

'Kom je ook?' riep hij naar Sergei.

'Niet als zodanig,' antwoordde de kat. 'Oftewel, om de dooie dood niet. Als je leeuwen kent zijn ze best lollig, maar ik vind het niet *très comique* om me voor onbekende leeuwen te gooien. Ik wacht hier wel op je.'

'Sergei,' zei de oudste leeuw. 'Bedankt voor alles.'

Sergei haalde zijn neus op. 'Ach ja,' zei hij en hij begon zijn kont te krabben.

En zo haastten Charlie en de leeuwen zich in de laatste donkere momenten voor het ochtendgloren de hamam uit, de stad uit, in een race tegen het daglicht dat al over de zandduinen kroop onder een hemel waarin de maan en de morgenster verbleekten. Ze schaafden zich aan de takken van bremstruiken die een zoete geur in de lucht verspreidden. Voor hen uit lagen de wazige, lage arganiabossen en het thuisland van de leeuwen.

ACHTTIEN

r wordt niets meer gezegd,' fluisterde Aneba.

'Ik hoor het,' antwoordde Magdalena en ze schudde haar hoofd.

Toen keek ze hem aan.

'Je hebt gelijk,' zei ze. 'Kom op. We doen het gewoon.'

Ze smeten de deur open en stormden naar binnen. Mabel stond midden in de kamer – alleen.

Aneba zag de andere deur, gooide hem open en vloekte.

Magdalena begon tegen Mabel te schreeuwen.

Mabel hoorde haar kalmpjes aan. Toen Magdalena buiten adem raakte, zei Mabel: 'Ik lieg hem maar wat voor. Hij weet waar Charlie is. Hij brengt me morgen naar hem toe. Ik mag dan een slechte zus en een domme verliefde vrouw zijn geweest, maar dacht je nu echt dat ik niet zou ingrijpen als hij een jongen wil verkopen! Een Katssprekende jongen nog wel! Die bovendien mijn eigen neefje is!'

Magdalena bedwong haar neiging om te foeteren dat Mabel nog nooit een zier om haar neefje had gegeven en dat nu zeker opeens wel deed omdat hij toevallig Kats sprak? In plaats daarvan keek ze haar zus even sprakeloos aan, barstte toen in hui-

284

len uit, viel haar in de armen en snikte: 'Echt? Meen je dat echt? Help je ons echt?'

En Mabel zei: 'Allicht, Mags', net zoals vroeger toen ze nog kinderen waren, waardoor Magdalena nog harder begon te huilen. Aneba keek lachend toe. Goddank, dacht hij. Hij wist evengoed als de zussen dat er nog heel wat viel uit te praten, maar nu konden ze tenminste hun mouwen opstropen en Charlie gaan redden.

'Waar is hij heen?' huilde Magdalena en ze veegde haar gezicht af.

'Ik weet waar hij logeert,' zei Mabel. 'Hij komt zo snel mogelijk terug. We mogen niks doen wat Maccomo achterdochtig kan maken of hem het gevoel te geven dat ik niet aan zijn kant sta. Morgenochtend is hij terug.'

'Geen sprake van,' zei Aneba. 'Zo lang kan ik niet wachten.'

'Maccomo weet niet eens dat jullie hier zijn,' zei Mabel. 'Als hij jullie ook maar eventjes zou zien, raakt hij in paniek. Hij weet niet dat Charlie familie van me is... hij denkt dat er geen vuiltje aan de lucht is.'

'Eerlijk gezegd boeit me dat voor geen meter,' zei Aneba. 'Waar houdt hij onze zoon vast?'

'Dat weet ik niet,' hield Mabel vol. 'Dat vertelt hij me morgen. Hij komt morgenochtend terug.'

Aneba schudde ongelovig zijn hoofd. 'Nou, ga jij dan maar lekker slapen,' zei hij. Hij wierp Magdalena een van de wijde omslagdoeken toe en ze gingen zwierig de nacht in. Ze waren niet van plan met zoeken op te houden tot ze hun zoon gevonden hadden.

Rafi sliep al evenmin. Hij was vanuit Spanje overgestoken en hij had last van het zand dat over de Marokkaanse wegen stoof, van de kamelen die hun lip optrokken en naar hem spuugden als hij wilde passeren en van de kuddes schapen die in paniek raakten als hij er met een vaartje tussendoor wilde rijden. Hij was al vijf keer van zijn motor gevallen en op schaapachtige wolbalen geland. Pijn deed het niet, maar het schoot ook niet op als je haast had. Die lui van de Corporatie belden hem plat en hij nam zijn telefoontje niet meer op, want hij had niets te melden. Hij moest als de sodemieter Maccomo zien te bereiken en dat kleine pokkenjoch vangen.

Maar hij had de hele nacht gereden en hij was nu niet ver van Essaouira – hij zou er bij het krieken van de dag aankomen. Het was 's nachts ijskoud om te rijden, maar dan waren er tenminste geen schapen en kamelen, al maakte de maan griezelige schaduwen op de slecht zichtbare weg voor hem. Dat daar, bijvoorbeeld – wat was dat? Een stuk of zes, zeven schaduwen, dieren waarschijnlijk, die langs de weg slopen, van de ene beschermende lage struik naar het volgende bosje, waarna ze tussen de grillig gevormde bomen verdwenen.

Huiverend stoof Rafi er op zijn brullende motor langs.

Het was ochtend toen ze bij leeuwenland kwamen en de zon was al warm genoeg om de nachtelijke kou te verdrijven. Het licht viel in gouden bundels over het landschap, wierp lange schaduwen van de stekelige bomen over het droge gras en de stoffige paden. De ochtend brak helder en prachtig aan. Vogels zongen en kleine onzichtbare insecten ritselden met knapperige geluidjes in het gewas.

Charlie kon de familieleden van de leeuwen niet zien. Hij zag hun thuis niet.

Maar de leeuwen zagen het wel, en toen ze in de buurt waren begonnen ze steeds sneller te draven, de jonge leeuw met

grote golvende bewegingen onder Charlies zitvlak als een –
nou ja, als een leeuw die het nest ruikt.

En in de verte werd hun geur ook geroken. Plotseling staken
er gouden hoofden, met starende gouden ogen, boven het
gouden gras tussen de bomen uit. Toen richtten gouden lijven
zich op, rekten gouden ledematen zich uit, kwamen gouden
poten overeind, trilden er zwarte snorharen en bewogen er
oren heen en weer.

Een gigantisch mannetje, indrukwekkend met zijn enorme
krans van manen, deed een stap naar voren en keek hen strak
aan.

Charlies leeuwen bleven staan.

De oudste leeuw deed een stap naar voren en liet zijn oor
wiebelen.

De andere leeuw schudde zijn hoofd.

De oudste leeuw knipperde langzaam met zijn ogen.

De andere leeuw trilde met zijn snorharen.

'Zijn we er?' fluisterde Charlie.

'Dat weet ik niet,' zei de jonge leeuw.

'Hoezo niet?' vroeg Charlie. 'Ik bedoel, hier komen jullie
toch vandaan... dat zijn jullie stamgenoten toch.'

'Ja,' zei de jonge leeuw, 'maar...'

'Maar wat?'

'Ik ben hier nog nooit geweest,' zei de jonge leeuw zacht. 'Ik
ben in gevangenschap geboren.'

Charlies adem stokte. Daar had hij niet eerder aan gedacht.
De jonge leeuw en Elsina kenden de wildernis niet...

'O, jemig,' zei hij.

'Ja,' zei de jonge leeuw. 'Ik weet niet hoe het er is. Spannend, hè!'

Charlie wreef vol genegenheid zijn oren. Het kwam wel

goed. Het was spannend en boeiend en het kon moeilijk worden, maar het zou vast goed komen. En hij wist dat hij er geen zinnig woord over kon zeggen – het ging om het vrije, wilde leven in de wildernis. Een mens kon dat nooit van zijn leven begrijpen.

Bij dat besef ging er een steek door hem heen.

En op datzelfde moment besefte hij ook dat alle andere leeuwen naar hem keken.

Charlie keek snel naar de oudste leeuw – wie moest het die andere uitleggen? Hij was nu in leeuwenland en hij moest zich aan de gewoonten en manieren van de leeuwen aanpassen.

De oudste leeuw richtte zich fier op en schudde zijn manen.

'Mijn broeders en zusters,' kondigde hij aan, met een zachte grom van geluk, 'wij zijn teruggekomen. Veel van jullie kennen ons niet meer. Misschien zijn we wel vergeten. Maar wij zijn van deze stam. We werden gestolen. We zijn teruggekomen...'

Tijdens zijn toespraakje begonnen de andere leeuwinnen fluisterend te overleggen. Erg gastvrij klonk het niet. Maar toen kwam er achter in de groep iemand overeind. Het was een stokoude leeuwin, met een doffe vacht en magere, verzwakte poten. Traag kwam ze naar voren en riep een naam die je in geen enkele mensentaal schrijven kunt.

'Ben jij het?' zei ze. 'Ben jij het echt, mijn zoon?'

De oudste leeuw leek opeens zo oud niet meer toen hij zijn kop op de grond voor haar legde. Charlie moest een paar keer flink slikken.

'Grootmoeder!' schreeuwde Elsina. 'Bent u mijn grootmoeder?' Ze bolderde op de oude dame af, gaf haar kopjes en verlegen kusjes, zwiepte met haar staart en toonde haar aandoenlijke leeuwenwelpenlach.

De oude dame stond te stralen op haar dunne benen.

Daarna kwam alles op zijn pootjes terecht. De leeuwinnen liepen langzaam om de starende groep andere leeuwinnen naar achteren, duwden hier hun neus tegen een andere neus, tikten daar met een poot een andere poot aan. Elsina rende in kringen rond en vond al snel andere welpen. Binnen een mum van tijd waren ze aan het dollen en stoeien. De oudste leeuw en de jonge leeuw deden gezamenlijk en om de beurt het hele verhaal van hun belevenissen.

En Maccomo?

Charlie trok hem, nog steeds bewusteloos, van de rug van de leeuwin en legde hem op de grond om nog wat medicijn in zijn kwijlende mond te gieten. De andere leeuwen bekeken hem nieuwsgierig – was hij dood? Hij zag er dood uit, maar zo rook hij niet. Moesten ze hem doodmaken?

De oudste leeuw zei: 'Hij was het die mij en de moeders gestolen heeft. Hij is onze gevangene.'

'Leeuwen nemen niets of niemand gevangen,' zei een jonge leeuw. 'U bent te lang onder de menselijken geweest.'

De oudste leeuw beet van zich af. 'Hij is onze gevangene!' brulde hij. 'We maken hem niet dood, we vreten hem niet op. We geven hem dit' – en hij gebaarde naar de fles medicijn in Charlies handen – 'en we houden hem gevangen. Zo doen we dat.'

Charlie keek neer op Maccomo, vastgebonden op de stoffige grond, amper bij kennis, die met rollende ogen en een verdwaasde grijs op zijn gezicht niet meer bij zijn verstand was.

Doei, Maccomo, dacht hij. Ik zal je niet missen.

Toen keek hij naar de jonge leeuw. Hoe graag hij ook in leeuwenland had willen blijven, hij had zelf familie en een leven dat aan hem trok, en hij kon niet langer wachten.

Het was moeilijk om de leeuwinnen gedag te zeggen. Het was nog moeilijker om afscheid te nemen van de oudste leeuw. Het was bijna onmogelijk om afscheid te nemen van Elsina.

De jonge leeuw drukte zijn neus tegen Charlies arm. 'Kom,' zei hij. 'We gaan.'

De tocht terug naar de stad ging veel sneller, omdat het dag was en Charlie nu de weg kende. Maar vreemd genoeg kon het hem niet lang genoeg duren. Hij wist dat hij in vliegende vaart naar zijn ouders op weg was – maar hij wist ook dat dit waarschijnlijk de laatste keer was dat hij zich aan de gouden rug van de jonge leeuw kon vastklampen, zijn warme vacht ruiken, het avontuur met hem delen. Hij knipperde met zijn ogen bij die gedachte. Hij deed alsof het van de wind kwam die langs zijn ogen sloeg, maar hij wist wel beter.

Toen ze aan de rand van het droge, grillige woud kwamen, bleef de jonge leeuw staan.

'Nu sta je er alleen voor,' zei hij. 'Ik kan niet verder met je mee – dan word ik gezien.' Zij aan zij keken de jongen en de leeuw uit over de brede, glooiende duinen, voor een deel woestijn en voor een deel strand, naar het punt in de diepte waar Essaouira lag, aan de kust, tussen zee en land.

'Ja,' zei Charlie.

'Hm,' zei de jonge leeuw.

Charlie dacht dat hij nu zoiets als 'dag' moest zeggen en ervandoor gaan over de duinen.

De jonge leeuw dacht dat hij zich nu maar gewoon moest omdraaien en wegbanjeren door het bos.

Ze draaiden zich naar elkaar toe en begonnen op hetzelfde moment te roepen. Charlie riep: 'Ik zal je nooit vergeten, ik kom je opzoeken, je bent zo tof, je bent gewoon te gek en ik vergeet je nooit, nooit van mijn leven.' De jonge leeuw riep: 'Ik zal je nooit vergeten, leeuwenjong, als je me ooit nodig hebt hoef je maar te kikken, je bent de allerbeste menselijke vriend die een leeuw ooit – nee, je bent gewoon mijn beste vriend...'

Toen keken ze elkaar sprakeloos aan, stom van afschuw om wat er nu komen moest, en stilletjes, met alleen hun ogen, beloofden ze elkaar altijd vrienden te blijven.

'Als je hier wacht, en als ik mam en pap heb gevonden...' zei Charlie.

De jonge leeuw glimlachte naar hem. 'Wat heeft dat voor zin?' zei hij. 'Dan blijven we het maar uitstellen.'

Charlie wist dat hij gelijk had.

'Geef Elsina een kus van me,' zei hij.

'Ja,' zei de jonge leeuw.

Toen draaide Charlie zich abrupt om en rende weg door de duinen, en de jonge leeuw draaide zich om en slenterde met gebogen hoofd terug door het bos. Ze keken geen van tweeën om. Ze konden het geen van tweeën verdragen.

Hijgend, met het zweet op zijn voorhoofd en een droge mond, kwam Charlie eindelijk bij de stadspoort. Sergei zat hem op te wachten. Hij had net ruzie gehad met een man die aan zijn stalletje leren sandalen verkocht; de man had een emmer water over hem heen gegooid en Sergei was laaiend en spuwde vuur. Zag die gozer dan niet dat hij een kat van het betere soort was, een gelouterde, serieuze en doelbewuste kat, niet het soort kat waar je water naar gooide?

Charlie wilde gaan zitten om op adem te komen, water te drinken en een plan uit te denken. Sergei vond dat ze onmiddellijk verder moesten.

'Ik moet even bijkomen!' protesteerde Charlie hardop, meer tegen zichzelf dan tegen Sergei.

'Van mij mag je,' zei de sandalenkoopman, die hem een beetje vreemd aankeek.

'O, sorry, ik had het niet tegen u,' grinnikte Charlie. 'Hebt u ook water?'

'Ik heb net mijn laatste water verspild aan een smerige kat die mijn slippers wilde eten,' zei de man. 'Wil jij sandalen?'

'Nee, bedankt,' zei Charlie – al zagen ze er heel leuk uit, in allerlei kleurtjes, als verschillende smaakjes waterijs: kers, mandarijn, citroen, pistache, bramen, bosbessen en meloen.

Sergei wierp hem een kille blik toe en mekkerde: 'Schiet toch op, joh! We moeten ze vinden voordat dat andere mens merkt dat Maccomo weg is en stampei maakt! Doe eens wat! Start je *bicyclette*! De tijd tikt door!'

Pas toen de sandalenkoopman om zich heen keek of hij nog iets anders zag om naar Sergeis kop te smijten, hees Charlie zich overeind en sjouwde onder de schaduwrijke boog van de poort de stad in.

Mam en pap, dacht hij en die gedachte gaf hem moed. Het maakte niks uit dat hij honger en dorst had en in geen eeuwen meer echt goed geslapen had. Hij was op weg.

Hij had tijd gehad om na te denken waar ze in deze stad heen konden zijn gegaan. Hij had gedacht dat ze zelf wel zouden ontdekken waar hij was en dan naar hem toe zouden komen. Maar hoe moesten ze in vredesnaam ontdekken waar hij was? Dat wist alleen Maccomo, en met Maccomo was nu afgerekend.

'Waar heb je ze gezien, Sergei?' vroeg hij.

'Het Riad... het Riad el dinges,' antwoordde Sergei.

'El watte?' vroeg Charlie.

'El weet-ik-veel!' zei Sergei. 'Maar ver is het niet.'

'Waar is het dan?' zei Charlie.

'Eh…' zei Sergei.

Charlie keek hem aan.

'Weet je wat "riad" betekent, Sergei?'

'Neu…' zei de kat.

'Zoiets als… hotel.'

'O,' zei Sergei. 'Eh… oké.'

Nou, dan moest het maar een speurtocht worden… Charlie, min of meer op de hielen gezeten door Sergei die de indruk probeerde te wekken dat hij maar toevallig wat rondscharrelde, liep zo rustig als hij kon naar de Place Moulay El Hassan, waar alle cafés waren, om er sinaasappelsap te kopen en zo onopvallend mogelijk praatjes aan te knopen.

Eerst ging hij naar de patisserie en kocht een appelflap, een croissant en een verpakte rijstwafel. Het meisje achter de toonbank wist van geen roodharige vrouw of grote Engelse Afrikaan.

'El Omali?' zei Sergei.

'Omali is een soort toetje,' zei Charlie. 'Ze zullen wel niet in pension Toetje zitten, hè?'

'Mm, neu,' zei Sergei sullig.

Charlie liep naar de sinaasappelsapkraam en kocht een groot glas. De sinaasappelsapman had een roodharige vrouw gezien en een grote Afrikaan die inderdaad wel iets Europees had, maar hij wist niet waar ze logeerden.

'El Arbah?' zei Sergei. 'Dat is hier in ieder geval dichtbij.'

Charlie keek hem zwijgend aan.

'Hotel het Gebakje?' zei hij toen.

Ze liepen door naar het café waar ze de vorige avond waren geweest.

'*Salaam aleikum*, hongerlap!' riep de ober. 'Hoe smaakten de kebabs?'

'*We aleikum el salaam*,' zei Charlie automatisch. 'Grote beker koffie verkeerd graag, met een glas water.'

Hij ging voor het café zitten, onder een klimop barstensvol donkerpaarse bloemen, begon met overgave te eten en drinken, propte zich barstensvol en dacht: ze moeten hier ergens zijn. Ze zijn dicht in de buurt. Ze kunnen zomaar langslopen. Blijf kalm!'

Hetzelfde mooie liedje speelde op de radio.

'Ik wou nog vragen,' zei Charlie, zo hard dat de andere gasten in het café hem ook konden horen, 'of iemand een vrouw met rood haar en een reus van een zwarte man heeft gezien?'

Het gezicht van de ober leek op 'nee' te staan en allerlei mannen in het café keken om, al hadden ze niets te melden, om te zien wie dat vroeg. Maar achter zijn schouder hoorde Charlie een stemmetje dat zei: 'Jazeker. De bleke roodharige dames en de zwarte reuzenman? Die logeren in het Riad El Amira.'

'El Amira!' zei Sergei. 'Het lag op het puntje van mijn tong.'

Charlie draaide zich bliksemsnel om. Een kameleon met draaiende ogen keek hem vanaf de tak van de klimop kaarsrecht aan. Hij was net zo heldergroen als de bladeren waarin hij lag. Niemand anders hoorde hem – wie luisterde er nou naar een klein reptiel als er heerlijk veel te roddelen viel? Bovendien verstonden de mensen in het café hem niet; ze dachten niet dat kameleons konden praten.

En Charlie was zo opgetogen dat hij niet merkte dat een reptiel in het Kats tegen hem sprak. Of dat het reptiel het over 'dames' had gehad.

'Riad el Amira?' vroeg hij. De kameleon rolde zijn ene oog naar rechts.

'Die kant uit,' zei hij.

'Dankjewel,' zei Charlie.

Hij kon geen adem meer krijgen. Hij was te opgewonden. Te gelukkig. Te bang dat er toch nog iets mis kon gaan, zelfs nu nog.

Hij greep in zijn tas en nam een paar pufjes van zijn astmamedicijn; hij deed zijn ademhalingsoefeningen.

Toen sprong hij overeind, gooide geld op tafel, knipoogde nog snel naar de kameleon en vloog de straat op.

De ober keek hem na. 'Mal joch,' zei hij.

De kameleon knipperde met zijn ogen en verplaatste zich naar een andere tak, waar zijn linkerpoot en de helft van zijn staart langzaam paars kleurden, omdat ze op een bloem lagen.

Charlie hoefde maar drie keer te vragen waar het Riad el Amira was. De twee mensen aan wie hij het eerst vroeg, waren erg behulpzaam. De derde, die in de duisternis van een portiek stond, was ook erg toeschietelijk. Hij zei: 'Het is hier, je staat voor de deur.' En hij voegde eraan toe: 'Ik wist wel dat je zou komen aankakken, slap papjochie, huilend achter je mammie aanrennen, hè... Of dacht je soms dat ik je was vergeten? Was jij mij soms vergeten? Dacht je dat ik het erbij zou laten zitten? Nou, schrijf dat maar op je buik, Charlie Ashanti, stuk ongeluk dat je er bent, jij godvergeten kleine roofdierenrover...'

Charlie was net zo geschokt als jij. Hij was voorbereid op een gelukkig weerzien, niet op een ontmoeting met zijn vijand. Hoe durfde Rafi uitgerekend op dit moment uit de lucht te komen vallen om zijn feestje de grond in te boren?

'Ach, hou toch je kop!' schreeuwde Charlie en toen deed hij iets waar hij achteraf, als hij eraan terugdacht, steeds weer van zou staan te kijken. Overmand door woede en zonder zijn eigen kracht te kennen, gaf hij Rafi een dreun tegen zijn hersens.

Rafi zag het net zomin aankomen. Hij gaf Charlie meteen een oplawaai terug, en toen wilde hij hem te pakken nemen door zijn armen om Charlies borst te slaan. Maar Charlie dacht daar heel anders over. Hij was een stuk gegroeid sinds hij Rafi voor het laatst had gezien – hij was groter, volwassener en anders geworden. Hij was niet meer een bang jongetje van wie de ouders waren ontvoerd. Hij was de vriend van de leeuwen, de overlevende van een schipbreuk; hij was uit een Venetiaans palazzo ontsnapt en had geholpen een revolutie op touw te zetten, hij had de leeuwen uit een sneeuwstorm gered; hij had een zeereis achter de rug, had moeilijke beslissingen genomen. Rafi zou de kans niet krijgen om dit glorieuze moment te verpesten. Rafi mocht dan ouder en groter zijn, Charlie was slimmer en hij stond in zijn recht.

Hij stompte met zijn elleboog in Rafi's maag, deinsde achteruit en gaf hem een loeiharde zwaaistoot tegen zijn schouder. De zere schouder. Rafi verschoot van kleur en brulde van de pijn. Hij verloor alle zelfbeheersing en stormde op Charlie af.

(Een legertje belangstellende katten begon te krijsen van schrik. Er was er maar één, met amberkleurige ogen, die stil toekeek.)

Charlie liet Rafi komen, maar draaide zich op het laatste nippertje om, bukte zich en haakte hem pootje.

Hij sprong boven op de spartelende, kreunende Rafi. 'Je kunt niet eeuwig ongestraft je zin doordrijven, Rafi,' siste Charlie, terwijl hij aan Rafi's leren jas trok en naar de zakken zocht. 'Je kunt niet eeuwig en altijd alles en iedereen bij elkaar jatten alsof de hele wereld van jou is. Sommige dingen, Rafi, *zijn nu eenmaal niet van jou!*'

En ondertussen vond hij wat hij zocht. Gekreukt en gehavend, maar nog intact – de formule van zijn moeder.

Grijnzend liet Charlie het stukje perkament in zijn eigen zak glijden.

Rafi nam de kans te baat om overeind te krabbelen en even wist Charlie niet wat hij doen moest. Toen besefte hij dat hij helemaal niets hoefde te doen. Rafi greep naar zijn gekwetste arm en zag groen van de pijn.

'Jij kleine…' begon hij, maar vervolgens ging hij er struikelend vandoor.

Moet ik achter hem aan? vroeg Charlie zich af. Ik moet er een eind aan maken. Hij dacht er niet bij na wat 'een eind eraan maken' precies inhield, want het gemiauw van Sergei aan zijn voeten hield hem tegen.

'Wat is er?' vroeg Charlie, nog verdwaasd en buiten adem. Hij had met Rafi gevochten! En gewonnen!

'Petje af, joh,' zei Sergei. 'Maarre…' Hij gebaarde naar de poort.

Op de prachtige binnenhof zaten veel hotelgasten te ontbijten. Onder hen was een vrouw met rood haar, met kleren waaraan goed te zien was dat ze 's nachts niet naar bed was geweest. Huilend zat ze boven een onaangeraakt kopje koffie. Een man tegenover haar, met brede schouders die krom stonden van vermoeidheid, hield haar hand vast en schudde zacht zijn hoofd. Je kon zien dat hij lieve, bemoedigende dingen zei, woorden die hij zelf graag wilde geloven, maar je zag ook dat ze ontroostbaar was.

Alle lucht sloeg uit Charlies borstkas. Zijn benen werden slap.

'Zullen we het nog beleven?' zei de stem aan zijn voeten.

Met knikkende knieën ging hij het binnenhof op.

Hij liep naar het tafeltje.

Hij haalde diep adem.

'Ha, die mam,' zei hij. 'Ha, die pap.'

VOORUITBLIK

Charlie kon nog net lang genoeg wakker blijven om voor de tweede keer te ontbijten — het heerlijkste ontbijt van zijn hele leven — en zijn ouders nogmaals aan Sergei voor te stellen. Toen sliep hij twee dagen en nachten in het bed van zijn ouders. Zij bleven bij hem, omhelsden elkaar als gekken die hun geluk niet op konden, bogen zich over hem heen, streelden hem en vroegen fluisterend of hij soms ergens trek in had.

Toen Charlie wakker werd, besefte hij dat hij vijf centimeter gegroeid was. Niet veel later ontmoette hij zijn onbekende tante, wat zo'n schok voor hem was dat hij bijna van zijn stokje ging.

Hij vertelde Aneba en Magdalena alles wat hij had meegemaakt.

Zij vertelden op hun beurt alles wat zij hadden meegemaakt.

Pas over twee weken ging er weer een boot naar Londen. Ze wisten niet goed wat ze moesten doen. Mabel vond dat ze moesten blijven, op verhaal komen en vakantie vieren. Magdalena wilde liever naar huis — waarom gingen ze niet over land naar Casablanca en terug door Spanje? Dan konden ze in Engeland aangifte doen, erachter komen wat de politie al die tijd had uitgevoerd en Rafi laten arresteren. Maar Aneba wilde niet meteen uit Afrika weg, nu hij er eindelijk weer was. Thuis in Londen was het misschien niet eens veilig, en Ghana, legde hij uit, lag vlakbij – aan de andere kant van de Sahara. Ze konden een vrachtwagen huren, of kamelen...

Charlie lachte.

Maar dat was omdat hij niet kon weten wat hem nog te wachten stond. Hij wist niet dat wat hem nog te wachten stond veel erger was dan al het andere dat hij tot nu toe had beleefd.

WOORD VAN DANK

Weer onze hartelijke dank aan Fred van Deelen voor zijn mooie kaarten en diagrammen; aan Paul Hodgson voor zijn weergave van de bijpassende muziek. Ook bedanken we onze redactieleden en agenten.

Opnieuw onze bijzondere dank aan Robert Lockhart die de prachtige liedjes heeft gemaakt. Als je ze allemaal wilt horen of zelf wilt spelen op de piano, kun je de bladmuziek kopen. Moeilijk zijn ze niet – zelfs ik kan ze spelen – en er zit een gratis cd bij met opnames van een klein orkest, dus alleen luisteren kan ook. De titel is *Music from Zizou Corders Lionboy,* door Robert Lockhart, uitgegeven door Faber Music. Je kunt ook kijken op www.fabermusic.com.

vanaf 11 jaar

ISBN 90 6494 105 X

€ 16,95

Charlie Ashanti spreekt Kats. Hij vindt dat vanzelfsprekend, maar als zijn ouders zijn ontvoerd, merkt hij pas
hoe handig het is. De katten geven hem informatie over
zijn ouders en waarschuwen hem dat hij zelf ook gevaar
loopt. Charlie slaat op de vlucht en komt terecht op een
gigantisch circusschip dat op weg is naar Parijs.

Daar krijgt hij een baantje bij de leeuwen. Als de leeuwen
vragen of Charlie hen wil helpen ontsnappen in ruil voor
hulp bij het vinden van zijn ouders, begint het avontuur
eigenlijk pas echt…

De pers schreef over *Leeuwenjongen*:

'Het boek is de hype waard.' NRC *Handelsblad*

'Het is een wervelend avontuur.' *Kidsweek*

'*Leeuwenjongen* is een vermakelijk jeugdboek.' *Elsevier*

'*Leeuwenjongen* is een aardig en kleurrijk verhaal, waarin een moderne wereld wordt geschapen die op veel momenten zeker tot de verbeelding spreekt.' *Leesgoed*

'*Leeuwenjongen* is zo'n actieboek dat dicht bij de kinderen staat. [...] Zo maakte het duo een kleurrijk boek, dat je ademloos uitleest.' *Dagblad van het Noorden*

'Van de eerste tot de laatste bladzijde buitelt hun aanstekelijke fantasie over de lezers heen.' NRC *Handelsblad*

'Opvallend aan dit boek is vooral de zeer gedoseerd gebrachte, absurde humor, die tot volle wasdom komt op het moment dat Charlie en de leeuwen in de beroemde Oriënt Express terechtkomen.' *Noordhollands Dagblad*

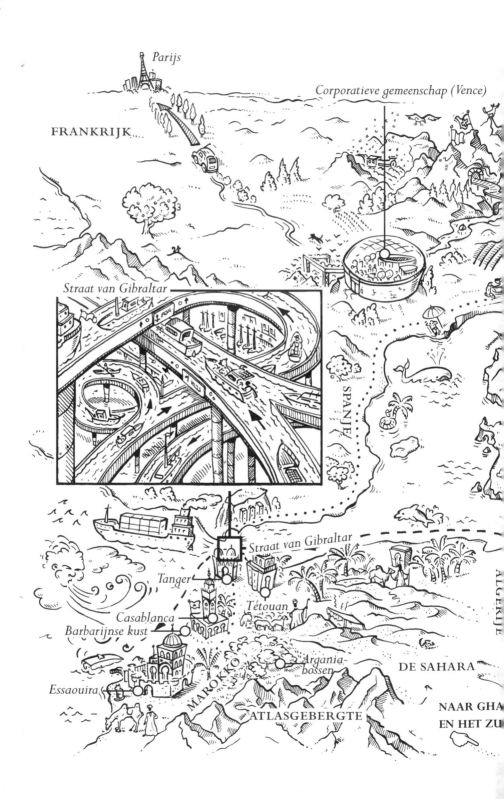